TOUT SUR LES VERBES FRANÇAIS

TOUT SUR LES VERBES FRANÇAIS

21, rue du Montparnasse 75283 Paris cedex 06

Conception et rédaction des fiches du verbe et du commentaire des tableaux de conjugaison :
Françoise Rullier-Theuret, maître de conférences à l'université de Paris-Sorbonne, Paris IV.

Direction éditoriale
Line Karoubi

Édition
Patricia Maire, *avec la collaboration* de Marie-Hélène Christensen et de Anne-Françoise Robinson

Lecture-correction
Chantal Pagès; Jacques Barbaut, Édith Lançon

Informatique éditoriale
Marion Pépin; Anna Bardon

Direction artistique
Ulrike Meindl, *assistée de* Sylvie Sénéchal

Conception graphique et mise en page
Nordcompo

Couverture
Gribouille industry

Fabrication
Marlène Delbeken

L'Éditeur remercie Romain Lancrey-Javal pour le concours apporté à cet ouvrage.

ASSISTANCE TECHNIQUE pour le cédérom
Du lundi au vendredi de 9h à 13h et de 14h à 18h
Tél. : 33 (0) 891 022 220 (0,244 € TTC./minute en France Métropolitaine)
E mail : *support@emme.fr*

ISBN: 203 582702 7

SOMMAIRE

SOMMAIRE DES FICHES

Les numéros renvoient aux numéros des pages

SOMMAIRE DES FICHES

MODE D'EMPLOI

Tout sur les verbes français est un guide pratique et efficace qui se compose de trois parties :

– 100 tableaux des verbes modèles de la conjugaison ;

– 53 fiches décrivant le verbe, ses formes, ses emplois ;

– un répertoire de 8 000 verbes.

Les rubriques suivantes attirent l'attention sur certaines difficultés d'emploi du verbe :

Une petite astuce ! : est destinée à mémoriser certaines irrégularités de la grammaire du verbe.

C'est là qu'on se trompe : consigne les verbes sur lesquels les erreurs sont fréquentes.

C'est permis ! : réunit tous les verbes dont la réforme de 1990 autorise une nouvelle orthographe.

Vous avez dit bizarre ? : attire l'attention sur les curiosités d'emploi du verbe (conjugaison, orthographe, etc.).

Les tableaux de conjugaison

1

ÊTRE

3e groupe

Indicatif

présent		passé composé		
je	suis	j'	ai	été
tu	es	tu	as	été
il/elle	est	il/elle	a	été
nous	sommes	nous	avons	été
vous	êtes	vous	avez	été
ils/elles	sont	ils/elles	ont	été
imparfait		**plus-que-parfait**		
j'	étais	j'	avais	été
tu	étais	tu	avais	été
il/elle	était	il/elle	avait	été
nous	étions	nous	avions	été
vous	étiez	vous	aviez	été
ils/elles	étaient	ils/elles	avaient	été
futur simple		**futur antérieur**		
je	serai	j'	aurai	été
tu	seras	tu	auras	été
il/elle	sera	il/elle	aura	été
nous	serons	nous	aurons	été
vous	serez	vous	aurez	été
ils/elles	seront	ils/elles	auront	été
passé simple		**passé antérieur**		
je	fus	j'	eus	été
tu	fus	tu	eus	été
il/elle	fut	il/elle	eut	été
nous	fûmes	nous	eûmes	été
vous	fûtes	vous	eûtes	été
ils/elles	furent	ils/elles	eurent	été

Conditionnel

présent		passé		
je	serais	j'	aurais	été
tu	serais	tu	aurais	été
il/elle	serait	il/elle	aurait	été
nous	serions	nous	aurions	été
vous	seriez	vous	auriez	été
ils/elles	seraient	ils/elles	auraient	été

ÊTRE

Infinitif		Participe		Impératif	
présent	**passé**	**présent**	**passé**	**présent**	**passé**
être	avoir été	étant	été	sois	aie été
			ayant été	soyons	ayons été
				soyez	ayez été

Subjonctif							
présent				**passé**			
que	je	sois		que	j'	aie	été
que	tu	sois		que	tu	aies	été
qu'	il/elle	soit		qu'	il/elle	ait	été
que	nous	so**yons**		que	nous	ayons	été
que	vous	so**yez**		que	vous	ayez	été
qu'	ils/elles	soient		qu'	ils/elles	aient	été
imparfait				**plus-que-parfait**			
que	je	fusse		que	j'	eusse	été
que	tu	fusses		que	tu	eusses	été
qu'	il/elle	fût		qu'	il/elle	eût	été
que	nous	fussions		que	nous	eussions	été
que	vous	fussiez		que	vous	eussiez	été
qu'	ils/elles	fussent		qu'	ils/elles	eussent	été

Le verbe *être* sert d'auxiliaire de conjugaison :

- pour toutes les formes de la voix passive,
- pour les temps composés de la voix pronominale et de certains verbes à la voix active.

Attention !

Au subjonctif présent, *être* est le seul verbe qui ne se termine pas en *-e* aux trois personnes du singulier, et il ne prend pas de *i* après *y* aux 1re et 2e personnes du pluriel.

C'est là qu'on se trompe

Le participe passé du verbe *être* est toujours invariable.

AVOIR

3e groupe

Indicatif

présent

j'	ai
tu	as
il/elle	a
nous	avons
vous	avez
ils/elles	ont

passé composé

j'	ai	eu
tu	as	eu
il/elle	a	eu
nous	avons	eu
vous	avez	eu
ils/elles	ont	eu

imparfait

j'	avais
tu	avais
il/elle	avait
nous	avions
vous	aviez
ils/elles	avaient

plus-que-parfait

j'	avais	eu
tu	avais	eu
il/elle	avait	eu
nous	avions	eu
vous	aviez	eu
ils/elles	avaient	eu

futur simple

j'	aurai
tu	auras
il/elle	aura
nous	aurons
vous	aurez
ils/elles	auront

futur antérieur

j'	aurai	eu
tu	auras	eu
il/elle	aura	eu
nous	aurons	eu
vous	aurez	eu
ils/elles	auront	eu

passé simple

j'	eus
tu	eus
il/elle	eut
nous	eûmes
vous	eûtes
ils/elles	eurent

passé antérieur

j'	eus	eu
tu	eus	eu
il/elle	eut	eu
nous	eûmes	eu
vous	eûtes	eu
ils/elles	eurent	eu

Conditionnel

présent

j'	aurais
tu	aurais
il/elle	aurait
nous	aurions
vous	auriez
ils/elles	auraient

passé

j'	aurais	eu
tu	aurais	eu
il/elle	aurait	eu
nous	aurions	eu
vous	auriez	eu
ils/elles	auraient	eu

AVOIR

Infinitif		Participe		Impératif	
présent	**passé**	**présent**	**passé**	**présent**	**passé**
avoir	avoir eu	ayant	eu/eue, eus/eues	aie	aie eu
			ayant eu	ayons	ayons eu
				ayez	ayez eu

Subjonctif

présent			**passé**			
que	j'	aie	que	j'	aie	eu
que	tu	aies	que	tu	aies	eu
qu'	il/elle	ait	qu'	il/elle	ait	eu
que	nous	**ayons**	que	nous	ayons	eu
que	vous	**ayez**	que	vous	ayez	eu
qu'	ils/elles	aient	qu'	ils/elles	aient	eu
imparfait			**plus-que-parfait**			
que	j'	eusse	que	j'	eusse	eu
que	tu	eusses	que	tu	eusses	eu
qu'	il/elle	eût	qu'	il/elle	eût	eu
que	nous	eussions	que	nous	eussions	eu
que	vous	eussiez	que	vous	eussiez	eu
qu'	ils/elles	eussent	qu'	ils/elles	eussent	eu

- Le verbe *avoir* sert d'auxiliaire de conjugaison pour les temps composés de la plupart des verbes à la voix active.
- *Avoir* est susceptible d'un emploi impersonnel : *Il y a, il y avait, il y aura...*

Attention !

Au subjonctif présent, *avoir* se termine en *-t* à la 3e personne du singulier et ne prend pas de *i* après y aux 1re et 2e personnes du pluriel.

ALLER

3e groupe

Indicatif

présent

je	vais
tu	vas
il/elle	va
nous	allons
vous	allez
ils/elles	vont

imparfait

j'	allais
tu	allais
il/elle	allait
nous	allions
vous	alliez
ils/elles	allaient

futur simple

j'	irai
tu	iras
il/elle	ira
nous	irons
vous	irez
ils/elles	iront

passé simple

j'	allai
tu	allas
il/elle	alla
nous	allâmes
vous	allâtes
ils/elles	allèrent

passé composé

je	suis	allé/ée
tu	es	allé/ée
il/elle	est	allé/ée
nous	sommes	allés/ées
vous	êtes	allés/ées
ils/elles	sont	allés/ées

plus-que-parfait

j'	étais	allé/ée
tu	étais	allé/ée
il/elle	était	allé/ée
nous	étions	allés/ées
vous	étiez	allés/ées
ils/elles	étaient	allés/ées

futur antérieur

je	serai	allé/ée
tu	seras	allé/ée
il/elle	sera	allé/ée
nous	serons	allés/ées
vous	serez	allés/ées
ils/elles	seront	allés/ées

passé antérieur

je	fus	allé/ée
tu	fus	allé/ée
il/elle	fut	allé/ée
nous	fûmes	allés/ées
vous	fûtes	allés/ées
ils/elles	furent	allés/ées

Conditionnel

présent

j'	irais
tu	irais
il/elle	irait
nous	irions
vous	iriez
ils/elles	iraient

passé

je	serais	allé/ée
tu	serais	allé/ée
il/elle	serait	allé/ée
nous	serions	allés/ées
vous	seriez	allés/ées
ils/elles	seraient	allés/ées

ALLER

Infinitif		Participe		Impératif	
présent	**passé**	**présent**	**passé**	**présent**	**passé**
aller	être allé/ée, allés/ées	allant	allé/ée, allés/ées étant allé/ée/és/ées	va allons allez	sois allé/ée soyons allés/ées soyez allés/ées

Subjonctif

présent			passé			
que	j'	aille	que	je	sois	allé/ée
que	tu	ailles	que	tu	sois	allé/ée
qu'	il/elle	aille	qu'	il/elle	soit	allé/ée
que	nous	allions	que	nous	soyons	allés/ées
que	vous	alliez	que	vous	soyez	allés/ées
qu'	ils/elles	aillent	qu'	ils/elles	soient	allés/ées
imparfait			**plus-que-parfait**			
que	j'	allasse	que	je	fusse	allé/ée
que	tu	allasses	que	tu	fusses	allé/ée
qu'	il/elle	allât	qu'	il/elle	fût	allé/ée
que	nous	allassions	que	nous	fussions	allés/ées
que	vous	allassiez	que	vous	fussiez	allés/ées
qu'	ils/elles	allassent	qu'	ils/elles	fussent	allés/ées

- Le verbe *aller* forme ses temps composés avec l'auxiliaire *être*.
- *Aller* sert d'auxiliaire pour le futur proche: *Je vais partir*.

Attention !

Comme les verbes du premier groupe, *aller* ne prend pas de *-s* final à la 2e personne du singulier de l'impératif, sauf dans *vas-y* (*s* euphonique).

Vous avez dit bizarre ?

Bien qu'il fasse son infinitif en *-er*, *aller* est un verbe irrégulier, c'est le seul verbe en *-er* qui ne fasse pas partie du premier groupe.

VENIR

3e groupe

tenir, retenir, revenir, circonvenir, prévenir, subvenir, contenir, survenir, contrevenir...

Indicatif

présent

je	viens
tu	viens
il/elle	vient
nous	venons
vous	venez
ils/elles	viennent

imparfait

je	venais
tu	venais
il/elle	venait
nous	venions
vous	veniez
ils/elles	venaient

futur simple

je	viendrai
tu	viendras
il/elle	viendra
nous	viendrons
vous	viendrez
ils/elles	viendront

passé simple

je	vins
tu	vins
il/elle	vint
nous	**vînmes**
vous	vîntes
ils/elles	vinrent

passé composé

je	suis	venu/ue
tu	es	venu/ue
il/elle	est	venu/ue
nous	sommes	venus/ues
vous	êtes	venus/ues
ils/elles	sont	venus/ues

plus-que-parfait

j'	étais	venu/ue
tu	étais	venu/ue
il/elle	était	venu/ue
nous	étions	venus/ues
vous	étiez	venus/ues
ils/elles	étaient	venus/ues

futur antérieur

je	serai	venu/ue
tu	seras	venu/ue
il/elle	sera	venu/ue
nous	serons	venus/ues
vous	serez	venus/ues
ils/elles	seront	venus/ues

passé antérieur

je	fus	venu/ue
tu	fus	venu/ue
il/elle	fut	venu/ue
nous	fûmes	venus/ues
vous	fûtes	venus/ues
ils/elles	furent	venus/ues

Conditionnel

présent

je	viendrais
tu	viendrais
il/elle	viendrait
nous	viendrions
vous	viendriez
ils/elles	viendraient

passé

je	serais	venu/ue
tu	serais	venu/ue
il/elle	serait	venu/ue
nous	serions	venus/ues
vous	seriez	venus/ues
ils/elles	seraient	venus/ues

VENIR

Infinitif		Participe		Impératif	
présent	**passé**	**présent**	**passé**	**présent**	**passé**
venir	être venu/ue, venus/ues	venant	venu/ue, venus/ues étant venu/ue/us/ues	viens venons venez	sois venu/ue soyons venus/ues soyez venus/ues

Subjonctif

présent			passé			
que	je	vienne	que	je	sois	venu/ue
que	tu	viennes	que	tu	sois	venu/ue
qu'	il/elle	vienne	qu'	il/elle	soit	venu/ue
que	nous	venions	que	nous	soyons	venus/ues
que	vous	veniez	que	vous	soyez	venus/ues
qu'	ils/elles	viennent	qu'	ils/elles	soient	venus/ues
imparfait			**plus-que-parfait**			
que	je	vinsse	que	je	fusse	venu/ue
que	tu	vinsses	que	tu	fusses	venu/ue
qu'	il/elle	vînt	qu'	il/elle	fût	venu/ue
que	nous	vinssions	que	nous	fussions	venus/ues
que	vous	vinssiez	que	vous	fussiez	venus/ues
qu'	ils/elles	vinssent	qu'	ils/elles	fussent	venus/ues

- *Venir* et ses dérivés forment leurs temps composés avec l'auxiliaire *être*, sauf *circonvenir, prévenir* et *contrevenir*.
- *Venir* sert d'auxiliaire pour le passé proche : *Je viens d'arriver.*
- *Tenir* et ses composés forment leurs temps composés avec l'auxiliaire *avoir* ou *être*.

Attention !

Tenir, venir et leurs dérivés font leur passé simple en *-in (je t**in**s, il v**in**t).*

Vous avez dit bizarre ?

La forme *nous vînmes* contredit la règle d'orthographe : *n* devient *m* devant *n, b, p.*

5

FAIRE

3e groupe

défaire, refaire, satisfaire, contrefaire, parfaire, stupéfaire, surfaire

Indicatif

présent

je	fais
tu	fais
il/elle	fait
nous	**faisons**
vous	faites
ils/elles	font

imparfait

je	**faisais**
tu	**faisais**
il/elle	**faisait**
nous	**faisions**
vous	**faisiez**
ils/elles	**faisaient**

futur simple

je	ferai
tu	feras
il/elle	fera
nous	ferons
vous	ferez
ils/elles	feront

passé simple

je	fis
tu	fis
il/elle	fit
nous	fîmes
vous	fîtes
ils/elles	firent

passé composé

j'	ai	fait
tu	as	fait
il/elle	a	fait
nous	avons	fait
vous	avez	fait
ils/elles	ont	fait

plus-que-parfait

j'	avais	fait
tu	avais	fait
il/elle	avait	fait
nous	avions	fait
vous	aviez	fait
ils/elles	avaient	fait

futur antérieur

j'	aurai	fait
tu	auras	fait
il/elle	aura	fait
nous	aurons	fait
vous	aurez	fait
ils/elles	auront	fait

passé antérieur

j'	eus	fait
tu	eus	fait
il/elle	eut	fait
nous	eûmes	fait
vous	eûtes	fait
ils/elles	eurent	fait

Conditionnel

présent

je	ferais
tu	ferais
il/elle	ferait
nous	ferions
vous	feriez
ils/elles	feraient

passé

j'	aurais	fait
tu	aurais	fait
il/elle	aurait	fait
nous	aurions	fait
vous	auriez	fait
ils/elles	auraient	fait

FAIRE

Infinitif		Participe		Impératif	
présent	**passé**	**présent**	**passé**	**présent**	**passé**
faire	avoir fait	faisant	fait/te, faits/tes	fais	aie fait
			ayant fait	**faisons**	ayons fait
				faites	ayant fait

Subjonctif						
présent			**passé**			
que	je	fasse	que	j'	aie	fait
que	tu	fasses	que	tu	aies	fait
qu'	il/elle	fasse	qu'	il/elle	ait	fait
que	nous	fassions	que	nous	ayons	fait
que	vous	fassiez	que	vous	ayez	fait
qu'	ils/elles	fassent	qu'	ils/elles	aient	fait
imparfait			**plus-que-parfait**			
que	je	fisse	que	j'	eusse	fait
que	tu	fisses	que	tu	eusses	fait
qu'	il/elle	fît	qu'	il/elle	eût	fait
que	nous	fissions	que	nous	eussions	fait
que	vous	fissiez	que	vous	eussiez	fait
qu'	ils/elles	fissent	qu'	ils/elles	eussent	fait

- Le verbe *faire* sert d'auxiliaire pour indiquer qui fait faire l'action, qui en est la cause : *Il m'a fait tomber.*
- *Faire* est susceptible d'un emploi impersonnel : *Il fait chaud, il fait nuit.*

Attention !

L'orthographe diffère de la prononciation dans les formes en gras (par exemple, *faisons* se prononce [fəzɔ̃]).

C'est là qu'on se trompe

À l'indicatif présent, la 2e personne du pluriel n'est pas construite sur le modèle de la 1re personne du pluriel: dire **vous faisez* pour *vous faites* est fautif.

6

METTRE

3e groupe

admettre, compromettre, omettre, promettre, transmettre, permettre, émettre, soumettre...

Indicatif

présent

je	**mets**
tu	**mets**
il/elle	**met**
nous	**mettons**
vous	**mettez**
ils/elles	**mettent**

imparfait

je	**mettais**
tu	**mettais**
il/elle	**mettait**
nous	**mettions**
vous	**mettiez**
ils/elles	**mettaient**

futur simple

je	**mettrai**
tu	**mettras**
il/elle	**mettra**
nous	**mettrons**
vous	**mettrez**
ils/elles	**mettront**

passé simple

je	mis
tu	mis
il/elle	mit
nous	mîmes
vous	mîtes
ils/elles	mirent

passé composé

j'	ai	mis
tu	as	mis
il/elle	a	mis
nous	avons	mis
vous	avez	mis
ils/elles	ont	mis

plus-que-parfait

j'	avais	mis
tu	avais	mis
il/elle	avait	mis
nous	avions	mis
vous	aviez	mis
ils/elles	avaient	mis

futur antérieur

j'	aurai	mis
tu	auras	mis
il/elle	aura	mis
nous	aurons	mis
vous	aurez	mis
ils/elles	auront	mis

passé antérieur

j'	eus	mis
tu	eus	mis
il/elle	eut	mis
nous	eûmes	mis
vous	eûtes	mis
ils/elles	eurent	mis

Conditionnel

présent

je	**mettrais**
tu	**mettrais**
il/elle	**mettrait**
nous	**mettrions**
vous	**mettriez**
ils/elles	**mettraient**

passé

j'	aurais	mis
tu	aurais	mis
il/elle	aurait	mis
nous	aurions	mis
vous	auriez	mis
ils/elles	auraient	mis

METTRE

Infinitif		Participe		Impératif	
présent	**passé**	**présent**	**passé**	**présent**	**passé**
mettre	avoir mis	mettant	mis/ise, mis/ises	mets	aie mis
			ayant mis	mettons	ayons mis
				mettez	ayez mis

Subjonctif						
présent			**passé**			
que	je	**mette**	que	j'	aie	mis
que	tu	**mettes**	que	tu	aies	mis
qu'	il/elle	**mette**	qu'	il/elle	ait	mis
que	nous	**mettions**	que	nous	ayons	mis
que	vous	**mettiez**	que	vous	ayez	mis
qu'	ils/elles	**mettent**	qu'	ils/elles	aient	mis
imparfait			**plus-que-parfait**			
que	je	misse	que	j'	eusse	mis
que	tu	misses	que	tu	eusses	mis
qu'	il/elle	mît	qu'	il/elle	eût	mis
que	nous	missions	que	nous	eussions	mis
que	vous	missiez	que	vous	eussiez	mis
qu'	ils/elles	missent	qu'	ils/elles	eussent	mis

- *Mettre* et ses dérivés conservent dans toutes leurs formes au moins un *t* de leur radical : *Je mets, tu permets.*
- Le verbe *mettre* sert d'auxiliaire pour indiquer qu'une action en est à son début : *Elle s'est mise à rire.*

Attention !

Il y a deux *t* devant une voyelle *(je mettais)* et devant un *r (je mettrais).*

Voir ***battre*** **(dont** ***mettre*** **se distingue au passé simple et à l'imparfait du subjonctif).**

7

POUVOIR

3e groupe

Indicatif

présent

je	peux/puis
tu	**peux**
il/elle	peut
nous	pouvons
vous	pouvez
ils/elles	peuvent

imparfait

je	pouvais
tu	pouvais
il/elle	pouvait
nous	pouvions
vous	pouviez
ils/elles	pouvaient

futur simple

je	**pourrai**
tu	**pourras**
il/elle	**pourra**
nous	**pourrons**
vous	**pourrez**
ils/elles	**pourront**

passé simple

je	pus
tu	pus
il/elle	put
nous	pûmes
vous	pûtes
ils/elles	purent

passé composé

j'	ai	pu
tu	as	pu
il/elle	a	pu
nous	avons	pu
vous	avez	pu
ils/elles	ont	pu

plus-que-parfait

j'	avais	pu
tu	avais	pu
il/elle	avait	pu
nous	avions	pu
vous	aviez	pu
ils/elles	avaient	pu

futur antérieur

j'	aurai	pu
tu	auras	pu
il/elle	aura	pu
nous	aurons	pu
vous	aurez	pu
ils/elles	auront	pu

passé antérieur

j'	eus	pu
tu	eus	pu
il/elle	eut	pu
nous	eûmes	pu
vous	eûtes	pu
ils/elles	eurent	pu

Conditionnel

présent

je	**pourrais**
tu	**pourrais**
il/elle	**pourrait**
nous	**pourrions**
vous	**pourriez**
ils/elles	**pourraient**

passé

j'	aurais	pu
tu	aurais	pu
il/elle	aurait	pu
nous	aurions	pu
vous	auriez	pu
ils/elles	auraient	pu

POUVOIR

7

Infinitif		Participe		Impératif	
présent	**passé**	**présent**	**passé**	**présent**	**passé**
pouvoir	avoir pu	pouvant	pu ayant pu	*inusité*	*inusité*

Subjonctif

présent			**passé**			
que	je	puisse	que	j'	aie	pu
que	tu	puisses	que	tu	aies	pu
qu'	il/elle	puisse	qu'	il/elle	ait	pu
que	nous	puissions	que	nous	ayons	pu
que	vous	puissiez	que	vous	ayez	pu
qu'	ils/elles	puissent	qu'	ils/elles	aient	pu
imparfait			**plus-que-parfait**			
que	je	pusse	que	j'	eusse	pu
que	tu	pusses	que	tu	eusses	pu
qu'	il/elle	pût	qu'	il/elle	eût	pu
que	nous	pussions	que	nous	eussions	pu
que	vous	pussiez	que	vous	eussiez	pu
qu'	ils/elles	pussent	qu'	ils/elles	eussent	pu

- Le verbe *pouvoir* sert d'auxiliaire pour indiquer l'éventualité : *Il peut arriver demain, il peut être huit heures.*
- *Pouvoir* est susceptible d'un emploi impersonnel : *Il se peut que* (+ subjonctif).

Attention !

– La terminaison est *-x* aux deux premières personnes de l'indicatif présent.
– À l'indicatif présent, la 1re personne du singulier *je peux* appartient à la langue courante alors que *je puis* appartient au registre soutenu.
– Le participe passé du verbe *pouvoir* est invariable.

8

VOULOIR

3e groupe

Indicatif

présent

je	**veux**
tu	**veux**
il/elle	veut
nous	voulons
vous	voulez
ils/elles	veulent

imparfait

je	voulais
tu	voulais
il/elle	voulait
nous	voulions
vous	vouliez
ils/elles	voulaient

futur simple

je	voudrai
tu	voudras
il/elle	voudra
nous	voudrons
vous	voudrez
ils/elles	voudront

passé simple

je	voulus
tu	voulus
il/elle	voulut
nous	voulûmes
vous	voulûtes
ils/elles	voulurent

passé composé

j'	ai	voulu
tu	as	voulu
il/elle	a	voulu
nous	avons	voulu
vous	avez	voulu
ils/elles	ont	voulu

plus-que-parfait

j'	avais	voulu
tu	avais	voulu
il/elle	avait	voulu
nous	avions	voulu
vous	aviez	voulu
ils/elles	avaient	voulu

futur antérieur

j'	aurai	voulu
tu	auras	voulu
il/elle	aura	voulu
nous	aurons	voulu
vous	aurez	voulu
ils/elles	auront	voulu

passé antérieur

j'	eus	voulu
tu	eus	voulu
il/elle	eut	voulu
nous	eûmes	voulu
vous	eûtes	voulu
ils/elles	eurent	voulu

Conditionnel

présent

je	voudrais
tu	voudrais
il/elle	voudrait
nous	voudrions
vous	voudriez
ils/elles	voudraient

passé

j'	aurais	voulu
tu	aurais	voulu
il/elle	aurait	voulu
nous	aurions	voulu
vous	auriez	voulu
ils/elles	auraient	voulu

VOULOIR

Infinitif		Participe		Impératif	
présent	**passé**	**présent**	**passé**	**présent**	**passé**
vouloir	avoir voulu	voulant	voulu/ue, voulus/ues	veux/**veuille**	aie voulu
			ayant voulu	voulons/veuillons	ayons voulu
				voulez/veuillez	ayez voulu

Subjonctif						
présent			**passé**			
que	je	veuille	que	j'	aie	voulu
que	tu	veuilles	que	tu	aies	voulu
qu'	il/elle	veuille	qu'	il/elle	ait	voulu
que	nous	voulions/**veuillions**	que	nous	ayons	voulu
que	vous	vouliez/**veuilliez**	que	vous	ayez	voulu
qu'	ils/elles	veuillent	qu'	ils/elles	aient	voulu
imparfait			**plus-que-parfait**			
que	je	voulusse	que	j'	eusse	voulu
que	tu	voulusses	que	tu	eusses	voulu
qu'	il/elle	voulût	qu'	il/elle	eût	voulu
que	nous	voulussions	que	nous	eussions	voulu
que	vous	voulussiez	que	vous	eussiez	voulu
qu'	ils/elles	voulussent	qu'	ils/elles	eussent	voulu

Attention !

– La terminaison est *-x* aux deux premières personnes de l'indicatif présent.
– L'impératif présent s'écrit *veuille* sans *-s*, comme tous les verbes qui font leur impératif en *-e*.

Vous avez dit bizarre ?

– L'impératif est employé négativement dans l'expression *en vouloir*: *Ne m'en veux pas.*
– Dans les formules de politesse, on emploie *veuille, veuillez* (et non **veux*, **voulez*): *Veuillez m'excuser.*

9 SAVOIR

3e groupe

Indicatif

présent		passé composé		
je	sais	j'	ai	su
tu	sais	tu	as	su
il/elle	sait	il/elle	a	su
nous	savons	nous	avons	su
vous	savez	vous	avez	su
ils/elles	savent	ils/elles	ont	su
imparfait		**plus-que-parfait**		
je	savais	j'	avais	su
tu	savais	tu	avais	su
il/elle	savait	il/elle	avait	su
nous	savions	nous	avions	su
vous	saviez	vous	aviez	su
ils/elles	savaient	ils/elles	avaient	su
futur simple		**futur antérieur**		
je	saurai	j'	aurai	su
tu	sauras	tu	auras	su
il/elle	saura	il/elle	aura	su
nous	saurons	nous	aurons	su
vous	saurez	vous	aurez	su
ils/elles	sauront	ils/elles	auront	su
passé simple		**passé antérieur**		
je	sus	j'	eus	su
tu	sus	tu	eus	su
il/elle	sut	il/elle	eut	su
nous	sûmes	nous	eûmes	su
vous	sûtes	vous	eûtes	su
ils/elles	surent	ils/elles	eurent	su

Conditionnel

présent		passé		
je	saurais	j'	aurais	su
tu	saurais	tu	aurais	su
il/elle	saurait	il/elle	aurait	su
nous	saurions	nous	aurions	su
vous	sauriez	vous	auriez	su
ils/elles	sauraient	ils/elles	auraient	su

SAVOIR

Infinitif		Participe		Impératif	
présent	**passé**	**présent**	**passé**	**présent**	**passé**
savoir	avoir su	sachant	su/sue, sus/sues ayant su	**sache** **sachons** **sachez**	aie su ayons su ayez su

Subjonctif

présent			**passé**			
que	je	**sache**	que	j'	aie	su
que	tu	**saches**	que	tu	aies	su
qu'	il/elle	**sache**	qu'	il/elle	ait	su
que	nous	**sachions**	que	nous	ayons	su
que	vous	**sachiez**	que	vous	ayez	su
qu'	ils/elles	**sachent**	qu'	ils/elles	aient	su
imparfait			**plus-que-parfait**			
que	je	susse	que	j'	eusse	su
que	tu	susses	que	tu	eusses	su
qu'	il/elle	sût	qu'	il/elle	eût	su
que	nous	sussions	que	nous	eussions	su
que	vous	sussiez	que	vous	eussiez	su
qu'	ils/elles	sussent	qu'	ils/elles	eussent	su

Attention !

La 2e personne du singulier de l'impératif *(sache)* ne prend pas de *-s*, comme tous les verbes qui font leur impératif en *-e*.

C'est là qu'on se trompe

Vous n'êtes pas sans savoir signifie *vous n'ignorez pas*, donc *vous savez*.

Vous avez dit bizarre ?

– Les formes de l'imparfait du subjonctif sont homonymes de celles du verbe *sucer*, c'est pourquoi elles ne sont pratiquement pas employées.

– *Que je sache* est une expression figée: *Il n'est pas venu me voir, que je sache* (à ma connaissance, il n'est pas venu).

DEVOIR

3e groupe

redevoir

Indicatif

présent

je	dois
tu	dois
il/elle	doit
nous	devons
vous	devez
ils/elles	doivent

imparfait

je	devais
tu	devais
il/elle	devait
nous	devions
vous	deviez
ils/elles	devaient

futur simple

je	devrai
tu	devras
il/elle	devra
nous	devrons
vous	devrez
ils/elles	devront

passé simple

je	dus
tu	dus
il/elle	dut
nous	dûmes
vous	dûtes
ils/elles	durent

passé composé

j'	ai	dû
tu	as	dû
il/elle	a	dû
nous	avons	dû
vous	avez	dû
ils/elles	ont	dû

plus-que-parfait

j'	avais	dû
tu	avais	dû
il/elle	avait	dû
nous	avions	dû
vous	aviez	dû
ils/elles	avaient	dû

futur antérieur

j'	aurai	dû
tu	auras	dû
il/elle	aura	dû
nous	aurons	dû
vous	aurez	dû
ils/elles	auront	dû

passé antérieur

j'	eus	dû
tu	eus	dû
il/elle	eut	dû
nous	eûmes	dû
vous	eûtes	dû
ils/elles	eurent	dû

Conditionnel

présent

je	devrais
tu	devrais
il/elle	devrait
nous	devrions
vous	devriez
ils/elles	devraient

passé

j'	aurais	dû
tu	aurais	dû
il/elle	aurait	dû
nous	aurions	dû
vous	auriez	dû
ils/elles	auraient	dû

Infinitif		Participe		Impératif	
présent	**passé**	**présent**	**passé**	**présent**	**passé**
devoir	avoir dû	devant	dû/due, dus/dues	dois	aie dû
			ayant dû	devons	ayons dû
				devez	ayez dû

Subjonctif

présent			**passé**			
que	je	doive	que	j'	aie	dû
que	tu	doives	que	tu	aies	dû
qu'	il/elle	doive	qu'	il/elle	ait	dû
que	nous	devions	que	nous	ayons	dû
que	vous	deviez	que	vous	ayez	dû
qu'	ils/elles	doivent	qu'	ils/elles	aient	dû
imparfait			**plus-que-parfait**			
que	je	dusse	que	j'	eusse	dû
que	tu	dusses	que	tu	eusses	dû
qu'	il/elle	dût	qu'	il/elle	eût	dû
que	nous	dussions	que	nous	eussions	dû
que	vous	dussiez	que	vous	eussiez	dû
qu'	ils/elles	dussent	qu'	ils/elles	eussent	dû

- Le verbe *devoir* sert d'auxiliaire pour indiquer la probabilité: *J'ai dû me tromper de route.*
- *Devoir* est susceptible d'un emploi impersonnel: *Comme il se doit.*

Attention !

Le subjonctif imparfait s'emploie sans la «béquille» *que* dans des expressions figées: *Dussé-je* (même si je dois), *dût-il, dussions-nous... dût-elle s'y ruiner, elle ne renoncera pas.*

C'est là qu'on se trompe

Le participe passé prend un accent circonflexe au masculin singulier, mais non aux autres formes: *J'ai dû payer les sommes dues.*

11

FALLOIR

3e groupe

Indicatif

présent il faut	**passé composé** il a fallu
imparfait il fallait	**plus-que-parfait** il avait fallu
futur simple il faudra	**futur antérieur** il aura fallu
passé simple il fallut	**passé antérieur** il eut fallu

Conditionnel

présent il faudrait	**passé** il aurait fallu

Infinitif		Participe		Impératif	
présent	**passé**	**présent**	**passé**	**présent**	**passé**
falloir	avoir fallu	*inusité*	**fallu** ayant fallu	*inusité*	*inusité*

Subjonctif

présent qu'il faille	**passé** qu'il ait fallu
imparfait qu'il fallût	**plus-que-parfait** qu'il eût fallu

FALLOIR

- Le verbe *falloir* est défectif, c'est-à-dire qu'il a une conjugaison incomplète: il ne se conjugue ni à tous les modes, ni à tous les temps, ni à toutes les personnes. *Falloir* ne s'emploie plus qu'à l'infinitif et à la forme impersonnelle, le plus souvent dans des expressions toutes faites, ce qui montre qu'il est sorti de l'usage courant.

- En se combinant à des verbes à l'infinitif, le verbe *falloir* permet de former des constructions impersonnelles: *Il faut manger, il faut dormir, il ne faut pas s'en faire.*

Attention !

Le participe passé du verbe *falloir* est invariable.

C'est là qu'on se trompe

On confond souvent *il vaut mieux* (il est préférable de: *Il vaut mieux tenir que courir*) et *il faut* (il est nécessaire de: *Il faut travailler pour réussir*). Dire **il faut mieux* pour *il vaut mieux* est fautif.

Vous avez dit bizarre ?

Falloir a le sens de *manquer* dans la construction *peu s'en faut, il s'en faut de peu*: *Il s'en faut de beaucoup qu'il ait réussi, il s'en est fallu de peu qu'elle se fasse renverser par le bus.*

12

AIMER

1er groupe

dégivrer, accrocher, gagner, zapper, planter, marcher, rêver, pleurer, sonner...

Indicatif

présent

j'	aime
tu	aimes
il/elle	aime
nous	aimons
vous	aimez
ils/elles	aiment

passé composé

j'	ai	aimé
tu	as	aimé
il/elle	a	aimé
nous	avons	aimé
vous	avez	aimé
ils/elles	ont	aimé

imparfait

j'	aimais
tu	aimais
il/elle	aimait
nous	aimions
vous	aimiez
ils/elles	aimaient

plus-que-parfait

j'	avais	aimé
tu	avais	aimé
il/elle	avait	aimé
nous	avions	aimé
vous	aviez	aimé
ils/elles	avaient	aimé

futur simple

j'	aimerai
tu	aimeras
il/elle	aimera
nous	aimerons
vous	aimerez
ils/elles	aimeront

futur antérieur

j'	aurai	aimé
tu	auras	aimé
il/elle	aura	aimé
nous	aurons	aimé
vous	aurez	aimé
ils/elles	auront	aimé

passé simple

j'	aimai
tu	aimas
il/elle	aima
nous	aimâmes
vous	aimâtes
ils/elles	aimèrent

passé antérieur

j'	eus	aimé
tu	eus	aimé
il/elle	eut	aimé
nous	eûmes	aimé
vous	eûtes	aimé
ils/elles	eurent	aimé

Conditionnel

présent

j'	aimerais
tu	aimerais
il/elle	aimerait
nous	aimerions
vous	aimeriez
ils/elles	aimeraient

passé

j'	aurais	aimé
tu	aurais	aimé
il/elle	aurait	aimé
nous	aurions	aimé
vous	auriez	aimé
ils/elles	auraient	aimé

AIMER

Infinitif		Participe		Impératif	
présent	**passé**	**présent**	**passé**	**présent**	**passé**
aimer	avoir aimé	aimant	aimé/ée, aimés/ées	aime	aie aimé
			ayant aimé	aimons	ayons aimé
				aimez	ayez aimé

Subjonctif

présent			**passé**			
que	j'	aime	que	j'	aie	aimé
que	tu	aimes	que	tu	aies	aimé
qu'	il/elle	aime	qu'	il/elle	ait	aimé
que	nous	aimions	que	nous	ayons	aimé
que	vous	aimiez	que	vous	ayez	aimé
qu'	ils/elles	aiment	qu'	ils/elles	aient	aimé
imparfait			**plus-que-parfait**			
que	j'	aimasse	que	j'	eusse	aimé
que	tu	aimasses	que	tu	eusses	aimé
qu'	il/elle	aimât	qu'	il/elle	eût	aimé
que	nous	aimassions	que	nous	eussions	aimé
que	vous	aimassiez	que	vous	eussiez	aimé
qu'	ils/elles	aimassent	qu'	ils/elles	eussent	aimé

- La conjugaison française compte plus de 5000 verbes en *-er*.
- Les verbes du 1er groupe se conjuguent tous sur ce modèle, mais certains, dont le tableau figure dans l'ouvrage, présentent des difficultés orthographiques particulières.

JOUER

1er groupe : verbes en - (O)UER

amadouer, s'engouer, échouer, se dévouer, clouer, flouer, huer, puer, avouer, embuer...

Indicatif

présent

je	**joue**
tu	**joues**
il/elle	**joue**
nous	jouons
vous	jouez
ils/elles	**jouent**

imparfait

je	jouais
tu	jouais
il/elle	jouait
nous	jouions
vous	jouiez
ils/elles	jouaient

futur simple

je	**jouerai**
tu	**joueras**
il/elle	**jouera**
nous	**jouerons**
vous	**jouerez**
ils/elles	**joueront**

passé simple

je	jouai
tu	jouas
il/elle	joua
nous	jouâmes
vous	jouâtes
ils/elles	jouèrent

passé composé

j'	ai	joué
tu	as	joué
il/elle	a	joué
nous	avons	joué
vous	avez	joué
ils/elles	ont	joué

plus-que-parfait

j'	avais	joué
tu	avais	joué
il/elle	avait	joué
nous	avions	joué
vous	aviez	joué
ils/elles	avaient	joué

futur antérieur

j'	aurai	joué
tu	auras	joué
il/elle	aura	joué
nous	aurons	joué
vous	aurez	joué
ils/elles	auront	joué

passé antérieur

j'	eus	joué
tu	eus	joué
il/elle	eut	joué
nous	eûmes	joué
vous	eûtes	joué
ils/elles	eurent	joué

Conditionnel

présent

je	**jouerais**
tu	**jouerais**
il/elle	**jouerait**
nous	**jouerions**
vous	**joueriez**
ils/elles	**joueraient**

passé

j'	aurais	joué
tu	aurais	joué
il/elle	aurait	joué
nous	aurions	joué
vous	auriez	joué
ils/elles	auraient	joué

JOUER

Infinitif		Participe		Impératif	
présent	**passé**	**présent**	**passé**	**présent**	**passé**
jouer	avoir joué	jouant	joué/ée, joués/ées ayant joué	joue jouons jouez	aie joué ayons joué ayez joué

Subjonctif

présent			**passé**			
que	je	**joue**	que	j'	aie	joué
que	tu	**joues**	que	tu	aies	joué
qu'	il/elle	**joue**	qu'	il/elle	ait	joué
que	nous	jouions	que	nous	ayons	joué
que	vous	jouiez	que	vous	ayez	joué
qu'	ils/elles	**jouent**	qu'	ils/elles	aient	joué
imparfait			**plus-que-parfait**			
que	je	jouasse	que	j'	eusse	joué
que	tu	jouasses	que	tu	eusses	joué
qu'	il/elle	jouât	qu'	il/elle	eût	joué
que	nous	jouassions	que	nous	eussions	joué
que	vous	jouassiez	que	vous	eussiez	joué
qu'	ils/elles	jouassent	qu'	ils/elles	eussent	joué

La prononciation ne fait pas entendre le «*e* muet» derrière la voyelle du radical à l'intérieur des formes conjuguées, au futur et au conditionnel *(je jou**e**rai, je jou**e**rais)*.

CRÉER

1er groupe : verbes en - ÉER

procréer, recréer, maugréer, agréer, béer, récréer, guéer, suppléer, gréer, congréer...

Indicatif

présent

je	**crée**
tu	**crées**
il/elle	**crée**
nous	créons
vous	créez
ils/elles	**créent**

imparfait

je	créais
tu	créais
il/elle	créait
nous	créions
vous	créiez
ils/elles	créaient

futur simple

je	**créerai**
tu	**créeras**
il/elle	**créera**
nous	**créerons**
vous	**créerez**
ils/elles	**créeront**

passé simple

je	créai
tu	créas
il/elle	créa
nous	créâmes
vous	créâtes
ils/elles	créèrent

passé composé

j'	ai	créé
tu	as	créé
il/elle	a	créé
nous	avons	créé
vous	avez	créé
ils/elles	ont	créé

plus-que-parfait

j'	avais	créé
tu	avais	créé
il/elle	avait	créé
nous	avions	créé
vous	aviez	créé
ils/elles	avaient	créé

futur antérieur

j'	aurai	créé
tu	auras	créé
il/elle	aura	créé
nous	aurons	créé
vous	aurez	créé
ils/elles	auront	créé

passé antérieur

j'	eus	créé
tu	eus	créé
il/elle	eut	créé
nous	eûmes	créé
vous	eûtes	créé
ils/elles	eurent	créé

Conditionnel

présent

je	**créerais**
tu	**créerais**
il/elle	**créerait**
nous	**créerions**
vous	**créeriez**
ils/elles	**créeraient**

passé

j'	aurais	créé
tu	aurais	créé
il/elle	aurait	créé
nous	aurions	créé
vous	auriez	créé
ils/elles	auraient	créé

Infinitif		Participe		Impératif	
présent	**passé**	**présent**	**passé**	**présent**	**passé**
créer	avoir créé	créant	créé/**créée**, créés/**créées** ayant créé	crée créons créez	aie créé ayons créé ayez créé

Subjonctif

présent			passé			
que	je	**crée**	que	j'	aie	créé
que	tu	**crées**	que	tu	aies	créé
qu'	il/elle	**crée**	qu'	il/elle	ait	créé
que	nous	créions	que	nous	ayons	créé
que	vous	créiez	que	vous	ayez	créé
qu'	ils/elles	**créent**	qu'	ils/elles	aient	créé
imparfait			**plus-que-parfait**			
que	je	créasse	que	j'	eusse	créé
que	tu	créasses	que	tu	eusses	créé
qu'	il/elle	créât	qu'	il/elle	eût	créé
que	nous	créassions	que	nous	eussions	créé
que	vous	créassiez	que	vous	eussiez	créé
qu'	ils/elles	créassent	qu'	ils/elles	eussent	créé

- Le *-é* final du radical est présent à toutes les formes.
- La prononciation ne fait pas entendre le «*e* muet» derrière la voyelle du radical à l'intérieur des formes conjuguées, au futur et au conditionnel *(je créerai, je créerais)*.

Attention !

Notez la succession des voyelles, en particulier au féminin du participe passé (*créée, créées*).

Vous avez dit bizarre ?

L'orthographe de *bouche bée*, avec un seul *é*, s'écarte de l'orthographe du participe passé (*béée*). De plus, *bouche bée* est toujours au singulier: *Les enfants en sont restés bouche bée.*

15

ÉTUDIER

1er groupe : verbes en -IER

skier, lier, nier, plier, crier, atrophier, vérifier, associer, bêtifier, apprécier, orthographier...

Indicatif

présent

j'	étudie
tu	étudies
il/elle	étudie
nous	étudions
vous	étudiez
ils/elles	étudient

imparfait

j'	étudiais
tu	étudiais
il/elle	étudiait
nous	**étudiions**
vous	**étudiiez**
ils/elles	étudiaient

futur simple

j'	étudierai
tu	étudieras
il/elle	étudiera
nous	étudierons
vous	étudierez
ils/elles	étudieront

passé simple

j'	étudiai
tu	étudias
il/elle	étudia
nous	étudiâmes
vous	étudiâtes
ils/elles	étudièrent

passé composé

j'	ai	étudié
tu	as	étudié
il/elle	a	étudié
nous	avons	étudié
vous	avez	étudié
ils/elles	ont	étudié

plus-que-parfait

j'	avais	étudié
tu	avais	étudié
il/elle	avait	étudié
nous	avions	étudié
vous	aviez	étudié
ils/elles	avaient	étudié

futur antérieur

j'	aurai	étudié
tu	auras	étudié
il/elle	aura	étudié
nous	aurons	étudié
vous	aurez	étudié
ils/elles	auront	étudié

passé antérieur

j'	eus	étudié
tu	eus	étudié
il/elle	eut	étudié
nous	eûmes	étudié
vous	eûtes	étudié
ils/elles	eurent	étudié

Conditionnel

présent

j'	étudierais
tu	étudierais
il/elle	étudierait
nous	étudierions
vous	étudieriez
ils/elles	étudieraient

passé

j'	aurais	étudié
tu	aurais	étudié
il/elle	aurait	étudié
nous	aurions	étudié
vous	auriez	étudié
ils/elles	auraient	étudié

ÉTUDIER

Infinitif		Participe		Impératif	
présent	**passé**	**présent**	**passé**	**présent**	**passé**
étudier	avoir étudié	étudiant	étudié/ée, étudiés/ées ayant étudié	étudie étudions étudiez	aie étudié ayons étudié ayez étudié

Subjonctif

présent			**passé**			
que	j'	étudie	que	j'	aie	étudié
que	tu	étudies	que	tu	aies	étudié
qu'	il/elle	étudie	qu'	il/elle	ait	étudié
que	nous	**étudiions**	que	nous	ayons	étudié
que	vous	**étudiiez**	que	vous	ayez	étudié
qu'	ils/elles	étudient	qu'	ils/elles	aient	étudié
imparfait			**plus-que-parfait**			
que	j'	étudiasse	que	j'	eusse	étudié
que	tu	étudiasses	que	tu	eusses	étudié
qu'	il/elle	étudiât	qu'	il/elle	eût	étudié
que	nous	étudiassions	que	nous	eussions	étudié
que	vous	étudiassiez	que	vous	eussiez	étudié
qu'	ils/elles	étudiassent	qu'	ils/elles	eussent	étudié

La prononciation ne fait pas entendre le «*e* muet» derrière la voyelle du radical à l'intérieur des formes conjuguées, au futur et au conditionnel *(j'étudi**e**rai, j'étudi**e**rais)*.

Attention !

Notez les deux *i* à l'imparfait de l'indicatif *(étudi**i**ons, étudi**i**ez)* et au présent du subjonctif *(que nous étudi**i**ons, que vous étudi**i**ez)*, qui proviennent de la rencontre entre le *-i* final du radical et le *i-* initial de la désinence.

16 DISTINGUER

1er groupe : verbes en - GUER et - QUER

communiquer, provoquer, prodiguer, déléguer, conjuguer, naviguer, indiquer, manquer...

Indicatif

présent		**passé composé**		
je	distingue	j'	ai	distingué
tu	distingues	tu	as	distingué
il/elle	distingue	il/elle	a	distingué
nous	**distinguons**	nous	avons	distingué
vous	distinguez	vous	avez	distingué
ils/elles	distinguent	ils/elles	ont	distingué
imparfait		**plus-que-parfait**		
je	**distinguais**	j'	avais	distingué
tu	**distinguais**	tu	avais	distingué
il/elle	**distinguait**	il/elle	avait	distingué
nous	distinguions	nous	avions	distingué
vous	distinguiez	vous	aviez	distingué
ils/elles	**distinguaient**	ils/elles	avaient	distingué
futur simple		**futur antérieur**		
je	distinguerai	j'	aurai	distingué
tu	distingueras	tu	auras	distingué
il/elle	distinguera	il/elle	aura	distingué
nous	distinguerons	nous	aurons	distingué
vous	distinguerez	vous	aurez	distingué
ils/elles	distingueront	ils/elles	auront	distingué
passé simple		**passé antérieur**		
je	**distinguai**	j'	eus	distingué
tu	**distinguas**	tu	eus	distingué
il/elle	**distingua**	il/elle	eut	distingué
nous	**distinguâmes**	nous	eûmes	distingué
vous	**distinguâtes**	vous	eûtes	distingué
ils/elles	distinguèrent	ils/elles	eurent	distingué

Conditionnel

présent		**passé**		
je	distinguerais	j'	aurais	distingué
tu	distinguerais	tu	aurais	distingué
il/elle	distinguerait	il/elle	aurait	distingué
nous	distinguerions	nous	aurions	distingué
vous	distingueriez	vous	auriez	distingué
ils/elles	distingueraient	ils/elles	auraient	distingué

DISTINGUER

Infinitif		Participe		Impératif	
présent	**passé**	**présent**	**passé**	**présent**	**passé**
distinguer	avoir distingué	**distinguant**	distingué/ée, distingués/ées ayant distingué	distingue **distinguons** distinguez	aie distingué ayons distingué ayez distingué

Subjonctif

présent			**passé**			
que	je	distingue	que	j'	aie	distingué
que	tu	distingues	que	tu	aies	distingué
qu'	il/elle	distingue	qu'	il/elle	ait	distingué
que	nous	distinguions	que	nous	ayons	distingué
que	vous	distinguiez	que	vous	ayez	distingué
qu'	ils/elles	distinguent	qu'	ils/elles	aient	distingué
imparfait			**plus-que-parfait**			
que	je	**distinguasse**	que	j'	eusse	distingué
que	tu	**distinguasses**	que	tu	eusses	distingué
qu'	il/elle	**distinguât**	qu'	il/elle	eût	distingué
que	nous	**distinguassions**	que	nous	eussions	distingué
que	vous	**distinguassiez**	que	vous	eussiez	distingué
qu'	ils/elles	**distinguassent**	qu'	ils/elles	eussent	distingué

Les verbes en *-guer* conservent le *u* dans toute la conjugaison, même si la terminaison commence par *-a* ou par *-o (nous navig**u**ons)*.

C'est là qu'on se trompe

La graphie du participe présent diffère parfois de celle de l'adjectif verbal:

– vaquer: *(en) va**qu**ant* (participe présent); *un poste va**c**ant* (adjectif verbal)

– communiquer: *(en) communi**qu**ant; les vases communi**c**ants*

– fatiguer: *(en) fati**gu**ant; un travail fati**g**ant*

– naviguer: *(en) navi**gu**ant; le personnel navi**g**ant.*

17

MANGER

1er groupe : verbes en - GER

ranger, voyager, partager, songer, juger, figer, arranger, changer, déménager, neiger, obliger...

Indicatif

présent

je	mange
tu	manges
il/elle	mange
nous	**mangeons**
vous	mangez
ils/elles	mangent

passé composé

j'	ai	mangé
tu	as	mangé
il/elle	a	mangé
nous	avons	mangé
vous	avez	mangé
ils/elles	ont	mangé

imparfait

je	**mangeais**
tu	**mangeais**
il/elle	**mangeait**
nous	mangions
vous	mangiez
ils/elles	**mangeaient**

plus-que-parfait

j'	avais	mangé
tu	avais	mangé
il/elle	avait	mangé
nous	avions	mangé
vous	aviez	mangé
ils/elles	avaient	mangé

futur simple

je	mangerai
tu	mangeras
il/elle	mangera
nous	mangerons
vous	mangerez
ils/elles	mangeront

futur antérieur

j'	aurai	mangé
tu	auras	mangé
il/elle	aura	mangé
nous	aurons	mangé
vous	aurez	mangé
ils/elles	auront	mangé

passé simple

je	**mangeai**
tu	**mangeas**
il/elle	**mangea**
nous	**mangeâmes**
vous	**mangeâtes**
ils/elles	mangèrent

passé antérieur

j'	eus	mangé
tu	eus	mangé
il/elle	eut	mangé
nous	eûmes	mangé
vous	eûtes	mangé
ils/elles	eurent	mangé

Conditionnel

présent

je	mangerais
tu	mangerais
il/elle	mangerait
nous	mangerions
vous	mangeriez
ils/elles	mangeraient

passé

j'	aurais	mangé
tu	aurais	mangé
il/elle	aurait	mangé
nous	aurions	mangé
vous	auriez	mangé
ils/elles	auraient	mangé

MANGER

Infinitif		Participe		Impératif	
présent	**passé**	**présent**	**passé**	**présent**	**passé**
manger	avoir mangé	**mangeant**	mangé/ée, mangés/ées ayant mangé	mange **mangeons** mangez	aie mangé ayons mangé ayez mangé

Subjonctif

présent			**passé**			
que	je	mange	que	j'	aie	mangé
que	tu	manges	que	tu	aies	mangé
qu'	il/elle	mange	qu'	il/elle	ait	mangé
que	nous	mangions	que	nous	ayons	mangé
que	vous	mangiez	que	vous	ayez	mangé
qu'	ils/elles	mangent	qu'	ils/elles	aient	mangé
imparfait			**plus-que-parfait**			
que	je	**mangeasse**	que	j'	eusse	mangé
que	tu	**mangeasses**	que	tu	eusses	mangé
qu'	il/elle	**mangeât**	qu'	il/elle	eût	mangé
que	nous	**mangeassions**	que	nous	eussions	mangé
que	vous	**mangeassiez**	que	vous	eussiez	mangé
qu'	ils/elles	**mangeassent**	qu'	ils/elles	eussent	mangé

Les verbes en *-ger* font suivre le *g* d'un *e* devant les terminaisons en *-a* ou en *-o* pour conserver la prononciation de l'infinitif *(je mang**e**ais, nous mang**e**ons).*

C'est là qu'on se trompe

La graphie du participe présent diffère parfois de celle de l'adjectif verbal:

– converger: *(en) conver**gea**nt;*
*des intérêts conver**ge**nts*
– diverger: *(en) diver**gea**nt;*
*des routes diver**ge**ntes*
– émerger: *(en) émer**gea**nt;*
*des ondes émer**ge**ntes*
– négliger: *(en) négli**gea**nt;*
*des ouvriers négli**ge**nts.*

18

PLACER

1er groupe : verbes en -CER

commencer, avancer, lancer, agacer, balancer, annoncer, agencer, coincer, prononcer, tracer...

Indicatif

présent		passé composé		
je	place	j'	ai	placé
tu	places	tu	as	placé
il/elle	place	il/elle	a	placé
nous	**plaçons**	nous	avons	placé
vous	placez	vous	avez	placé
ils/elles	placent	ils/elles	ont	placé
imparfait		**plus-que-parfait**		
je	**plaçais**	j'	avais	placé
tu	**plaçais**	tu	avais	placé
il/elle	**plaçait**	il/elle	avait	placé
nous	placions	nous	avions	placé
vous	placiez	vous	aviez	placé
ils/elles	**plaçaient**	ils/elles	avaient	placé
futur simple		**futur antérieur**		
je	placerai	j'	aurai	placé
tu	placeras	tu	auras	placé
il/elle	placera	il/elle	aura	placé
nous	placerons	nous	aurons	placé
vous	placerez	vous	aurez	placé
ils/elles	placeront	ils/elles	auront	placé
passé simple		**passé antérieur**		
je	**plaçai**	j'	eus	placé
tu	**plaças**	tu	eus	placé
il/elle	**plaça**	il/elle	eut	placé
nous	**plaçâmes**	nous	eûmes	placé
vous	**plaçâtes**	vous	eûtes	placé
ils/elles	placèrent	ils/elles	eurent	placé

Conditionnel

présent		passé		
je	placerais	j'	aurais	placé
tu	placerais	tu	aurais	placé
il/elle	placerait	il/elle	aurait	placé
nous	placerions	nous	aurions	placé
vous	placeriez	vous	auriez	placé
ils/elles	placeraient	ils/elles	auraient	placé

PLACER

Infinitif		Participe		Impératif	
présent	**passé**	**présent**	**passé**	**présent**	**passé**
placer	avoir placé	**plaçant**	placé/ée, placés/ées ayant placé	place **plaçons** placez	aie placé ayons placé ayez placé

Subjonctif

présent			**passé**			
que	je	place	que	j'	aie	placé
que	tu	places	que	tu	aies	placé
qu'	il/elle	place	qu'	il/elle	ait	placé
que	nous	placions	que	nous	ayons	placé
que	vous	placiez	que	vous	ayez	placé
qu'	ils/elles	placent	qu'	ils/elles	aient	placé
imparfait			**plus-que-parfait**			
que	je	**plaçasse**	que	j'	eusse	placé
que	tu	**plaçasses**	que	tu	eusses	placé
qu'	il/elle	**plaçât**	qu'	il/elle	eût	placé
que	nous	**plaçassions**	que	nous	eussions	placé
que	vous	**plaçassiez**	que	vous	eussiez	placé
qu'	ils/elles	**plaçassent**	qu'	ils/elles	eussent	placé

Les verbes en *-cer* prennent une cédille sous le *c* devant les terminaisons en *-a* et en *-o* pour conserver la prononciation de l'infinitif *(je plaçais, nous plaçons)*.

Voir *rapiécer, acquiescer, dépecer* (qui suivent ce modèle mais présentent d'autres problèmes orthographiques).

ACQUIESCER

1er groupe

Indicatif

présent

j'	acquiesce
tu	acquiesces
il/elle	acquiesce
nous	**acquiesçons**
vous	acquiescez
ils/elles	acquiescent

imparfait

j'	**acquiesçais**
tu	**acquiesçais**
il/elle	**acquiesçait**
nous	acquiescions
vous	acquiesciez
ils/elles	**acquiesçaient**

futur simple

j'	acquiescerai
tu	acquiesceras
il/elle	acquiescera
nous	acquiescerons
vous	acquiescerez
ils/elles	acquiesceront

passé simple

j'	**acquiesçai**
tu	**acquiesças**
il/elle	**acquiesça**
nous	**acquiesçâmes**
vous	**acquiesçâtes**
ils/elles	acquiescèrent

passé composé

j'	ai	acquiescé
tu	as	acquiescé
il/elle	a	acquiescé
nous	avons	acquiescé
vous	avez	acquiescé
ils/elles	ont	acquiescé

plus-que-parfait

j'	avais	acquiescé
tu	avais	acquiescé
il/elle	avait	acquiescé
nous	avions	acquiescé
vous	aviez	acquiescé
ils/elles	avaient	acquiescé

futur antérieur

j'	aurai	acquiescé
tu	auras	acquiescé
il/elle	aura	acquiescé
nous	aurons	acquiescé
vous	aurez	acquiescé
ils/elles	auront	acquiescé

passé antérieur

j'	eus	acquiescé
tu	eus	acquiescé
il/elle	eut	acquiescé
nous	eûmes	acquiescé
vous	eûtes	acquiescé
ils/elles	eurent	acquiescé

Conditionnel

présent

j'	acquiescerais
tu	acquiescerais
il/elle	acquiescerait
nous	acquiescerions
vous	acquiesceriez
ils/elles	acquiesceraient

passé

j'	aurais	acquiescé
tu	aurais	acquiescé
il/elle	aurait	acquiescé
nous	aurions	acquiescé
vous	auriez	acquiescé
ils/elles	auraient	acquiescé

ACQUIESCER

Infinitif		Participe		Impératif	
présent	**passé**	**présent**	**passé**	**présent**	**passé**
acquiescer	avoir acquiescé	acquies**ç**ant	acquiescé	acquiesce	aie acquiescé
			ayant acquiescé	**acquiesçons**	ayons acquiescé
				acquiescez	ayez acquiescé

Subjonctif

présent			passé			
que	j'	acquiesce	que	j'	aie	acquiescé
que	tu	acquiesces	que	tu	aies	acquiescé
qu'	il/elle	acquiesce	qu'	il/elle	ait	acquiescé
que	nous	acquiescions	que	nous	ayons	acquiescé
que	vous	acquiesciez	que	vous	ayez	acquiescé
qu'	ils/elles	acquiescent	qu'	ils/elles	aient	acquiescé
imparfait			**plus-que-parfait**			
que	j'	**acquiesçasse**	que	j'	eusse	acquiescé
que	tu	**acquiesçasses**	que	tu	eusses	acquiescé
qu'	il/elle	**acquiesçât**	qu'	il/elle	eût	acquiescé
que	nous	**acquiesçassions**	que	nous	eussions	acquiescé
que	vous	**acquiesçassiez**	que	vous	eussiez	acquiescé
qu'	ils/elles	**acquiesçassent**	qu'	ils/elles	eussent	acquiescé

Les verbes en *-cer* prennent une cédille sous le *c* devant les terminaisons en *-a* et en *-o* pour conserver la prononciation de l'infinitif *(j'acquies**ç**ais, nous acquies**ç**ons).*

Attention !

Veillez à ne pas oublier le *s* qui précède toujours le *c*.
Le participe passé du verbe *acquiescer* est invariable.

CÉDER

1er groupe : verbes en -É + consonne + -ER

aérer, compléter, espérer, répéter, sécher, léser, altérer, excéder, lécher, pénétrer, régner...

Indicatif

présent			**passé composé**		
je	cède		j'	ai	cédé
tu	cèdes		tu	as	cédé
il/elle	cède		il/elle	a	cédé
nous	cédons		nous	avons	cédé
vous	cédez		vous	avez	cédé
ils/elles	cèdent		ils/elles	ont	cédé
imparfait			**plus-que-parfait**		
je	cédais		j'	avais	cédé
tu	cédais		tu	avais	cédé
il/elle	cédait		il/elle	avait	cédé
nous	cédions		nous	avions	cédé
vous	cédiez		vous	aviez	cédé
ils/elles	cédaient		ils/elles	avaient	cédé
futur simple			**futur antérieur**		
je	**céderai**		j'	aurai	cédé
tu	**céderas**		tu	auras	cédé
il/elle	**cédera**		il/elle	aura	cédé
nous	**céderons**		nous	aurons	cédé
vous	**céderez**		vous	aurez	cédé
ils/elles	**céderont**		ils/elles	auront	cédé
passé simple			**passé antérieur**		
je	cédai		j'	eus	cédé
tu	cédas		tu	eus	cédé
il/elle	céda		il/elle	eut	cédé
nous	cédâmes		nous	eûmes	cédé
vous	cédâtes		vous	eûtes	cédé
ils/elles	cédèrent		ils/elles	eurent	cédé

Conditionnel

présent			**passé**		
je	**céderais**		j'	aurais	cédé
tu	**céderais**		tu	aurais	cédé
il/elle	**céderait**		il/elle	aurait	cédé
nous	**céderions**		nous	aurions	cédé
vous	**céderiez**		vous	auriez	cédé
ils/elles	**céderaient**		ils/elles	auraient	cédé

CÉDER

Infinitif		Participe		Impératif	
présent	**passé**	**présent**	**passé**	**présent**	**passé**
céder	avoir cédé	cédant	cédé/ée, cédés/ées ayant cédé	cède cédons cédez	aie cédé ayons cédé ayez cede

Subjonctif

présent			**passé**			
que	je	cède	que	j'	aie	cédé
que	tu	cèdes	que	tu	aies	cédé
qu'	il/elle	cède	qu'	il/elle	ait	cédé
que	nous	cédions	que	nous	ayons	cédé
que	vous	cédiez	que	vous	ayez	cédé
qu'	ils/elles	cèdent	qu'	ils/elles	aient	cédé
imparfait			**plus-que-parfait**			
que	je	cédasse	que	j'	eusse	cédé
que	tu	cédasses	que	tu	eusses	cédé
qu'	il/elle	cédât	qu'	il/elle	eût	cédé
que	nous	cédassions	que	nous	eussions	cédé
que	vous	cédassiez	que	vous	eussiez	cédé
qu'	ils/elles	cédassent	qu'	ils/elles	eussent	cédé

C'est là qu'on se trompe

– Au présent, devant une syllabe muette (contenant un « *e* muet »), la forme verbale prend un accent grave, suivant la règle des accents en français. En effet, *e* prend un accent grave devant une syllabe muette *(col-lège)* et un accent aigu devant une syllabe sonore *(école)*, d'où l'alternance : *Je cède, nous cédons.*
– Au futur et au conditionnel, l'accent aigu contredit cette règle ainsi que la prononciation [ɛ] : *Je céderai, je céderais...*

C'est permis !

La réforme orthographique de 1990 recommande d'écrire les verbes du type *céder* comme on les prononce, avec un *e* accent grave au futur et au conditionnel : *Je cèderai, je considèrerais...*

PROTÉGER

1er groupe : verbes en - ÉGER

agréger, arpéger, piéger, désagréger, abréger, alléger, assiéger, siéger

Indicatif

présent

je	protège
tu	protèges
il/elle	protège
nous	**protégeons**
vous	protégez
ils/elles	protègent

imparfait

je	**protégeais**
tu	**protégeais**
il/elle	**protégeait**
nous	protégions
vous	protégiez
ils/elles	**protégeaient**

futur simple

je	**protégerai**
tu	**protégeras**
il/elle	**protégera**
nous	**protégerons**
vous	**protégerez**
ils/elles	**protégeront**

passé simple

je	**protégeai**
tu	**protégeas**
il/elle	**protégea**
nous	**protégeâmes**
vous	**protégeâtes**
ils/elles	protégèrent

passé composé

j'	ai	protégé
tu	as	protégé
il/elle	a	protégé
nous	avons	protégé
vous	avez	protégé
ils/elles	ont	protégé

plus-que-parfait

j'	avais	protégé
tu	avais	protégé
il/elle	avait	protégé
nous	avions	protégé
vous	aviez	protégé
ils/elles	avaient	protégé

futur antérieur

j'	aurai	protégé
tu	auras	protégé
il/elle	aura	protégé
nous	aurons	protégé
vous	aurez	protégé
ils/elles	auront	protégé

passé antérieur

j'	eus	protégé
tu	eus	protégé
il/elle	eut	protégé
nous	eûmes	protégé
vous	eûtes	protégé
ils/elles	eurent	protégé

Conditionnel

présent

je	**protégerais**
tu	**protégerais**
il/elle	**protégerait**
nous	**protégerions**
vous	**protégeriez**
ils/elles	**protégeraient**

passé

j'	aurais	protégé
tu	aurais	protégé
il/elle	aurait	protégé
nous	aurions	protégé
vous	auriez	protégé
ils/elles	auraient	protégé

PROTÉGER

Infinitif		Participe		Impératif	
présent	**passé**	**présent**	**passé**	**présent**	**passé**
protéger	avoir protégé	**protégeant**	protégé/ée, protégés/ées, ayant protégé	protège, **protégeons**, protégez	aie protégé, ayons protégé, ayez protégé

Subjonctif

présent			**passé**			
que	je	protège	que	j'	aie	protégé
que	tu	protèges	que	tu	aies	protégé
qu'	il/elle	protège	qu'	il/elle	ait	protégé
que	nous	protégions	que	nous	ayons	protégé
que	vous	protégiez	que	vous	ayez	protégé
qu'	ils/elles	protègent	qu'	ils/elles	aient	protégé
imparfait			**plus-que-parfait**			
que	je	**protégeasse**	que	j'	eusse	protégé
que	tu	**protégeasses**	que	tu	eusses	protégé
qu'	il/elle	**protégeât**	qu'	il/elle	eût	protégé
que	nous	**protégeassions**	que	nous	eussions	protégé
que	vous	**protégeassiez**	que	vous	eussiez	protégé
qu'	ils/elles	**protégeassent**	qu'	ils/elles	eussent	protégé

- Les verbes en *-ger* (voir *manger*) font suivre le *g* d'un *e* devant les terminaisons en *-a* ou en *-o* pour conserver la prononciation de l'infinitif *(je protégeais, nous protégeons)*.

- Les verbes à accent aigu (voir *céder*) font alterner *é* et *è* dans leur conjugaison *(je protège, nous protégeons)*.

Voir *manger* et *céder*.

22

RAPIÉCER

1er groupe

Indicatif

présent		passé composé		
je	**rapièce**	j'	ai	rapiécé
tu	**rapièces**	tu	as	rapiécé
il/elle	**rapièce**	il/elle	a	rapiécé
nous	**rapiéçons**	nous	avons	rapiécé
vous	rapiécez	vous	avez	rapiécé
ils/elles	**rapiècent**	ils/elles	ont	rapiécé
imparfait		**plus-que-parfait**		
je	**rapiéçais**	j'	avais	rapiécé
tu	**rapiéçais**	tu	avais	rapiécé
il/elle	**rapiéçait**	il/elle	avait	rapiécé
nous	rapiécions	nous	avions	rapiécé
vous	rapiéciez	vous	aviez	rapiécé
ils/elles	**rapiéçaient**	ils/elles	avaient	rapiécé
futur simple		**futur antérieur**		
je	rapiécerai	j'	aurai	rapiécé
tu	rapiéceras	tu	auras	rapiécé
il/elle	rapiécera	il/elle	aura	rapiécé
nous	rapiécerons	nous	aurons	rapiécé
vous	rapiécerez	vous	aurez	rapiécé
ils/elles	rapiéceront	ils/elles	auront	rapiécé
passé simple		**passé antérieur**		
je	**rapiéçai**	j'	eus	rapiécé
tu	**rapiéças**	tu	eus	rapiécé
il/elle	**rapiéça**	il/elle	eut	rapiécé
nous	**rapiéçâmes**	nous	eûmes	rapiécé
vous	**rapiéçâtes**	vous	eûtes	rapiécé
ils/elles	rapiécèrent	ils/elles	eurent	rapiécé

Conditionnel

présent		passé		
je	rapiécerais	j'	aurais	rapiécé
tu	rapiécerais	tu	aurais	rapiécé
il/elle	rapiécerait	il/elle	aurait	rapiécé
nous	rapiécerions	nous	aurions	rapiécé
vous	rapiéceriez	vous	auriez	rapiécé
ils/elles	rapiéceraient	ils/elles	auraient	rapiécé

RAPIÉCER

Infinitif		Participe		Impératif	
présent	**passé**	**présent**	**passé**	**présent**	**passé**
rapiécer	avoir rapiécé	**rapiéçant**	rapiécé/ée, rapiécés/ées ayant rapiécé	**rapièce** **rapiéçons** rapiécez	aie rapiécé ayons rapiécé ayez rapiécé

Subjonctif

présent			passé			
que	je	**rapièce**	que	j'	aie	rapiécé
que	tu	**rapièces**	que	tu	aies	rapiécé
qu'	il/elle	**rapièce**	qu'	il/elle	ait	rapiécé
que	nous	rapiécions	que	nous	ayons	rapiécé
que	vous	rapiéciez	que	vous	ayez	rapiécé
qu'	ils/elles	**rapiècent**	qu'	ils/elles	aient	rapiécé
imparfait			**plus-que-parfait**			
que	je	**rapiéçasse**	que	j'	eusse	rapiécé
que	tu	**rapiéçasses**	que	tu	eusses	rapiécé
qu'	il/elle	**rapiéçât**	qu'	il/elle	eût	rapiécé
que	nous	**rapiéçassions**	que	nous	eussions	rapiécé
que	vous	**rapiéçassiez**	que	vous	eussiez	rapiécé
qu'	ils/elles	**rapiéçassent**	qu'	ils/elles	eussent	rapiécé

- Les verbes en *-cer* (voir *placer*) prennent une cédille sous le *c* devant les terminaisons en *-a* et en *-o* pour conserver la prononciation de l'infinitif *(je rapié**ç**ais, nous rapié**ç**ons).*

- Les verbes à accent aigu (voir *céder*) font alterner *é* et *è* dans leur conjugaison *(je rapi**è**ce, vous rapi**é**cez).*

Voir *placer* et *céder*.

23 APPELER

1er groupe : verbes en - ELER

rappeler

Indicatif

présent		**passé composé**		
j'	**appelle**	j'	ai	appelé
tu	**appelles**	tu	as	appelé
il/elle	**appelle**	il/elle	a	appelé
nous	appelons	nous	avons	appelé
vous	appelez	vous	avez	appelé
ils/elles	**appellent**	ils/elles	ont	appelé
imparfait		**plus-que-parfait**		
j'	appelais	j'	avais	appelé
tu	appelais	tu	avais	appelé
il/elle	appelait	il/elle	avait	appelé
nous	appelions	nous	avions	appelé
vous	appeliez	vous	aviez	appelé
ils/elles	appelaient	ils/elles	avaient	appelé
futur simple		**futur antérieur**		
j'	**appellerai**	j'	aurai	appelé
tu	**appelleras**	tu	auras	appelé
il/elle	**appellera**	il/elle	aura	appelé
nous	**appellerons**	nous	aurons	appelé
vous	**appellerez**	vous	aurez	appelé
ils/elles	**appelleront**	ils/elles	auront	appelé
passé simple		**passé antérieur**		
j'	appelai	j'	eus	appelé
tu	appelas	tu	eus	appelé
il/elle	appela	il/elle	eut	appelé
nous	appelâmes	nous	eûmes	appelé
vous	appelâtes	vous	eûtes	appelé
ils/elles	appelèrent	ils/elles	eurent	appelé

Conditionnel

présent		**passé**		
j'	**appellerais**	j'	aurais	appelé
tu	**appellerais**	tu	aurais	appelé
il/elle	**appellerait**	il/elle	aurait	appelé
nous	**appellerions**	nous	aurions	appelé
vous	**appelleriez**	vous	auriez	appelé
ils/elles	**appelleraient**	ils/elles	auraient	appelé

APPELER

Infinitif		Participe		Impératif	
présent	**passé**	**présent**	**passé**	**présent**	**passé**
appeler	avoir appelé	appelant	appelé/ée,	**appelle**	aie appelé
			appelés/ées	appelons	ayons appelé
			ayant appelé	appelez	ayez appelé

Subjonctif

présent			**passé**			
que	j'	**appelle**	que	j'	aie	appelé
que	tu	**appelles**	que	tu	aies	appelé
qu'	il/elle	**appelle**	qu'	il/elle	ait	appelé
que	nous	appelions	que	nous	ayons	appelé
que	vous	appeliez	que	vous	ayez	appelé
qu'	ils/elles	**appellent**	qu'	ils/elles	aient	appelé
imparfait			**plus-que-parfait**			
que	j'	appelasse	que	j'	eusse	appelé
que	tu	appelasses	que	tu	eusses	appelé
qu'	il/elle	appelât	qu'	il/elle	eût	appelé
que	nous	appelassions	que	nous	eussions	appelé
que	vous	appelassiez	que	vous	eussiez	appelé
qu'	ils/elles	appelassent	qu'	ils/elles	eussent	appelé

C'est là qu'on se trompe

– Les verbes en *-eler* et en *-eter* comportent un «*e* sourd» [ə] *(appeler)* qui devient «*e* ouvert» [ɛ] dans la conjugaison devant une syllabe muette *(j'app**elle**)*.

– Pour noter le «*e* ouvert», soit on double la consonne *(renouveler, je renouve**lle**)*, soit on utilise l'accent grave *(geler, je g**è**le)*.

C'est permis !

La réforme orthographique de 1990 préconise l'emploi du *e* accent grave pour noter le son «*e* ouvert» [ɛ] dans tous les verbes en *-eler* et en *-eter*, sauf pour les verbes *appeler* et *jeter*, dont les formes sont bien stabilisées dans l'usage.

Voir *geler*.

24 INTERPELLER

1er groupe

Indicatif

présent

j'	interpelle
tu	interpelles
il/elle	interpelle
nous	**interpellons**
vous	**interpellez**
ils/elles	interpellent

imparfait

j'	**interpellais**
tu	**interpellais**
il/elle	**interpellait**
nous	**interpellions**
vous	**interpelliez**
ils/elles	**interpellaient**

futur simple

j'	interpellerai
tu	interpelleras
il/elle	interpellera
nous	interpellerons
vous	interpellerez
ils/elles	interpelleront

passé simple

j'	**interpellai**
tu	**interpellas**
il/elle	**interpella**
nous	**interpellâmes**
vous	**interpellâtes**
ils/elles	**interpellèrent**

passé composé

j'	ai	interpellé
tu	as	interpellé
il/elle	a	interpellé
nous	avons	interpellé
vous	avez	interpellé
ils/elles	ont	interpellé

plus-que-parfait

j'	avais	interpellé
tu	avais	interpellé
il/elle	avait	interpellé
nous	avions	interpellé
vous	aviez	interpellé
ils/elles	avaient	interpellé

futur antérieur

j'	aurai	interpellé
tu	auras	interpellé
il/elle	aura	interpellé
nous	aurons	interpellé
vous	aurez	interpellé
ils/elles	auront	interpellé

passé antérieur

j'	eus	interpellé
tu	eus	interpellé
il/elle	eut	interpellé
nous	eûmes	interpellé
vous	eûtes	interpellé
ils/elles	eurent	interpellé

Conditionnel

présent

j'	interpellerais
tu	interpellerais
il/elle	interpellerait
nous	interpellerions
vous	interpelleriez
ils/elles	interpelleraient

passé

j'	aurais	interpellé
tu	aurais	interpellé
il/elle	aurait	interpellé
nous	aurions	interpellé
vous	auriez	interpellé
ils/elles	auraient	interpellé

Infinitif		Participe		Impératif	
présent	**passé**	**présent**	**passé**	**présent**	**passé**
interpeller	avoir interpellé	interpellant	**interpellé**/ée, interpellés/ées ayant interpellé	interpelle	aie interpellé
				interpellons	ayons interpellé
				interpellez	ayez interpellé

Subjonctif

présent			passé			
que	j'	interpelle	que	j'	aie	interpellé
que	tu	interpelles	que	tu	aies	interpellé
qu'	il/elle	interpelle	qu'	il/elle	ait	interpellé
que	nous	**interpellions**	que	nous	ayons	interpellé
que	vous	**interpelliez**	que	vous	ayez	interpellé
qu'	ils/elles	interpellent	qu'	ils/elles	aient	interpellé
Imparfait			**plus-que-parfait**			
que	j'	**interpellasse**	que	j'	eusse	interpellé
que	tu	**interpellasses**	que	tu	eusses	interpellé
qu'	il/elle	**interpellât**	qu'	il/elle	eût	interpellé
que	nous	**interpellassions**	que	nous	eussions	interpellé
que	vous	**interpellassiez**	que	vous	eussiez	interpellé
qu'	ils/elles	**interpellassent**	qu'	ils/elles	eussent	interpellé

C'est là qu'on se trompe

Le verbe *interpeller* ne se prononce pas comme il s'écrit. Les deux *l* du radical sont présents partout, mais le *e* se prononce comme dans les formes du verbe *appeler*: *Nous interpellons* («*e* sourd» [ə]); *ils interpellent* («*e* ouvert» [ɛ]).

C'est permis !

La réforme orthographique de 1990 préconise d'écrire *interpeler* avec un seul *l* et de le conjuguer sur le modèle de *appeler*.

Voir *appeler.*

GELER

1er groupe : verbes en -ELER

celer, déceler, ciseler, écarteler, marteler, modeler, peler, congeler, harceler, démanteler

Indicatif

présent

je	**gèle**
tu	**gèles**
il/elle	**gèle**
nous	gelons
vous	gelez
ils/elles	**gèlent**

imparfait

je	gelais
tu	gelais
il/elle	gelait
nous	gelions
vous	geliez
ils/elles	gelaient

futur simple

je	**gèlerai**
tu	**gèleras**
il/elle	**gèlera**
nous	**gèlerons**
vous	**gèlerez**
ils/elles	**gèleront**

passé simple

je	gelai
tu	gelas
il/elle	gela
nous	gelâmes
vous	gelâtes
ils/elles	gelèrent

passé composé

j'	ai	gelé
tu	as	gelé
il/elle	a	gelé
nous	avons	gelé
vous	avez	gelé
ils/elles	ont	gelé

plus-que-parfait

j'	avais	gelé
tu	avais	gelé
il/elle	avait	gelé
nous	avions	gelé
vous	aviez	gelé
ils/elles	avaient	gelé

futur antérieur

j'	aurai	gelé
tu	auras	gelé
il/elle	aura	gelé
nous	aurons	gelé
vous	aurez	gelé
ils/elles	auront	gelé

passé antérieur

j'	eus	gelé
tu	eus	gelé
il/elle	eut	gelé
nous	eûmes	gelé
vous	eûtes	gelé
ils/elles	eurent	gelé

Conditionnel

présent

je	**gèlerais**
tu	**gèlerais**
il/elle	**gèlerait**
nous	**gèlerions**
vous	**gèleriez**
ils/elles	**gèleraient**

passé

j'	aurais	gelé
tu	aurais	gelé
il/elle	aurait	gelé
nous	aurions	gelé
vous	auriez	gelé
ils/elles	auraient	gelé

GELER

Infinitif		Participe		Impératif	
présent	**passé**	**présent**	**passé**	**présent**	**passé**
geler	avoir gelé	gelant	gelé/ée, gelés/ées ayant gelé	**gèle** gelons gelez	aie gelé ayons gelé ayez gelé

Subjonctif

présent			**passé**			
que	je	**gèle**	que	j'	aie	gelé
que	tu	**gèles**	que	tu	aies	gelé
qu'	il/elle	**gèle**	qu'	il/elle	ait	gelé
que	nous	gelions	que	nous	ayons	gelé
que	vous	geliez	que	vous	ayez	gelé
qu'	ils/elles	**gèlent**	qu'	ils/elles	aient	gelé
imparfait			**plus-que-parfait**			
que	je	gelasse	que	j'	eusse	gelé
que	tu	gelasses	que	tu	eusses	gelé
qu'	il/elle	gelât	qu'	il/elle	eût	gelé
que	nous	gelassions	que	nous	eussions	gelé
que	vous	gelassiez	que	vous	eussiez	gelé
qu'	ils/elles	gelassent	qu'	ils/elles	eussent	gelé

C'est là qu'on se trompe

– Les verbes en *-eler* et en *-eter* comportent un «*e* sourd» [ə] *(geler)* qui devient «*e* ouvert» [ɛ] dans la conjugaison devant une syllabe muette *(je gèle)*.

– Pour noter le «*e* ouvert», soit on double la consonne *(appeler, j'appelle)*, soit on utilise l'accent grave *(acheter, j'achète)*.

– Les verbes en *-emer (semer), -ener (mener), -eser (peser), -ever (lever)* suivent le modèle de *geler*.

C'est permis !

La réforme orthographique de 1990 préconise l'emploi du *e* accent grave pour noter le son «*e* ouvert» [ɛ] dans tous les verbes en *-eler* et en *-eter*, sauf pour les verbes *appeler* et *jeter*, dont les formes sont bien stabilisées dans l'usage.

Voir *appeler.*

DÉPECER

1er groupe

Indicatif

présent		passé composé		
je	dépèce	j'	ai	dépecé
tu	dépèces	tu	as	dépecé
il/elle	dépèce	il/elle	a	dépecé
nous	dépeçons	nous	avons	dépecé
vous	dépecez	vous	avez	dépecé
ils/elles	dépècent	ils/elles	ont	dépecé
imparfait		**plus-que-parfait**		
je	dépeçais	j'	avais	dépecé
tu	dépeçais	tu	avais	dépecé
il/elle	dépeçait	il/elle	avait	dépecé
nous	dépecions	nous	avions	dépecé
vous	dépeciez	vous	aviez	dépecé
ils/elles	dépeçaient	ils/elles	avaient	dépecé
futur simple		**futur antérieur**		
je	dépècerai	j'	aurai	dépecé
tu	dépèceras	tu	auras	dépecé
il/elle	dépècera	il/elle	aura	dépecé
nous	dépècerons	nous	aurons	dépecé
vous	dépècerez	vous	aurez	dépecé
ils/elles	dépèceront	ils/elles	auront	dépecé
passé simple		**passé antérieur**		
je	dépeçai	j'	eus	dépecé
tu	dépeças	tu	eus	dépecé
il/elle	dépeça	il/elle	eut	dépecé
nous	dépeçâmes	nous	eûmes	dépecé
vous	dépeçâtes	vous	eûtes	dépecé
ils/elles	dépecèrent	ils/elles	eurent	dépecé

Conditionnel

présent		passé		
je	dépècerais	j'	aurais	dépecé
tu	dépècerais	tu	aurais	dépecé
il/elle	dépècerait	il/elle	aurait	dépecé
nous	dépècerions	nous	aurions	dépecé
vous	dépèceriez	vous	auriez	dépecé
ils/elles	dépèceraient	ils/elles	auraient	dépecé

DÉPECER

Infinitif		Participe		Impératif	
présent	**passé**	**présent**	**passé**	**présent**	**passé**
dépecer	avoir dépecé	**dépeçant**	dépecé/ée, dépecés/ées ayant dépecé	**dépèce** **dépeçons** dépecez	aie dépecé ayons dépecé ayez dépecé

Subjonctif

présent			**passé**			
que	je	**dépèce**	que	j'	aie	dépecé
que	tu	**dépèces**	que	tu	aies	dépecé
qu'	il/elle	**dépèce**	qu'	il/elle	ait	dépecé
que	nous	dépecions	que	nous	ayons	dépecé
que	vous	dépeciez	que	vous	ayez	dépecé
qu'	ils/elles	**dépècent**	qu'	ils/elles	aient	dépecé
imparfait			**plus-que-parfait**			
que	je	**dépeçasse**	que	j'	eusse	dépecé
que	tu	**dépeçasses**	que	tu	eusses	dépecé
qu'	il/elle	**dépeçât**	qu'	il/elle	eût	dépecé
que	nous	**dépeçassions**	que	nous	eussions	dépecé
que	vous	**dépeçassiez**	que	vous	eussiez	dépecé
qu'	ils/elles	**dépeçassent**	qu'	ils/elles	eussent	dépecé

Le verbe *dépecer* cumule les difficultés des verbes en *-eler* (où le « *e* sourd » [ə] devient « *e* ouvert » [ɛ] dans certaines formes) et des verbes en *-cer* (qui prennent une cédille sous le *c* dans certains cas).

Voir *geler* et *placer.*

27

JETER

1er groupe : verbes en - ETER

rejeter, projeter, surjeter

Indicatif

présent		passé composé		
je	**jette**	j'	ai	jeté
tu	**jettes**	tu	as	jeté
il/elle	**jette**	il/elle	a	jeté
nous	jetons	nous	avons	jeté
vous	jetez	vous	avez	jeté
ils/elles	**jettent**	ils/elles	ont	jeté
imparfait		**plus-que-parfait**		
je	jetais	j'	avais	jeté
tu	jetais	tu	avais	jeté
il/elle	jetait	il/elle	avait	jeté
nous	jetions	nous	avions	jeté
vous	jetiez	vous	aviez	jeté
ils/elles	jetaient	ils/elles	avaient	jeté
futur simple		**futur antérieur**		
je	**jetterai**	j'	aurai	jeté
tu	**jetteras**	tu	auras	jeté
il/elle	**jettera**	il/elle	aura	jeté
nous	**jetterons**	nous	aurons	jeté
vous	**jetterez**	vous	aurez	jeté
ils/elles	**jetteront**	ils/elles	auront	jeté
passé simple		**passé antérieur**		
je	jetai	j'	eus	jeté
tu	jetas	tu	eus	jeté
il/elle	jeta	il/elle	eut	jeté
nous	jetâmes	nous	eûmes	jeté
vous	jetâtes	vous	eûtes	jeté
ils/elles	jetèrent	ils/elles	eurent	jeté

Conditionnel

présent		passé		
je	**jetterais**	j'	aurais	jeté
tu	**jetterais**	tu	aurais	jeté
il/elle	**jetterait**	il/elle	aurait	jeté
nous	**jetterions**	nous	aurions	jeté
vous	**jetteriez**	vous	auriez	jeté
ils/elles	**jetteraient**	ils/elles	auraient	jeté

JETER

Infinitif		Participe		Impératif	
présent	**passé**	**présent**	**passé**	**présent**	**passé**
jeter	avoir jeté	jetant	jeté/ée, jetés/ées ayant jeté	**jette** jetons jetez	aie jeté ayons jeté ayez jeté

Subjonctif

présent			**passé**			
que	je	**jette**	que	j'	aie	jeté
que	tu	**jettes**	que	tu	aies	jeté
qu'	il/elle	**jette**	qu'	il/elle	ait	jeté
que	nous	jetions	que	nous	ayons	jeté
que	vous	jetiez	que	vous	ayez	jeté
qu'	ils/elles	**jettent**	qu'	ils/elles	aient	jeté
imparfait			**plus-que-parfait**			
que	je	jetasse	que	j'	eusse	jeté
que	tu	jetasses	que	tu	eusses	jeté
qu'	il/elle	jetât	qu'	il/elle	eût	jeté
que	nous	jetassions	que	nous	eussions	jeté
que	vous	jetassiez	que	vous	eussiez	jeté
qu'	ils/elles	jetassent	qu'	ils/elles	eussent	jeté

C'est là qu'on se trompe

– Les verbes en *-eter* et en *-eler* qui ont un «*e* sourd» [ə] dans l'avant-dernière syllabe de l'infinitif *(jeter)*, changent le «*e* sourd» en «*e* ouvert» [ɛ] dans la conjugaison devant une syllabe muette *(je **jette**, je **jette**rai)*.
– Pour noter le «*e* ouvert» [ɛ], soit on double la consonne *(jeter, je je**tte**)*, soit on utilise l'accent grave *(acheter, j'ach**è**te)*.

C'est permis !

La réforme orthographique de 1990 préconise l'emploi du *e* accent grave pour noter le son « *e* ouvert » [ɛ] dans tous les verbes en *-eter* et en *-eler*, sauf pour *jeter* et *appeler*, dont les formes sont bien stabilisées dans l'usage.

28 ACHETER

1er groupe : verbes en - ETER

racheter, bégueter, corseter, crocheter, fileter, fureter, haleter

Indicatif

présent

j'	**achète**
tu	**achètes**
il/elle	**achète**
nous	achetons
vous	achetez
ils/elles	**achètent**

imparfait

j'	achetais
tu	achetais
il/elle	achetait
nous	achetions
vous	achetiez
ils/elles	achetaient

futur simple

j'	**achèterai**
tu	**achèteras**
il/elle	**achètera**
nous	**achèterons**
vous	**achèterez**
ils/elles	**achèteront**

passé simple

j'	achetai
tu	achetas
il/elle	acheta
nous	achetâmes
vous	achetâtes
ils/elles	achetèrent

passé composé

j'	ai	acheté
tu	as	acheté
il/elle	a	acheté
nous	avons	acheté
vous	avez	acheté
ils/elles	ont	acheté

plus-que-parfait

j'	avais	acheté
tu	avais	acheté
il/elle	avait	acheté
nous	avions	acheté
vous	aviez	acheté
ils/elles	avaient	acheté

futur antérieur

j'	aurai	acheté
tu	auras	acheté
il/elle	aura	acheté
nous	aurons	acheté
vous	aurez	acheté
ils/elles	auront	acheté

passé antérieur

j'	eus	acheté
tu	eus	acheté
il/elle	eut	acheté
nous	eûmes	acheté
vous	eûtes	acheté
ils/elles	eurent	acheté

Conditionnel

présent

j'	**achèterais**
tu	**achèterais**
il/elle	**achèterait**
nous	**achèterions**
vous	**achèteriez**
ils/elles	**achèteraient**

passé

j'	aurais	acheté
tu	aurais	acheté
il/elle	aurait	acheté
nous	aurions	acheté
vous	auriez	acheté
ils/elles	auraient	acheté

ACHETER

Infinitif		Participe		Impératif	
présent	**passé**	**présent**	**passé**	**présent**	**passé**
acheter	avoir acheté	achetant	acheté/ée, achetés/ées ayant acheté	**achète** achetons achetez	aie acheté ayons acheté ayez acheté

Subjonctif

présent			**passé**			
que	j'	**achète**	que	j'	aie	acheté
que	tu	**achètes**	que	tu	aies	acheté
qu'	il/elle	**achète**	qu'	il/elle	ait	acheté
que	nous	achetions	que	nous	ayons	acheté
que	vous	achetiez	que	vous	ayez	acheté
qu'	ils/elles	**achètent**	qu'	ils/elles	aient	acheté
imparfait			**plus-que-parfait**			
que	j'	achetasse	que	j'	eusse	acheté
que	tu	achetasses	que	tu	eusses	acheté
qu'	il/elle	achetât	qu'	il/elle	eût	acheté
que	nous	achetassions	que	nous	eussions	acheté
que	vous	achetassiez	que	vous	eussiez	acheté
qu'	ils/elles	achetassent	qu'	ils/elles	eussent	acheté

C'est là qu'on se trompe

– Les verbes en *-eter* et en *-eler* comportent un «*e* sourd» [ə] *(acheter)*, qui devient «*e* ouvert» [ɛ] dans la conjugaison devant une syllabe muette *(j'achète)*.

– Pour noter le «*e* ouvert» [ɛ], soit on double la consonne *(appeler, j'appelle)*, soit on utilise l'accent grave *(haleter, j'halète)*.

C'est permis !

La réforme orthographique de 1990 préconise l'emploi du *e* accent grave pour noter le son « *e* ouvert » [ɛ] dans tous les verbes en *-eter* et en *-eler*, sauf pour les verbes *jeter* et *appeler*, dont les formes sont bien stabilisées dans l'usage.

PAYER (1)

1er groupe : verbes en - AYER

balayer, frayer, essayer, rayer, bégayer, bayer, égayer, débrayer, délayer, zézayer, monnayer...

Indicatif

présent		passé composé		
je	**paie**	j'	ai	payé
tu	**paies**	tu	as	payé
il/elle	**paie**	il/elle	a	payé
nous	payons	nous	avons	payé
vous	payez	vous	avez	payé
ils/elles	**paient**	ils/elles	ont	payé
imparfait		**plus-que-parfait**		
je	payais	j'	avais	payé
tu	payais	tu	avais	payé
il/elle	payait	il/elle	avait	payé
nous	**payions**	nous	avions	payé
vous	**payiez**	vous	aviez	payé
ils/elles	payaient	ils/elles	avaient	payé
futur simple		**futur antérieur**		
je	**paierai**	j'	aurai	payé
tu	**paieras**	tu	auras	payé
il/elle	**paiera**	il/elle	aura	payé
nous	**paierons**	nous	aurons	payé
vous	**paierez**	vous	aurez	payé
ils/elles	**paieront**	ils/elles	auront	payé
passé simple		**passé antérieur**		
je	payai	j'	eus	payé
tu	payas	tu	eus	payé
il/elle	paya	il/elle	eut	payé
nous	payâmes	nous	eûmes	payé
vous	payâtes	vous	eûtes	payé
ils/elles	payèrent	ils/elles	eurent	payé

Conditionnel

présent		passé		
je	**paierais**	j'	aurais	payé
tu	**paierais**	tu	aurais	payé
il/elle	**paierait**	il/elle	aurait	payé
nous	**paierions**	nous	aurions	payé
vous	**paieriez**	vous	auriez	payé
ils/elles	**paieraient**	ils/elles	auraient	payé

PAYER (1)

Infinitif		Participe		Impératif	
présent	**passé**	**présent**	**passé**	**présent**	**passé**
payer	avoir payé	payant	payé/ée, payés/ées ayant payé	**paie** payons payez	aie payé ayons payé ayez payé

Subjonctif

présent			passé			
que	je	**paie**	que	j'	aie	payé
que	tu	**paies**	que	tu	aies	payé
qu'	il/elle	**paie**	qu'	il/elle	ait	payé
que	nous	**payions**	que	nous	ayons	payé
que	vous	**payiez**	que	vous	ayez	payé
qu'	ils/elles	**paient**	qu'	ils/elles	aient	payé
imparfait			**plus-que-parfait**			
que	je	payasse	que	j'	eusse	payé
que	tu	payasses	que	tu	eusses	payé
qu'	il/elle	payât	qu'	il/elle	eût	payé
que	nous	payassions	que	nous	eussions	payé
que	vous	payassiez	que	vous	eussiez	payé
qu'	ils/elles	payassent	qu'	ils/elles	eussent	payé

Les verbes en *-ayer* peuvent conserver l'*y* du radical dans toute la conjugaison, ou remplacer l'*y* par un *i* devant un «*e* muet» uniquement *(je pa**y**e* ou *je pa**i**e).*

Attention !

À l'indicatif imparfait et au subjonctif présent, *payer* prend un *i* après *y* aux 1re et 2e personnes du pluriel *(nous payions, que vous payiez).*

Voir *payer* (2).

PAYER (2)

1er groupe : verbes en -AYER et -EYER

capeyer, faseyer, grasseyer, langueyer, égayer, débrayer, délayer, zézayer, monnayer...

Indicatif

présent

je	paye
tu	payes
il/elle	paye
nous	payons
vous	payez
ils/elles	payent

imparfait

je	payais
tu	payais
il/elle	payait
nous	**payions**
vous	**payiez**
ils/elles	payaient

futur simple

je	payerai
tu	payeras
il/elle	payera
nous	payerons
vous	payerez
ils/elles	payeront

passé simple

je	payai
tu	payas
il/elle	paya
nous	payâmes
vous	payâtes
ils/elles	payèrent

passé composé

j'	ai	payé
tu	as	payé
il/elle	a	payé
nous	avons	payé
vous	avez	payé
ils/elles	ont	payé

plus-que-parfait

j'	avais	payé
tu	avais	payé
il/elle	avait	payé
nous	avions	payé
vous	aviez	payé
ils/elles	avaient	payé

futur antérieur

j'	aurai	payé
tu	auras	payé
il/elle	aura	payé
nous	aurons	payé
vous	aurez	payé
ils/elles	auront	payé

passé antérieur

j'	eus	payé
tu	eus	payé
il/elle	eut	payé
nous	eûmes	payé
vous	eûtes	payé
ils/elles	eurent	payé

Conditionnel

présent

je	payerais
tu	payerais
il/elle	payerait
nous	payerions
vous	payeriez
ils/elles	payeraient

passé

j'	aurais	payé
tu	aurais	payé
il/elle	aurait	payé
nous	aurions	payé
vous	auriez	payé
ils/elles	auraient	payé

Infinitif		Participe		Impératif	
présent	**passé**	**présent**	**passé**	**présent**	**passé**
payer	avoir payé	payant	payé/ée, payés/ées ayant payé	paye payons payez	aie payé ayons payé ayez payé

Subjonctif

présent			**passé**			
que	je	paye	que	j'	aie	payé
que	tu	payes	que	tu	aies	payé
qu'	il/elle	paye	qu'	il/elle	ait	payé
que	nous	**payions**	que	nous	ayons	payé
que	vous	**payiez**	que	vous	ayez	payé
qu'	ils/elles	payent	qu'	ils/elles	aient	payé
imparfait			**plus-que-parfait**			
que	je	payasse	que	j'	eusse	payé
que	tu	payasses	que	tu	eusses	payé
qu'	il/elle	payât	qu'	il/elle	eût	payé
que	nous	payassions	que	nous	eussions	payé
que	vous	payassiez	que	vous	eussiez	payé
qu'	ils/elles	payassent	qu'	ils/elles	eussent	payé

Les verbes en *-ayer* peuvent conserver l'*y* du radical dans toute la conjugaison, les rares verbes en *-eyer* le conservent toujours.

Attention !

À l'indicatif imparfait et au subjonctif présent, *payer* prend un *i* après *y* aux 1re et 2e personnes du pluriel *(nous payions, que vous payiez)*.

Voir *payer* (1).

EMPLOYER

1er groupe : verbes en -OYER

apitoyer, atermoyer, aboyer, nettoyer, tutoyer, noyer, déployer, dévoyer, employer, foudroyer...

Indicatif

présent

j'	**emploie**
tu	**emploies**
il/elle	**emploie**
nous	employons
vous	employez
ils/elles	**emploient**

passé composé

j'	ai	employé
tu	as	employé
il/elle	a	employé
nous	avons	employé
vous	avez	employé
ils/elles	ont	employé

imparfait

j'	employais
tu	employais
il/elle	employait
nous	**employions**
vous	**employiez**
ils/elles	employaient

plus-que-parfait

j'	avais	employé
tu	avais	employé
il/elle	avait	employé
nous	avions	employé
vous	aviez	employé
ils/elles	avaient	employé

futur simple

j'	**emploierai**
tu	**emploieras**
il/elle	**emploiera**
nous	**emploierons**
vous	**emploierez**
ils/elles	**emploieront**

futur antérieur

j'	aurai	employé
tu	auras	employé
il/elle	aura	employé
nous	aurons	employé
vous	aurez	employé
ils/elles	auront	employé

passé simple

j'	employai
tu	employas
il/elle	employa
nous	employâmes
vous	employâtes
ils/elles	employèrent

passé antérieur

j'	eus	employé
tu	eus	employé
il/elle	eut	employé
nous	eûmes	employé
vous	eûtes	employé
ils/elles	eurent	employé

Conditionnel

présent

j'	**emploierais**
tu	**emploierais**
il/elle	**emploierait**
nous	**emploierions**
vous	**emploieriez**
ils/elles	**emploieraient**

passé

j'	aurais	employé
tu	aurais	employé
il/elle	aurait	employé
nous	aurions	employé
vous	auriez	employé
ils/elles	auraient	employé

EMPLOYER

Infinitif		Participe		Impératif	
présent	**passé**	**présent**	**passé**	**présent**	**passé**
employer	avoir employé	employant	employé/ée, employés/ées	**emploie**	aie employé
			ayant employé	employons	ayons employé
				employez	ayez employé

Subjonctif

présent			passé			
que	j'	**emploie**	que	j'	aie	employé
que	tu	**emploies**	que	tu	aies	employé
qu'	il/elle	**emploie**	qu'	il/elle	ait	employé
que	nous	**employions**	que	nous	ayons	employé
que	vous	**employiez**	que	vous	ayez	employé
qu'	ils/elles	**emploient**	qu'	ils/elles	aient	employé
imparfait			**plus-que-parfait**			
que	j'	employasse	que	j'	eusse	employé
que	tu	employasses	que	tu	eusses	employé
qu'	il/elle	employât	qu'	il/elle	eût	employé
que	nous	employassions	que	nous	eussions	employé
que	vous	employassiez	que	vous	eussiez	employé
qu'	ils/elles	employassent	qu'	ils/elles	eussent	employé

- Les verbes en *-oyer* changent l'*y* du radical en *i* devant un «*e* muet» *(emplo**y**er, j'emplo**ie**)*.
- *Envoyer* et *renvoyer* sont irréguliers.

Attention !

À l'indicatif imparfait et au subjonctif présent, *employer* prend un *i* après *y* aux 1re et 2e personnes du pluriel *(nous employ**i**ons, que vous employ**i**ez)*.

Voir *envoyer*.

ESSUYER

1er groupe : verbes en -UYER

appuyer, ennuyer, désennuyer, ressuyer

Indicatif

présent		passé composé		
j'	**essuie**	j'	ai	essuyé
tu	**essuies**	tu	as	essuyé
il/elle	**essuie**	il/elle	a	essuyé
nous	essuyons	nous	avons	essuyé
vous	essuyez	vous	avez	essuyé
ils/elles	**essuient**	ils/elles	ont	essuyé

imparfait		plus-que-parfait		
j'	essuyais	j'	avais	essuyé
tu	essuyais	tu	avais	essuyé
il/elle	essuyait	il/elle	avait	essuyé
nous	**essuyions**	nous	avions	essuyé
vous	**essuyiez**	vous	aviez	essuyé
ils/elles	essuyaient	ils/elles	avaient	essuyé

futur simple		futur antérieur		
j'	**essuierai**	j'	aurai	essuyé
tu	**essuieras**	tu	auras	essuyé
il/elle	**essuiera**	il/elle	aura	essuyé
nous	**essuierons**	nous	aurons	essuyé
vous	**essuierez**	vous	aurez	essuyé
ils/elles	**essuieront**	ils/elles	auront	essuyé

passé simple		passé antérieur		
j'	essuyai	j'	eus	essuyé
tu	essuyas	tu	eus	essuyé
il/elle	essuya	il/elle	eut	essuyé
nous	essuyâmes	nous	eûmes	essuyé
vous	essuyâtes	vous	eûtes	essuyé
ils/elles	essuyèrent	ils/elles	eurent	essuyé

Conditionnel

présent		passé		
j'	**essuierais**	j'	aurais	essuyé
tu	**essuierais**	tu	aurais	essuyé
il/elle	**essuierait**	il/elle	aurait	essuyé
nous	**essuierions**	nous	aurions	essuyé
vous	**essuieriez**	vous	auriez	essuyé
ils/elles	**essuieraient**	ils/elles	auraient	essuyé

ESSUYER

Infinitif		Participe		Impératif	
présent	**passé**	**présent**	**passé**	**présent**	**passé**
essuyer	avoir essuyé	essuyant	essuyé/ée, essuyés/ées ayant essuyé	**essuie** essuyons essuyez	aie essuyé ayons essuyé ayez essuyé

Subjonctif

présent			**passé**			
que	j'	**essuie**	que	j'	aie	essuyé
que	tu	**essuies**	que	tu	aies	essuyé
qu'	il/elle	**essuie**	qu'	il/elle	ait	essuyé
que	nous	**essuyions**	que	nous	ayons	essuyé
que	vous	**essuyiez**	que	vous	ayez	essuyé
qu'	ils/elles	**essuient**	qu'	ils/elles	aient	essuyé
imparfait			**plus-que-parfait**			
que	j'	essuyasse	que	j'	eusse	essuyé
que	tu	essuyasses	que	tu	eusses	essuyé
qu'	il/elle	essuyât	qu'	il/elle	eût	essuyé
que	nous	essuyassions	que	nous	eussions	essuyé
que	vous	essuyassiez	que	vous	eussiez	essuyé
qu'	ils/elles	essuyassent	qu'	ils/elles	eussent	essuyé

Les verbes en *-uyer* changent l'*y* du radical en *i* devant un «*e* muet» *(essu**y**er, j'essu**i**e)*.

Attention !

À l'indicatif imparfait et au subjonctif présent, *essuyer* prend un *i* après *y* aux 1re et 2e personnes du pluriel *(nous essuy**i**ons, que vous essuy**i**ez)*.

ENVOYER

1er groupe

renvoyer

Indicatif

présent		**passé composé**		
j'	envoie	j'	ai	envoyé
tu	envoies	tu	as	envoyé
il/elle	envoie	il/elle	a	envoyé
nous	envoyons	nous	avons	envoyé
vous	envoyez	vous	avez	envoyé
ils/elles	envoient	ils/elles	ont	envoyé
imparfait		**plus-que-parfait**		
j'	envoyais	j'	avais	envoyé
tu	envoyais	tu	avais	envoyé
il/elle	envoyait	il/elle	avait	envoyé
nous	**envoyions**	nous	avions	envoyé
vous	**envoyiez**	vous	aviez	envoyé
ils/elles	envoyaient	ils/elles	avaient	envoyé
futur simple		**futur antérieur**		
j'	**enverrai**	j'	aurai	envoyé
tu	**enverras**	tu	auras	envoyé
il/elle	**enverra**	il/elle	aura	envoyé
nous	**enverrons**	nous	aurons	envoyé
vous	**enverrez**	vous	aurez	envoyé
ils/elles	**enverront**	ils/elles	auront	envoyé
passé simple		**passé antérieur**		
j'	envoyai	j'	eus	envoyé
tu	envoyas	tu	eus	envoyé
il/elle	envoya	il/elle	eut	envoyé
nous	envoyâmes	nous	eûmes	envoyé
vous	envoyâtes	vous	eûtes	envoyé
ils/elles	envoyèrent	ils/elles	eurent	envoyé

Conditionnel

présent		**passé**		
j'	**enverrais**	j'	aurais	envoyé
tu	**enverrais**	tu	aurais	envoyé
il/elle	**enverrait**	il/elle	aurait	envoyé
nous	**enverrions**	nous	aurions	envoyé
vous	**enverriez**	vous	auriez	envoyé
ils/elles	**enverraient**	ils/elles	auraient	envoyé

Infinitif		Participe		Impératif	
présent	**passé**	**présent**	**passé**	**présent**	**passé**
envoyer	avoir envoyé	envoyant	envoyé/ée, envoyés/ées ayant envoyé	envoie envoyons envoyez	aie envoyé ayons envoyé ayez envoyé

Subjonctif

présent			**passé**			
que	j'	envoie	que	j'	aie	envoyé
que	tu	envoies	que	tu	aies	envoyé
qu'	il/elle	envoie	qu'	il/elle	ait	envoyé
que	nous	**envoyions**	que	nous	ayons	envoyé
que	vous	**envoyiez**	que	vous	ayez	envoyé
qu'	ils/elles	envoient	qu'	ils/elles	aient	envoyé
imparfait			**plus-que-parfait**			
que	j'	envoyasse	que	j'	eusse	envoyé
que	tu	envoyasses	que	tu	eusses	envoyé
qu'	il/elle	envoyât	qu'	il/elle	eût	envoyé
que	nous	envoyassions	que	nous	eussions	envoyé
que	vous	envoyassiez	que	vous	eussiez	envoyé
qu'	ils/elles	envoyassent	qu'	ils/elles	eussent	envoyé

■ Les verbes en *-oyer* changent l'*y* du radical en *i* devant un «*e* muet» *(envoyer, j'envoie)*.

Attention !

– À l'indicatif imparfait et au subjonctif présent, *envoyer* prend un *i* après *y* aux 1re et 2e personnes du pluriel *(nous envoyions, que vous envoyiez)*.
– *Envoyer* et *renvoyer* sont irréguliers, ils font leur futur et leur conditionnel sur le modèle du verbe *voir (je verrai, j'en**verrai**)*.

C'est là qu'on se trompe

Convoyer et *dévoyer*, bien que dérivés de *envoyer*, sont réguliers et suivent le modèle de *employer*.

Voir *employer*.

ARGUER

1er groupe

Indicatif

présent

j'	argue
tu	argues
il/elle	argue
nous	arguons
vous	arguez
ils/elles	arguent

imparfait

j'	arguais
tu	arguais
il/elle	arguait
nous	arguions
vous	arguiez
ils/elles	arguaient

futur simple

j'	arguerai
tu	argueras
il/elle	arguera
nous	arguerons
vous	arguerez
ils/elles	argueront

passé simple

j'	arguai
tu	arguas
il/elle	argua
nous	arguâmes
vous	arguâtes
ils/elles	arguèrent

passé composé

j'	ai	argué
tu	as	argué
il/elle	a	argué
nous	avons	argué
vous	avez	argué
ils/elles	ont	argué

plus-que-parfait

j'	avais	argué
tu	avais	argué
il/elle	avait	argué
nous	avions	argué
vous	aviez	argué
ils/elles	avaient	argué

futur antérieur

j'	aurai	argué
tu	auras	argué
il/elle	aura	argué
nous	aurons	argué
vous	aurez	argué
ils/elles	auront	argué

passé antérieur

j'	eus	argué
tu	eus	argué
il/elle	eut	argué
nous	eûmes	argué
vous	eûtes	argué
ils/elles	eurent	argué

Conditionnel

présent

j'	arguerais
tu	arguerais
il/elle	arguerait
nous	arguerions
vous	argueriez
ils/elles	argueraient

passé

j'	aurais	argué
tu	aurais	argué
il/elle	aurait	argué
nous	aurions	argué
vous	auriez	argué
ils/elles	auraient	argué

ARGUER

Infinitif		Participe		Impératif	
présent	**passé**	**présent**	**passé**	**présent**	**passé**
arguer	avoir argué	arguant	argué/ée, argués/ées	argue	aie argué
				arguons	ayons argué
			ayant argué	arguez	ayez argué

Subjonctif

présent			passé			
que	j'	argue	que	j'	aie	argué
que	tu	argues	que	tu	aies	argué
qu'	il/elle	argue	qu'	il/elle	ait	argué
que	nous	arguions	que	nous	ayons	argué
que	vous	arguiez	que	vous	ayez	argué
qu'	ils/elles	arguent	qu'	ils/elles	aient	argué
imparfait			**plus-que-parfait**			
que	j'	arguasse	que	j'	eusse	argué
que	tu	arguasses	que	tu	eusses	argué
qu'	il/elle	arguât	qu'	il/elle	eût	argué
que	nous	arguassions	que	nous	eussions	argué
que	vous	arguassiez	que	vous	eussiez	argué
qu'	ils/elles	arguassent	qu'	ils/elles	eussent	argué

C'est permis !

Sur les recommandations de l'Académie, la réforme orthographique de 1990 préconise de placer le tréma sur la voyelle *u*, qui doit être prononcée dans toute la conjugaison. *Arguer* ou *argüer* doivent se dire comme *huer*, en prononçant *-guer* ou *-güer* en deux syllabes [argye].

Vous avez dit bizarre ?

Les formes de la conjugaison peuvent prendre un tréma sur le «*e* muet» ou le *i* qui suivent le *u* (*j'arguë, tu arguës, il/ils arguë[nt]); nous arguïons, vous arguïez)*. Mais tous les dictionnaires ne s'accordent pas sur la place ni sur la présence de ce tréma.

FINIR

2e groupe

vrombir, bannir, garnir, garantir, enrichir, avertir, emplir, aplatir, enfouir, jaunir, fleurir...

Indicatif

présent		**passé composé**		
je	finis	j'	ai	fini
tu	finis	tu	as	fini
il/elle	finit	il/elle	a	fini
nous	**finissons**	nous	avons	fini
vous	**finissez**	vous	avez	fini
ils/elles	**finissent**	ils/elles	ont	fini
imparfait		**plus-que-parfait**		
je	**finissais**	j'	avais	fini
tu	**finissais**	tu	avais	fini
il/elle	**finissait**	il/elle	avait	fini
nous	**finissions**	nous	avions	fini
vous	**finissiez**	vous	aviez	fini
ils/elles	**finissaient**	ils/elles	avaient	fini
futur simple		**futur antérieur**		
je	finirai	j'	aurai	fini
tu	finiras	tu	auras	fini
il/elle	finira	il/elle	aura	fini
nous	finirons	nous	aurons	fini
vous	finirez	vous	aurez	fini
ils/elles	finiront	ils/elles	auront	fini
passé simple		**passé antérieur**		
je	finis	j'	eus	fini
tu	finis	tu	eus	fini
il/elle	finit	il/elle	eut	fini
nous	finîmes	nous	eûmes	fini
vous	finîtes	vous	eûtes	fini
ils/elles	finirent	ils/elles	eurent	fini

Conditionnel

présent		**passé**		
je	finirais	j'	aurais	fini
tu	finirais	tu	aurais	fini
il/elle	finirait	il/elle	aurait	fini
nous	finirions	nous	aurions	fini
vous	finiriez	vous	auriez	fini
ils/elles	finiraient	ils/elles	auraient	fini

Infinitif		Participe		Impératif	
présent	**passé**	**présent**	**passé**	**présent**	**passé**
finir	avoir fini	finissant	fini/ie, finis/ies	finis	aie fini
			ayant fini	finissons	ayons fini
				finissez	ayez fini

Subjonctif

présent			passé			
que	je	finisse	que	j'	aie	fini
que	tu	finisses	que	tu	aies	fini
qu'	il/elle	finisse	qu'	il/elle	ait	fini
que	nous	finissions	que	nous	ayons	fini
que	vous	finissiez	que	vous	ayez	fini
qu'	ils/elles	finissent	qu'	ils/elles	aient	fini
imparfait			**plus-que-parfait**			
que	je	finisse	que	j'	eusse	fini
que	tu	finisses	que	tu	eusses	fini
qu'	il/elle	finît	qu'	il/elle	eût	fini
que	nous	finissions	que	nous	eussions	fini
que	vous	finissiez	que	vous	eussiez	fini
qu'	ils/elles	finissent	qu'	ils/elles	eussent	fini

- Tous les verbes du deuxième groupe suivent le modèle de *finir*, sauf *haïr* et *s'entre-haïr*, seuls verbes irréguliers du deuxième groupe.
- Les verbes du deuxième groupe ont un infinitif en *-ir* et présentent une base élargie par deux *s* aux personnes du pluriel du présent *(ils fini**ss**ent)*, à l'imparfait *(je fini**ss**ais)*, et au participe présent *(fini**ss**ant)*.

Vous avez dit bizarre ?

– Le verbe *fleurir* a deux formes de participe présent : *fl**eu**rissant* et *fl**o**rissant*.
– Le participe passé de *bénir* est *béni, béni**e***. Une ancienne forme *(béni**t**, béni**te**)* est utilisée dans des expressions religieuses figées : *Eau bénite.*

HAÏR

2e groupe

s'entre-haïr

Indicatif

présent

je	**hais**
tu	**hais**
il/elle	**hait**
nous	haïssons
vous	haïssez
ils/elles	haïssent

imparfait

je	haïssais
tu	haïssais
il/elle	haïssait
nous	haïssions
vous	haïssiez
ils/elles	haïssaient

futur simple

je	haïrai
tu	haïras
il/elle	haïra
nous	haïrons
vous	haïrez
ils/elles	haïront

passé simple

je	haïs
tu	haïs
il/elle	haït
nous	**haïmes**
vous	**haïtes**
ils/elles	haïrent

passé composé

j'	ai	haï
tu	as	haï
il/elle	a	haï
nous	avons	haï
vous	avez	haï
ils/elles	ont	haï

plus-que-parfait

j'	avais	haï
tu	avais	haï
il/elle	avait	haï
nous	avions	haï
vous	aviez	haï
ils/elles	avaient	haï

futur antérieur

j'	aurai	haï
tu	auras	haï
il/elle	aura	haï
nous	aurons	haï
vous	aurez	haï
ils/elles	auront	haï

passé antérieur

j'	eus	haï
tu	eus	haï
il/elle	eut	haï
nous	eûmes	haï
vous	eûtes	haï
ils/elles	eurent	haï

Conditionnel

présent

je	haïrais
tu	haïrais
il/elle	haïrait
nous	haïrions
vous	haïriez
ils/elles	haïraient

passé

j'	aurais	haï
tu	aurais	haï
il/elle	aurait	haï
nous	aurions	haï
vous	auriez	haï
ils/elles	auraient	haï

HAÏR

Infinitif		Participe		Impératif	
présent	**passé**	**présent**	**passé**	**présent**	**passé**
haïr	avoir haï	haïssant	haï/ïe, haïs/ïes	**hais**	aie haï
			ayant haï	haïssons	ayons haï
				haïssez	ayez haï

Subjonctif

présent			**passé**			
que	je	haïsse	que	j'	aie	haï
que	tu	haïsses	que	tu	aies	haï
qu'	il/elle	haïsse	qu'	il/elle	ait	haï
que	nous	haïssions	que	nous	ayons	haï
que	vous	haïssiez	que	vous	ayez	haï
qu'	ils/elles	haïssent	qu'	ils/elles	aient	haï
imparfait			**plus-que-parfait**			
que	je	haïsse	que	j'	eusse	haï
que	tu	haïsses	que	tu	eusses	haï
qu'	il/elle	**haït**	qu'	il/elle	eût	haï
que	nous	haïssions	que	nous	eussions	haï
que	vous	haïssiez	que	vous	eussiez	haï
qu'	ils/elles	haïssent	qu'	ils/elles	eussent	haï

Tous les verbes du deuxième groupe suivent le modèle de *finir*, sauf *haïr* et *s'entre-haïr*, seuls verbes irréguliers du deuxième groupe.

Attention !

Haïr garde son tréma sur le *i* partout, sauf aux trois personnes du singulier de l'indicatif présent et à la 2e personne du singulier de l'impératif présent.

DORMIR

3e groupe : verbes en - IR

endormir, rendormir, servir, desservir, resservir...

Indicatif

présent

je	dors
tu	dors
il/elle	dort
nous	dormons
vous	dormez
ils/elles	dorment

passé composé

j'	ai	dormi
tu	as	dormi
il/elle	a	dormi
nous	avons	dormi
vous	avez	dormi
ils/elles	ont	dormi

imparfait

je	dormais
tu	dormais
il/elle	dormait
nous	dormions
vous	dormiez
ils/elles	dormaient

plus-que-parfait

j'	avais	dormi
tu	avais	dormi
il/elle	avait	dormi
nous	avions	dormi
vous	aviez	dormi
ils/elles	avaient	dormi

futur simple

je	dormirai
tu	dormiras
il/elle	dormira
nous	dormirons
vous	dormirez
ils/elles	dormiront

futur antérieur

j'	aurai	dormi
tu	auras	dormi
il/elle	aura	dormi
nous	aurons	dormi
vous	aurez	dormi
ils/elles	auront	dormi

passé simple

je	dormis
tu	dormis
il/elle	dormit
nous	dormîmes
vous	dormîtes
ils/elles	dormirent

passé antérieur

j'	eus	dormi
tu	eus	dormi
il/elle	eut	dormi
nous	eûmes	dormi
vous	eûtes	dormi
ils/elles	eurent	dormi

Conditionnel

présent

je	dormirais
tu	dormirais
il/elle	dormirait
nous	dormirions
vous	dormiriez
ils/elles	dormiraient

passé

j'	aurais	dormi
tu	aurais	dormi
il/elle	aurait	dormi
nous	aurions	dormi
vous	auriez	dormi
ils/elles	auraient	dormi

DORMIR

Infinitif		Participe		Impératif	
présent	**passé**	**présent**	**passé**	**présent**	**passé**
dormir	avoir dormi	dormant	**dormi**	**dors**	aie dormi
			ayant dormi	dormons	ayons dormi
				dormez	ayez dormi

Subjonctif						
présent			**passé**			
que	je	dorme	que	j'	aie	dormi
que	tu	dormes	que	tu	aies	dormi
qu'	il/elle	dorme	qu'	il/elle	ait	dormi
que	nous	dormions	que	nous	ayons	dormi
que	vous	dormiez	que	vous	ayez	dormi
qu'	ils/elles	dorment	qu'	ils/elles	aient	dormi
imparfait			**plus-que-parfait**			
que	je	dormisse	que	j'	eusse	dormi
que	tu	dormisses	que	tu	eusses	dormi
qu'	il/elle	dormît	qu'	il/elle	eût	dormi
que	nous	dormissions	que	nous	eussions	dormi
que	vous	dormissiez	que	vous	eussiez	dormi
qu'	ils/elles	dormissent	qu'	ils/elles	eussent	dormi

Certains verbes du 3e groupe en *-ir* perdent au singulier du présent de l'indicatif et de l'impératif la consonne finale du radical. Ils se conjuguent sur le modèle de *dormir* : *servir, resservir, desservir...*

Attention !

Le participe passé de *dormir* est invariable mais celui de ses composés *(endormir, rendormir)* est variable.

C'est là qu'on se trompe

Asservir est un verbe du deuxième groupe, il se conjugue donc sur le modèle de *finir* *(j'asservi**ssais**, asservi**ssant**)*.

Voir *partir.*

PARTIR

3e groupe : verbes en -(T)IR

mentir, sortir, ressortir, sentir, ressentir, pressentir, repentir...

Indicatif

présent

je	**pars**
tu	**pars**
il/elle	**part**
nous	partons
vous	partez
ils/elles	partent

imparfait

je	partais
tu	partais
il/elle	partait
nous	partions
vous	partiez
ils/elles	partaient

futur simple

je	partirai
tu	partiras
il/elle	partira
nous	partirons
vous	partirez
ils/elles	partiront

passé simple

je	partis
tu	partis
il/elle	partit
nous	partîmes
vous	partîtes
ils/elles	partirent

passé composé

je	suis	parti/ie
tu	es	parti/ie
il/elle	est	parti/ie
nous	sommes	partis/ies
vous	êtes	partis/ies
ils/elles	sont	partis/ies

plus-que-parfait

j'	étais	parti/ie
tu	étais	parti/ie
il/elle	était	parti/ie
nous	étions	partis/ies
vous	étiez	partis/ies
ils/elles	étaient	partis/ies

futur antérieur

je	serai	parti/ie
tu	seras	parti/ie
il/elle	sera	parti/ie
nous	serons	partis/ies
vous	serez	partis/ies
ils/elles	seront	partis/ies

passé antérieur

je	fus	parti/ie
tu	fus	parti/ie
il/elle	fut	parti/ie
nous	fûmes	partis/ies
vous	fûtes	partis/ies
ils/elles	furent	partis/ies

Conditionnel

présent

je	partirais
tu	partirais
il/elle	partirait
nous	partirions
vous	partiriez
ils/elles	partiraient

passé

je	serais	parti/ie
tu	serais	parti/ie
il/elle	serait	parti/ie
nous	serions	partis/ies
vous	seriez	partis/ies
ils/elles	seraient	partis/ies

Infinitif		Participe		Impératif	
présent	**passé**	**présent**	**passé**	**présent**	**passé**
partir	être parti/ie, partis/ies	partant	parti/ie, partis/ies étant parti/ie/is/ies	**pars** partons partez	sois parti/ie soyons partis/ies soyez partis/ies

Subjonctif

présent			passé			
que	je	parte	que	je	sois	parti/ie
que	tu	partes	que	tu	sois	parti/ie
qu'	il/elle	parte	qu'	il/elle	soit	parti/ie
que	nous	partions	que	nous	soyons	partis/ies
que	vous	partiez	que	vous	soyez	partis/ies
qu'	ils/elles	partent	qu'	ils/elles	soient	partis/ies
imparfait			**plus-que-parfait**			
que	je	partisse	que	je	fusse	parti/ie
que	tu	partisses	que	tu	fusses	parti/ie
qu'	il/elle	partît	qu'	il/elle	fût	parti/ie
que	nous	partissions	que	nous	fussions	partis/ies
que	vous	partissiez	que	vous	fussiez	partis/ies
qu'	ils/elles	partissent	qu'	ils/elles	fussent	partis/ies

- Le verbe *partir* forme ses temps composés avec l'auxiliaire *être*.
- Les verbes en *-tir* qui se conjuguent sur le modèle de *partir* perdent le *t* du radical au singulier du présent de l'indicatif et de l'impératif, sauf *vêtir* et ses dérivés, qui gardent le *t* aux trois premières personnes du présent (dans *il par**t***, le *t* est celui de la désinence, non celui du radical).

C'est là qu'on se trompe

Répartir, impartir, assortir, ressortir (à) [= être du ressort de] sont des verbes du deuxième groupe. Ils se conjuguent donc sur le modèle de *finir*:
- *je répar**tissais**, répar**tissant***
- *j'impar**tissais**, impar**tissant***
- *j'assor**tissais**, assor**tissant***
- *il ressor**tissait** (à), ressor**tissant** (à).*

BOUILLIR

3e groupe : verbes en - IR

débouillir

Indicatif

présent

je	**bous**
tu	**bous**
il/elle	**bout**
nous	bouillons
vous	bouillez
ils/elles	**bouillent**

imparfait

je	bouillais
tu	bouillais
il/elle	bouillait
nous	bouillions
vous	bouilliez
ils/elles	bouillaient

futur simple

je	**bouillirai**
tu	**bouilliras**
il/elle	**bouillira**
nous	**bouillirons**
vous	**bouillirez**
ils/elles	**bouilliront**

passé simple

je	bouillis
tu	bouillis
il/elle	bouillit
nous	bouillîmes
vous	bouillîtes
ils/elles	bouillirent

passé composé

j'	ai	bouilli
tu	as	bouilli
il/elle	a	bouilli
nous	avons	bouilli
vous	avez	bouilli
ils/elles	ont	bouilli

plus-que-parfait

j'	avais	bouilli
tu	avais	bouilli
il/elle	avait	bouilli
nous	avions	bouilli
vous	aviez	bouilli
ils/elles	avaient	bouilli

passé antérieur

j'	eus	bouilli
tu	eus	bouilli
il/elle	eut	bouilli
nous	eûmes	bouilli
vous	eûtes	bouilli
ils/elles	eurent	bouilli

futur antérieur

j'	aurai	bouilli
tu	auras	bouilli
il/elle	aura	bouilli
nous	aurons	bouilli
vous	aurez	bouilli
ils/elles	auront	bouilli

Conditionnel

présent

je	**bouillirais**
tu	**bouillirais**
il/elle	**bouillirait**
nous	**bouillirions**
vous	**bouilliriez**
ils/elles	**bouilliraient**

passé

j'	aurais	bouilli
tu	aurais	bouilli
il/elle	aurait	bouilli
nous	aurions	bouilli
vous	auriez	bouilli
ils/elles	auraient	bouilli

BOUILLIR

Infinitif		Participe		Impératif	
présent	**passé**	**présent**	**passé**	**présent**	**passé**
bouillir	avoir bouilli	bouillant	bouilli/ie, bouillis/ies	bous	aie bouilli
			ayant bouilli	bouillons	ayons bouilli
				bouillez	ayez bouilli

Subjonctif

présent			**passé**			
que	je	bouille	que	j'	aie	bouilli
que	tu	bouilles	que	tu	aies	bouilli
qu'	il/elle	bouille	qu'	il/elle	ait	bouilli
que	nous	bouillions	que	nous	ayons	bouilli
que	vous	bouilliez	que	vous	ayez	bouilli
qu'	ils/elles	bouillent	qu'	ils/elles	aient	bouilli
imparfait			**plus-que-parfait**			
que	je	bouillisse	que	j'	eusse	bouilli
que	tu	bouillisses	que	tu	eusses	bouilli
qu'	il/elle	bouillît	qu'	il/elle	eût	bouilli
que	nous	bouillissions	que	nous	eussions	bouilli
que	vous	bouillissiez	que	vous	eussiez	bouilli
qu'	ils/elles	bouillissent	qu'	ils/elles	eussent	bouilli

C'est là qu'on se trompe

À cause des formes courtes du singulier du présent de l'indicatif *(je bous, tu bous, il bout)* et de l'impératif *(bous)*, on se trompe souvent sur les formes du futur et du conditionnel, que l'on conjugue comme si l'on partait d'un infinitif **bouer*. Il faut écrire : *Ils **bouillent*** (présent), *je **bouillirai*** (futur), *je **bouillirais*** (conditionnel).

FUIR

3e groupe : verbes en - IR

s'enfuir

Indicatif

présent

je	fuis
tu	fuis
il/elle	fuit
nous	**fuyons**
vous	**fuyez**
ils/elles	fuient

imparfait

je	**fuyais**
tu	**fuyais**
il/elle	**fuyait**
nous	**fuyions**
vous	**fuyiez**
ils/elles	**fuyaient**

futur simple

je	fuirai
tu	fuiras
il/elle	fuira
nous	fuirons
vous	fuirez
ils/elles	fuiront

passé simple

je	fuis
tu	fuis
il/elle	fuit
nous	fuîmes
vous	fuîtes
ils/elles	fuirent

passé composé

j'	ai	fui
tu	as	fui
il/elle	a	fui
nous	avons	fui
vous	avez	fui
ils/elles	ont	fui

plus-que-parfait

j'	avais	fui
tu	avais	fui
il/elle	avait	fui
nous	avions	fui
vous	aviez	fui
ils/elles	avaient	fui

passé antérieur

j'	eus	fui
tu	eus	fui
il/elle	eut	fui
nous	eûmes	fui
vous	eûtes	fui
ils/elles	eurent	fui

futur antérieur

j'	aurai	fui
tu	auras	fui
il/elle	aura	fui
nous	aurons	fui
vous	aurez	fui
ils/elles	auront	fui

Conditionnel

présent

je	fuirais
tu	fuirais
il/elle	fuirait
nous	fuirions
vous	fuiriez
ils/elles	fuiraient

passé

j'	aurais	fui
tu	aurais	fui
il/elle	aurait	fui
nous	aurions	fui
vous	auriez	fui
ils/elles	auraient	fui

FUIR

Infinitif		Participe		Impératif	
présent	**passé**	**présent**	**passé**	**présent**	**passé**
fuir	avoir fui	fuyant	fui/ie, fuis/ies	fuis	aie fui
			ayant fui	**fuyons**	ayons fui
				fuyez	ayez fui

Subjonctif							
présent				**passé**			
que	je	fuie		que	j'	aie	fui
que	tu	fuies		que	tu	aies	fui
qu'	il/elle	fuie		qu'	il/elle	ait	fui
que	nous	**fuyions**		que	nous	ayons	fui
que	vous	**fuyiez**		que	vous	ayez	fui
qu'	ils/elles	fuient		qu'	ils/elles	aient	fui
imparfait				**plus-que-parfait**			
que	je	fuisse		que	j'	eusse	fui
que	tu	fuisses		que	tu	eusses	fui
qu'	il/elle	fuît		qu'	il/elle	eût	fui
que	nous	fuissions		que	nous	eussions	fui
que	vous	fuissiez		que	vous	eussiez	fui
qu'	ils/elles	fuissent		qu'	ils/elles	eussent	fui

Fuir change le *i* en *y* pour construire les formes dont la terminaison comporte une voyelle autre qu'un «*e* muet» *(fuyons)*.

Attention !

À l'indicatif imparfait et au subjonctif présent, *fuir* prend un *i* après *y* aux 1re et 2e personnes du pluriel *(nous fuyions, que vous fuyiez)*.

C'est là qu'on se trompe

Il ne faut pas rajouter de *e* dans la désinence du futur, sous l'influence des verbes du premier groupe *(je fuirai)*

VÊTIR

3e groupe : verbes en - IR

revêtir, dévêtir

Indicatif

présent		passé composé		
je	**vêts**	j'	ai	vêtu
tu	**vêts**	tu	as	vêtu
il/elle	**vêt**	il/elle	a	vêtu
nous	vêtons	nous	avons	vêtu
vous	vêtez	vous	avez	vêtu
ils/elles	vêtent	ils/elles	ont	vêtu
imparfait		**plus-que-parfait**		
je	vêtais	j'	avais	vêtu
tu	vêtais	tu	avais	vêtu
il/elle	vêtait	il/elle	avait	vêtu
nous	vêtions	nous	avions	vêtu
vous	vêtiez	vous	aviez	vêtu
ils/elles	vêtaient	ils/elles	avaient	vêtu
futur simple		**passé antérieur**		
je	vêtirai	j'	eus	vêtu
tu	vêtiras	tu	eus	vêtu
il/elle	vêtira	il/elle	eut	vêtu
nous	vêtirons	nous	eûmes	vêtu
vous	vêtirez	vous	eûtes	vêtu
ils/elles	vêtiront	ils/elles	eurent	vêtu
passé simple		**futur antérieur**		
je	vêtis	j'	aurai	vêtu
tu	vêtis	tu	auras	vêtu
il/elle	vêtit	il/elle	aura	vêtu
nous	**vêtîmes**	nous	aurons	vêtu
vous	**vêtîtes**	vous	aurez	vêtu
ils/elles	vêtirent	ils/elles	auront	vêtu

Conditionnel

présent		passé		
je	vêtirais	j'	aurais	vêtu
tu	vêtirais	tu	aurais	vêtu
il/elle	vêtirait	il/elle	aurait	vêtu
nous	vêtirions	nous	aurions	vêtu
vous	vêtiriez	vous	auriez	vêtu
ils/elles	vêtiraient	ils/elles	auraient	vêtu

VÊTIR

Infinitif		Participe		Impératif	
présent	**passé**	**présent**	**passé**	**présent**	**passé**
vêtir	avoir vêtu	vêtant	vêtu/ue, vêtus/ues ayant vêtu	**vêts** vêtons vêtez	aie vêtu ayons vêtu ayez vêtu

Subjonctif

présent			**passé**			
que	je	vête	que	j'	aie	vêtu
que	tu	vêtes	que	tu	aies	vêtu
qu'	il/elle	vête	qu'	il/elle	ait	vêtu
que	nous	vêtions	que	nous	ayons	vêtu
que	vous	vêtiez	que	vous	ayez	vêtu
qu'	ils/elles	vêtent	qu'	ils/elles	aient	vêtu
imparfait			**plus-que-parfait**			
que	je	vêtisse	que	j'	eusse	vêtu
que	tu	vêtisses	que	tu	eusses	vêtu
qu'	il/elle	**vêtît**	qu'	il/elle	eût	vêtu
que	nous	vêtissions	que	nous	eussions	vêtu
que	vous	vêtissiez	que	vous	eussiez	vêtu
qu'	ils/elles	vêtissent	qu'	ils/elles	eussent	vêtu

Contrairement aux autres verbes du 3e groupe en *-tir* qui perdent au singulier du présent de l'indicatif et de l'impératif la consonne finale du radical (voir *partir*), *vêtir, revêtir* et *dévêtir* maintiennent le *t* aux trois premières personnes du présent de l'indicatif et à la 2e personne du singulier de l'impératif.

Vous avez dit bizarre ?

Il y a des hésitations dans la conjugaison de *vêtir* et de ses dérivés, quelquefois conjugués fautivement sur le modèle de *finir*: *Ils se *vêtissent* pour *ils se vêtent*, par exemple.

COURIR

3e groupe : verbes en - IR

accourir, concourir, discourir, encourir, parcourir, recourir, secourir

Indicatif

présent

je	cours
tu	cours
il/elle	court
nous	courons
vous	courez
ils/elles	courent

imparfait

je	courais
tu	courais
il/elle	courait
nous	courions
vous	couriez
ils/elles	couraient

futur simple

je	**courrai**
tu	**courras**
il/elle	**courra**
nous	**courrons**
vous	**courrez**
ils/elles	**courront**

passé simple

je	courus
tu	courus
il/elle	courut
nous	courûmes
vous	courûtes
ils/elles	coururent

passé composé

j'	ai	couru
tu	as	couru
il/elle	a	couru
nous	avons	couru
vous	avez	couru
ils/elles	ont	couru

plus-que-parfait

j'	avais	couru
tu	avais	couru
il/elle	avait	couru
nous	avions	couru
vous	aviez	couru
ils/elles	avaient	couru

passé antérieur

j'	eus	couru
tu	eus	couru
il/elle	eut	couru
nous	eûmes	couru
vous	eûtes	couru
ils/elles	eurent	couru

futur antérieur

j'	aurai	couru
tu	auras	couru
il/elle	aura	couru
nous	aurons	couru
vous	aurez	couru
ils/elles	auront	couru

Conditionnel

présent

je	**courrais**
tu	**courrais**
il/elle	**courrait**
nous	**courrions**
vous	**courriez**
ils/elles	**courraient**

passé

j'	aurais	couru
tu	aurais	couru
il/elle	aurait	couru
nous	aurions	couru
vous	auriez	couru
ils/elles	auraient	couru

Infinitif		Participe		Impératif	
présent	**passé**	**présent**	**passé**	**présent**	**passé**
courir	avoir couru	courant	couru/ue, courus/ues ayant couru	cours courons courez	aie couru ayons couru ayez couru

Subjonctif

présent			**passé**			
que	je	coure	que	j'	aie	couru
que	tu	coures	que	tu	aies	couru
qu'	il/elle	coure	qu'	il/elle	ait	couru
que	nous	courions	que	nous	ayons	couru
que	vous	couriez	que	vous	ayez	couru
qu'	ils/elles	courent	qu'	ils/elles	aient	couru
imparfait			**plus-que-parfait**			
que	je	courusse	que	j'	eusse	couru
que	tu	courusses	que	tu	eusses	couru
qu'	il/elle	courût	qu'	il/elle	eût	couru
que	nous	courussions	que	nous	eussions	couru
que	vous	courussiez	que	vous	eussiez	couru
qu'	ils/elles	courussent	qu'	ils/elles	eussent	couru

C'est là qu'on se trompe

Le futur simple et le conditionnel présent comportent deux *r* successifs, celui du radical et celui de la désinence, généralement prononcés : *Je cour-rai.*

Vous avez dit bizarre ?

L'ancien infinitif *courre* subsiste dans la locution *chasse à courre.*

43 MOURIR

3e groupe : verbes en - IR

Indicatif

présent		passé composé		
je	**meurs**	je	suis	mort/te
tu	**meurs**	tu	es	mort/te
il/elle	**meurt**	il/elle	est	mort/te
nous	mourons	nous	sommes	morts/tes
vous	mourez	vous	êtes	morts/tes
ils/elles	**meurent**	ils/elles	sont	morts/tes
imparfait		**plus-que-parfait**		
je	mourais	j'	étais	mort/te
tu	mourais	tu	étais	mort/te
il/elle	mourait	il/elle	était	mort/te
nous	mourions	nous	étions	morts/tes
vous	mouriez	vous	étiez	morts/tes
ils/elles	mouraient	ils/elles	étaient	morts/tes
futur simple		**futur antérieur**		
je	**mourrai**	je	serai	mort/te
tu	**mourras**	tu	seras	mort/te
il/elle	**mourra**	il/elle	sera	mort/te
nous	**mourrons**	nous	serons	morts/tes
vous	**mourrez**	vous	serez	morts/tes
ils/elles	**mourront**	ils/elles	seront	morts/tes
passé simple		**passé antérieur**		
je	mourus	je	fus	mort/te
tu	mourus	tu	fus	mort/te
il/elle	mourut	il/elle	fut	mort/te
nous	mourûmes	nous	fûmes	morts/tes
vous	mourûtes	vous	fûtes	morts/tes
ils/elles	moururent	ils/elles	furent	morts/tes

Conditionnel

présent		passé		
je	**mourrais**	je	serais	mort/te
tu	**mourrais**	tu	serais	mort/te
il/elle	**mourrait**	il/elle	serait	mort/te
nous	**mourrions**	nous	serions	morts/tes
vous	**mourriez**	vous	seriez	morts/tes
ils/elles	**mourraient**	ils/elles	seraient	morts/tes

Infinitif		Participe		Impératif	
présent	**passé**	**présent**	**passé**	**présent**	**passé**
mourir	être mort/te, morts/tes	mourant	**mort**/te, morts/tes étant mort/te /ts/tes	meurs mourons mourez	sois mort/te soyons morts/tes soyez morts/tes

Subjonctif						
présent			**passé**			
que	je	**meure**	que	je	sois	mort/te
que	tu	**meures**	que	tu	sois	mort/te
qu'	il/elle	**meure**	qu'	il/elle	soit	mort/te
que	nous	mourions	que	nous	soyons	morts/tes
que	vous	mouriez	que	vous	soyez	morts/tes
qu'	ils/elles	**meurent**	qu'	ils/elles	soient	morts/tes
imparfait			**plus-que-parfait**			
que	je	mourusse	que	je	fusse	mort/te
que	tu	mourusses	que	tu	fusses	mort/te
qu'	il/elle	mourût	qu'	il/elle	fût	mort/te
que	nous	mourussions	que	nous	fussions	morts/tes
que	vous	mourussiez	que	vous	fussiez	morts/tes
qu'	ils/elles	mourussent	qu'	ils/elles	fussent	morts/tes

- Le verbe *mourir* forme ses temps composés avec l'auxiliaire *être*.
- *Mourir* suit le modèle de *courir*, sauf au présent de l'indicatif et du subjonctif (où il est formé sur la base *meur-*) et au participe passé (où il est formé sur la base *mor-*)

C'est là qu'on se trompe

Le futur simple et le conditionnel présent comportent deux *r* successifs, celui du radical et celui de la désinence, généralement prononcés : *Je mour-rai.*

ACQUÉRIR

3e groupe : verbes en -IR

conquérir, reconquérir, s'enquérir, requérir

Indicatif

présent

j'	**acquiers**
tu	**acquiers**
il/elle	**acquiert**
nous	acquérons
vous	acquérez
ils/elles	**acquièrent**

passé composé

j'	ai	acquis
tu	as	acquis
il/elle	a	acquis
nous	avons	acquis
vous	avez	acquis
ils/elles	ont	acquis

imparfait

j'	acquérais
tu	acquérais
il/elle	acquérait
nous	acquérions
vous	acquériez
ils/elles	acquéraient

plus-que-parfait

j'	avais	acquis
tu	avais	acquis
il/elle	avait	acquis
nous	avions	acquis
vous	aviez	acquis
ils/elles	avaient	acquis

futur simple

j'	**acquerrai**
tu	**acquerras**
il/elle	**acquerra**
nous	**acquerrons**
vous	**acquerrez**
ils/elles	**acquerront**

futur antérieur

j'	aurai	acquis
tu	auras	acquis
il/elle	aura	acquis
nous	aurons	acquis
vous	aurez	acquis
ils/elles	auront	acquis

passé simple

j'	acquis
tu	acquis
il/elle	acquit
nous	acquîmes
vous	acquîtes
ils/elles	acquirent

passé antérieur

j'	eus	acquis
tu	eus	acquis
il/elle	eut	acquis
nous	eûmes	acquis
vous	eûtes	acquis
ils/elles	eurent	acquis

Conditionnel

présent

j'	**acquerrais**
tu	**acquerrais**
il/elle	**acquerrait**
nous	**acquerrions**
vous	**acquerriez**
ils/elles	**acquerraient**

passé

j'	aurais	acquis
tu	aurais	acquis
il/elle	aurait	acquis
nous	aurions	acquis
vous	auriez	acquis
ils/elles	auraient	acquis

ACQUÉRIR

Infinitif		Participe		Impératif	
présent	**passé**	**présent**	**passé**	**présent**	**passé**
acquérir	avoir acquis	acquérant	acquis/ise,	**acquiers**	aie acquis
			acquis/ises	acquérons	ayons acquis
			ayant acquis	acquérez	ayez acquis

Subjonctif

présent			**passé**			
que	j'	**acquière**	que	j'	aie	acquis
que	tu	**acquières**	que	tu	aies	acquis
qu'	il/elle	**acquière**	qu'	il/elle	ait	acquis
que	nous	acquérions	que	nous	ayons	acquis
que	vous	acquériez	que	vous	ayez	acquis
qu'	ils/elles	**acquièrent**	qu'	ils/elles	aient	acquis
imparfait			**plus-que-parfait**			
que	j'	acquisse	que	j'	eusse	acquis
que	tu	acquisses	que	tu	eusses	acquis
qu'	il/elle	acquît	qu'	il/elle	eût	acquis
que	nous	acquissions	que	nous	eussions	acquis
que	vous	acquissiez	que	vous	eussiez	acquis
qu'	ils/elles	acquissent	qu'	ils/elles	eussent	acquis

Le *é* du radical prend un accent grave devant une syllabe muette *(que j'acqui**è**re)* et perd son accent quand il est suivi d'une consonne dans la même syllabe *(j'acqui**e**rs)*.

Attention !

Il ne faut pas confondre *un acquis*, participe passé substantivé de *acquérir (acquis, acquise)*, et *un acquit, par acquit, pour acquit*, formés sur *acquitter*.

C'est là qu'on se trompe

Le futur simple et le conditionnel présent comportent deux *r* successifs, celui du radical et celui de la désinence, généralement prononcés : *J'acquer-rai.*

OUVRIR

3e groupe : verbes en - IR

couvrir, offrir, souffrir, entrouvrir, découvrir, recouvrir, rouvrir

Indicatif

présent

j'	ouvre
tu	ouvres
il/elle	ouvre
nous	ouvrons
vous	ouvrez
ils/elles	ouvrent

imparfait

j'	ouvrais
tu	ouvrais
il/elle	ouvrait
nous	ouvrions
vous	ouvriez
ils/elles	ouvraient

futur simple

j'	ouvrirai
tu	ouvriras
il/elle	ouvrira
nous	ouvrirons
vous	ouvrirez
ils/elles	ouvriront

passé simple

j'	ouvris
tu	ouvris
il/elle	ouvrit
nous	ouvrîmes
vous	ouvrîtes
ils/elles	ouvrirent

passé composé

j'	ai	ouvert
tu	as	ouvert
il/elle	a	ouvert
nous	avons	ouvert
vous	avez	ouvert
ils/elles	ont	ouvert

plus-que-parfait

j'	avais	ouvert
tu	avais	ouvert
il/elle	avait	ouvert
nous	avions	ouvert
vous	aviez	ouvert
ils/elles	avaient	ouvert

futur antérieur

j'	aurai	ouvert
tu	auras	ouvert
il/elle	aura	ouvert
nous	aurons	ouvert
vous	aurez	ouvert
ils/elles	auront	ouvert

passé antérieur

j'	eus	ouvert
tu	eus	ouvert
il/elle	eut	ouvert
nous	eûmes	ouvert
vous	eûtes	ouvert
ils/elles	eurent	ouvert

Conditionnel

présent

j'	ouvrirais
tu	ouvrirais
il/elle	ouvrirait
nous	ouvririons
vous	ouvririez
ils/elles	ouvriraient

passé

j'	aurais	ouvert
tu	aurais	ouvert
il/elle	aurait	ouvert
nous	aurions	ouvert
vous	auriez	ouvert
ils/elles	auraient	ouvert

OUVRIR

Infinitif		Participe		Impératif	
présent	**passé**	**présent**	**passé**	**présent**	**passé**
ouvrir	avoir ouvert	ouvrant	ouvert/te, ouverts/tes	**ouvre**	aie ouvert
				ouvrons	ayons ouvert
			ayant ouvert	**ouvrez**	ayez ouvert

Subjonctif						
présent			**passé**			
que	j'	**ouvre**	que	j'	aie	ouvert
que	tu	**ouvres**	que	tu	aies	ouvert
qu'	il/elle	**ouvre**	qu'	il/elle	ait	ouvert
que	nous	**ouvrions**	que	nous	ayons	ouvert
que	vous	**ouvriez**	que	vous	ayez	ouvert
qu'	ils/elles	**ouvrent**	qu'	ils/elles	aient	ouvert
imparfait			**plus-que-parfait**			
que	j'	ouvrisse	que	j'	eusse	ouvert
que	tu	ouvrisses	que	tu	eusses	ouvert
qu'	il/elle	ouvrît	qu'	il/elle	eût	ouvert
que	nous	ouvrissions	que	nous	eussions	ouvert
que	vous	ouvrissiez	que	vous	eussiez	ouvert
qu'	ils/elles	ouvrissent	qu'	ils/elles	eussent	ouvert

Les terminaisons des présents de l'indicatif, du subjonctif et de l'impératif s'éloignent de celles des verbes du 3e groupe et sont identiques à celles des verbes réguliers du 1er groupe (verbes en *-er*).

Attention !

Le participe passé en *-ert* distingue *ouvrir (ouv**ert**)* de *cueillir (cueill**i**)*.

CUEILLIR

3e groupe : verbes en - IR

accueillir, recueillir

Indicatif

présent

je	**cueille**
tu	**cueilles**
il/elle	**cueille**
nous	**cueillons**
vous	**cueillez**
ils/elles	**cueillent**

passé composé

j'	ai	cueilli
tu	as	cueilli
il/elle	a	cueilli
nous	avons	cueilli
vous	avez	cueilli
ils/elles	ont	cueilli

imparfait

je	cueillais
tu	cueillais
il/elle	cueillait
nous	cueillions
vous	cueilliez
ils/elles	cueillaient

plus-que-parfait

j'	avais	cueilli
tu	avais	cueilli
il/elle	avait	cueilli
nous	avions	cueilli
vous	aviez	cueilli
ils/elles	avaient	cueilli

futur simple

je	**cueillerai**
tu	**cueilleras**
il/elle	**cueillera**
nous	**cueillerons**
vous	**cueillerez**
ils/elles	**cueilleront**

futur antérieur

j'	aurai	cueilli
tu	auras	cueilli
il/elle	aura	cueilli
nous	aurons	cueilli
vous	aurez	cueilli
ils/elles	auront	cueilli

passé simple

je	cueillis
tu	cueillis
il/elle	cueillit
nous	cueillîmes
vous	cueillîtes
ils/elles	cueillirent

passé antérieur

j'	eus	cueilli
tu	eus	cueilli
il/elle	eut	cueilli
nous	eûmes	cueilli
vous	eûtes	cueilli
ils/elles	eurent	cueilli

Conditionnel

présent

je	**cueillerais**
tu	**cueillerais**
il/elle	**cueillerait**
nous	**cueillerions**
vous	**cueilleriez**
ils/elles	**cueilleraient**

passé

j'	aurais	cueilli
tu	aurais	cueilli
il/elle	aurait	cueilli
nous	aurions	cueilli
vous	auriez	cueilli
ils/elles	auraient	cueilli

Infinitif		Participe		Impératif	
présent	**passé**	**présent**	**passé**	**présent**	**passé**
cueillir	avoir cueilli	cueillant	cueilli/ie, cueillis/ies ayant cueilli	**cueille** **cueillons** **cueillez**	aie cueilli ayons cueilli ayez cueilli

Subjonctif

présent			passé			
que	je	**cueille**	que	j'	aie	cueilli
que	tu	**cueilles**	que	tu	aies	cueilli
qu'	il/elle	**cueille**	qu'	il/elle	ait	cueilli
que	nous	**cueillions**	que	nous	ayons	cueilli
que	vous	**cueilliez**	que	vous	ayez	cueilli
qu'	ils/elles	**cueillent**	qu'	ils/elles	aient	cueilli
imparfait			**plus-que-parfait**			
que	je	cueillisse	que	j'	eusse	cueilli
que	tu	cueillisses	que	tu	eusses	cueilli
qu'	il/elle	cueillît	qu'	il/elle	eût	cueilli
que	nous	cueillissions	que	nous	eussions	cueilli
que	vous	cueillissiez	que	vous	eussiez	cueilli
qu'	ils/elles	cueillissent	qu'	ils/elles	eussent	cueilli

- Le passé simple et le subjonctif imparfait sont les deux seuls temps simples de *cueillir* qui ont les terminaisons des verbes du 3e groupe.
- Les terminaisons des autres temps simples s'éloignent de celles des verbes du 3e groupe et sont identiques à celles des verbes réguliers du 1er groupe (verbes en *-er*).

Attention !

Le participe passé en *-i* distingue *cueillir (cueill**i**)* de *ouvrir (ouv**ert**)*.

C'est là qu'on se trompe

L'orthographe du radical est: ***cueill-***.

47 DÉFAILLIR

3e groupe : verbes en - IR

assaillir, tressaillir

Indicatif

présent		passé composé		
je	**défaille**	j'	ai	défailli
tu	**défailles**	tu	as	défailli
il/elle	**défaille**	il/elle	a	défailli
nous	**défaillons**	nous	avons	défailli
vous	**défaillez**	vous	avez	défailli
ils/elles	**défaillent**	ils/elles	ont	défailli
imparfait		**plus-que-parfait**		
je	défaillais	j'	avais	défailli
tu	défaillais	tu	avais	défailli
il/elle	défaillait	il/elle	avait	défailli
nous	défaillions	nous	avions	défailli
vous	défailliez	vous	aviez	défailli
ils/elles	défaillaient	ils/elles	avaient	défailli
futur simple		**futur antérieur**		
je	**défaillirai**	j'	aurai	défailli
tu	**défailliras**	tu	auras	défailli
il/elle	**défaillira**	il/elle	aura	défailli
nous	**défaillirons**	nous	aurons	défailli
vous	**défaillirez**	vous	aurez	défailli
ils/elles	**défailliront**	ils/elles	auront	défailli
passé simple		**passé antérieur**		
je	défaillis	j'	eus	défailli
tu	défaillis	tu	eus	défailli
il/elle	défaillit	il/elle	eut	défailli
nous	défaillîmes	nous	eûmes	défailli
vous	défaillîtes	vous	eûtes	défailli
ils/elles	défaillirent	ils/elles	eurent	défailli

Conditionnel

présent		passé		
je	**défaillirais**	j'	aurais	défailli
tu	**défaillirais**	tu	aurais	défailli
il/elle	**défaillirait**	il/elle	aurait	défailli
nous	**défaillirions**	nous	aurions	défailli
vous	**défailliriez**	vous	auriez	défailli
ils/elles	**défailliraient**	ils/elles	auraient	défailli

Infinitif		Participe		Impératif	
présent	**passé**	**présent**	**passé**	**présent**	**passé**
défaillir	avoir défailli	défaillant	défailli	**défaille**	aie défailli
			ayant défailli	**défaillons**	ayons défailli
				défaillez	ayez défailli

Subjonctif

présent			**passé**			
que	je	**défaille**	que	j'	aie	défailli
que	tu	**défailles**	que	tu	aies	défailli
qu'	il/elle	**défaille**	qu'	il/elle	ait	défailli
que	nous	**défaillions**	que	nous	ayons	défailli
que	vous	**défailliez**	que	vous	ayez	défailli
qu'	ils/elles	**défaillent**	qu'	ils/elles	aient	défailli
imparfait			**plus-que-parfait**			
que	je	défaillisse	que	j'	eusse	défailli
que	tu	défaillisses	que	tu	eusses	défailli
qu'	il/elle	défaillît	qu'	il/elle	eût	défailli
que	nous	défaillissions	que	nous	eussions	défailli
que	vous	défaillissiez	que	vous	eussiez	défailli
qu'	ils/elles	défaillissent	qu'	ils/elles	eussent	défailli

Les terminaisons des présents de l'indicatif, du subjonctif et de l'impératif s'éloignent de celles des verbes du 3e groupe et sont identiques à celles des verbes réguliers du 1er groupe (verbes en *-er*).

Attention !

Le participe passé de *défaillir* est invariable.

C'est là qu'on se trompe

Le verbe *faillir* est usité surtout à l'infinitif et aux temps composés (*j'ai failli* + infinitif). Il suit le modèle de *finir* au présent de l'indicatif *(vous faillissez)*, du subjonctif *(que je faillisse)* et de l'impératif *(faillissons)*.

OUÏR

3e groupe : verbes en -IR

Indicatif

présent		passé composé		
j'	ouïs/ois	j'	ai	ouï
tu	ouïs/ois	tu	as	ouï
il/elle	ouït/oit	il/elle	a	ouï
nous	ouïssons/oyons	nous	avons	ouï
vous	ouïssez/oyez	vous	avez	ouï
ils/elles	ouïssent/oient	ils/elles	ont	ouï
imparfait		**plus-que-parfait**		
j'	ouïssais/oyais	j'	avais	ouï
tu	ouïssais/oyais	tu	avais	ouï
il/elle	ouïssait/oyait	il/elle	avait	ouï
nous	ouïssions/oyions	nous	avions	ouï
vous	ouïssiez/oyiez	vous	aviez	ouï
ils/elles	ouïssaient/oyaient	ils/elles	avaient	ouï
futur simple		**futur antérieur**		
j'	ouïrai/orrai	j'	aurai	ouï
tu	ouïras/orras	tu	auras	ouï
il/elle	ouïra/orra	il/elle	aura	ouï
nous	ouïrons/orrons	nous	aurons	ouï
vous	ouïrez/orrez	vous	aurez	ouï
ils/elles	ouïront/orront	ils/elles	auront	ouï
passé simple		**passé antérieur**		
j'	ouïs	j'	eus	ouï
tu	ouïs	tu	eus	ouï
il/elle	ouït	il/elle	eut	ouï
nous	ouïmes	nous	eûmes	ouï
vous	ouïtes	vous	eûtes	ouï
ils/elles	ouïrent	ils/elles	eurent	ouï

Conditionnel

présent		passé		
j'	ouïrais/orrais	j'	aurais	ouï
tu	ouïrais/orrais	tu	aurais	ouï
il/elle	ouïrait/orrait	il/elle	aurait	ouï
nous	ouïrions/orrions	nous	aurions	ouï
vous	ouïriez/orriez	vous	auriez	ouï
ils/elles	ouïraient/orraient	ils/elles	auraient	ouï

OUÏR

Infinitif		Participe		Impératif	
présent	**passé**	**présent**	**passé**	**présent**	**passé**
ouïr	avoir ouï	oyant	ouï/ïe, ouïs/ïes	ouïs/ois	aie ouï
			ayant ouï	ouïssons/oyons	ayons ouï
				ouïssez/oyez	ayez ouï

Subjonctif

présent			**passé**			
que	j'	ouïsse/oie	que	j'	aie	ouï
que	tu	ouïsses/oies	que	tu	aies	ouï
qu'	il/elle	ouïsse/oie	qu'	il/elle	ait	ouï
que	nous	ouïssions/oyions	que	nous	ayons	ouï
que	vous	ouïssiez/oyiez	que	vous	ayez	ouï
qu'	ils/elles	ouïssent/oient	qu'	ils/elles	aient	ouï
imparfait			**plus-que-parfait**			
que	j'	ouïsse	que	j'	eusse	ouï
que	tu	ouïsses	que	tu	eusses	ouï
qu'	il/elle	ouït	qu'	il/elle	eût	ouï
que	nous	ouïssions	que	nous	eussions	ouï
que	vous	ouïssiez	que	vous	eussiez	ouï
qu'	ils/elles	ouïssent	qu'	ils/elles	eussent	ouï

- *Ouïr* est un verbe archaïque (il a cédé devant *entendre*). Il est employé aujourd'hui seulement à l'infinitif présent, au participe passé *(ouï)*, aux temps composés *(j'ai ouï dire quelque chose)*, et à la 2e personne du pluriel de l'impératif *(oyez, braves gens)*.

- Il se combine souvent avec le verbe *dire* à l'infinitif : *J'ai ouï dire que tu viendrais.*

Vous avez dit bizarre ?

La deuxième forme de conjugaison *(j'ois)* est encore plus archaïque que la première *(j'ouïs)*.

GÉSIR

3e groupe : verbes en - IR

Indicatif				Infinitif	
présent		**imparfait**		**présent**	**passé**
je	gis	je	gisais	gésir	*inusité*
tu	gis	tu	gisais		
il/elle	**gît**	il/elle	gisait	**Participe**	
nous	gisons	nous	gisions		
vous	gisez	vous	gisiez	**présent**	**passé**
ils/elles	gisent	ils/elles	gisaient	gisant	*inusité*

■ Le verbe *gésir* est défectif, c'est-à-dire qu'il a une conjugaison incomplète: il ne se conjugue ni à tous les modes, ni à tous les temps. C'est un verbe archaïque qui ne se rencontre plus qu'au présent et à l'imparfait de l'indicatif ou à l'infinitif et au participe présent.

■ Le verbe *gésir* est employé notamment dans les épitaphes: *Ci-gît mon grand-père* (ici est enterré mon grand-père), plus rarement au pluriel: *Ci-gisent mon grand-père et ma grand-mère.*

Attention !

Plusieurs formes ont été essayées pour le futur et le conditionnel *(il gira, elle giserait),* mais aucune ne s'est imposée.

C'est permis !

L'accent circonflexe sur le *i* n'apportant aucune indication et le verbe n'ayant pas d'homographe, la réforme orthographique de 1990 propose d'écrire: *Il git, ci-git* (sans accent sur le *i*). ■

Vous avez dit bizarre ?

Le nom masculin, *un gisant* (sculpture funéraire représentant le défunt couché), est formé par dérivation impropre sur le participe passé du verbe. ■

SAILLIR

3e groupe : verbes en -IR

Indicatif

présent		**passé composé**		
il/elle	saille	il/elle	a	sailli
ils/elles	saillent	ils/elles	ont	sailli
imparfait		**plus-que-parfait**		
il/elle	saillait	il/elle	avait	sailli
ils/elles	saillaient	ils/elles	avaient	sailli
futur simple		**futur antérieur**		
il/elle	**saillera**	il/elle	aura	sailli
ils/elles	**sailleront**	ils/elles	auront	sailli
passé simple		**passé antérieur**		
il/elle	saillit	il/elle	eut	sailli
ils/elles	saillirent	ils/elles	eurent	sailli

Conditionnel

présent		**passé**		
il/elle	**saillerait**	il/elle	aurait	sailli
ils/elles	**sailleraient**	ils/elles	auraient	sailli

Infinitif / Participe / Impératif

Infinitif		Participe		Impératif	
présent	**passé**	**présent**	**passé**	**présent**	**passé**
saillir	avoir sailli	saillant	**sailli**, ayant sailli	*inusité*	*inusité*

Subjonctif

présent			**passé**			
qu'	il/elle	saille	qu'	il/elle	ait	sailli
qu'	ils/elles	saillent	qu'	ils/elles	aient	sailli
imparfait			**plus-que-parfait**			
qu'	il/elle	saillît	qu'	il/elle	eût	sailli
qu'	ils/elles	saillissent	qu'	ils/elles	eussent	sailli

Saillir est un verbe défectif dont le futur et le conditionnel se construisent sur le modèle des verbes du 1er groupe. Le participe passé de *saillir* est invariable.

RECEVOIR

3e groupe : verbes en -OIR

apercevoir, concevoir, décevoir, entr'apercevoir, percevoir

Indicatif

présent

je	**reçois**
tu	**reçois**
il/elle	**reçoit**
nous	recevons
vous	recevez
ils/elles	**reçoivent**

imparfait

je	recevais
tu	recevais
il/elle	recevait
nous	recevions
vous	receviez
ils/elles	recevaient

futur simple

je	recevrai
tu	recevras
il/elle	recevra
nous	recevrons
vous	recevrez
ils/elles	recevront

passé simple

je	**reçus**
tu	**reçus**
il/elle	**reçut**
nous	**reçûmes**
vous	**reçûtes**
ils/elles	**reçurent**

passé composé

j'	ai	reçu
tu	as	reçu
il/elle	a	reçu
nous	avons	reçu
vous	avez	reçu
ils/elles	ont	reçu

plus-que-parfait

j'	avais	reçu
tu	avais	reçu
il/elle	avait	reçu
nous	avions	reçu
vous	aviez	reçu
ils/elles	avaient	reçu

futur antérieur

j'	aurai	reçu
tu	auras	reçu
il/elle	aura	reçu
nous	aurons	reçu
vous	aurez	reçu
ils/elles	auront	reçu

passé antérieur

j'	eus	reçu
tu	eus	reçu
il/elle	eut	reçu
nous	eûmes	reçu
vous	eûtes	reçu
ils/elles	eurent	reçu

Conditionnel

présent

je	recevrais
tu	recevrais
il/elle	recevrait
nous	recevrions
vous	recevriez
ils/elles	recevraient

passé

j'	aurais	reçu
tu	aurais	reçu
il/elle	aurait	reçu
nous	aurions	reçu
vous	auriez	reçu
ils/elles	auraient	reçu

Infinitif		Participe		Impératif	
présent	**passé**	**présent**	**passé**	**présent**	**passé**
recevoir	avoir reçu	recevant	**reçu/ue,**	**reçois**	aie reçu
			reçus/ues	recevons	ayons reçu
			ayant reçu	recevez	ayez reçu

Subjonctif

présent			**passé**			
que	je	**reçoive**	que	j'	aie	reçu
que	tu	**reçoives**	que	tu	aies	reçu
qu'	il/elle	**reçoive**	qu'	il/elle	ait	reçu
que	nous	recevions	que	nous	ayons	reçu
que	vous	receviez	que	vous	ayez	reçu
qu'	ils/elles	**reçoivent**	qu'	ils/elles	aient	reçu
imparfait			**plus-que-parfait**			
que	je	**reçusse**	que	j'	eusse	reçu
que	tu	**reçusses**	que	tu	eusses	reçu
qu'	il/elle	**reçût**	qu'	il/elle	eût	reçu
que	nous	**reçussions**	que	nous	eussions	reçu
que	vous	**reçussiez**	que	vous	eussiez	reçu
qu'	ils/elles	**reçussent**	qu'	ils/elles	eussent	reçu

Le *c* du radical prend une cédille devant *o* et *u* pour conserver la prononciation de l'infinitif *(je re**ç**ois, il re**ç**ut).*

VOIR

3e groupe : verbes en - OIR

entrevoir, revoir

Indicatif

présent		passé composé		
je	vois	j'	ai	vu
tu	vois	tu	as	vu
il/elle	voit	il/elle	a	vu
nous	voyons	nous	avons	vu
vous	voyez	vous	avez	vu
ils/elles	voient	ils/elles	ont	vu
imparfait		**plus-que-parfait**		
je	voyais	j'	avais	vu
tu	voyais	tu	avais	vu
il/elle	voyait	il/elle	avait	vu
nous	**voyions**	nous	avions	vu
vous	**voyiez**	vous	aviez	vu
ils/elles	voyaient	ils/elles	avaient	vu
futur simple		**futur antérieur**		
je	**verrai**	j'	aurai	vu
tu	**verras**	tu	auras	vu
il/elle	**verra**	il/elle	aura	vu
nous	**verrons**	nous	aurons	vu
vous	**verrez**	vous	aurez	vu
ils/elles	**verront**	ils/elles	auront	vu
passé simple		**passé antérieur**		
je	vis	j'	eus	vu
tu	vis	tu	eus	vu
il/elle	vit	il/elle	eut	vu
nous	vîmes	nous	eûmes	vu
vous	vîtes	vous	eûtes	vu
ils/elles	virent	ils/elles	eurent	vu

Conditionnel

présent		passé		
je	**verrais**	j'	aurais	vu
tu	**verrais**	tu	aurais	vu
il/elle	**verrait**	il/elle	aurait	vu
nous	**verrions**	nous	aurions	vu
vous	**verriez**	vous	auriez	vu
ils/elles	**verraient**	ils/elles	auraient	vu

VOIR

Infinitif		Participe		Impératif	
présent	**passé**	**présent**	**passé**	**présent**	**passé**
voir	avoir vu	voyant	vu/ue, vus/ues	vois	aie vu
			ayant vu	voyons	ayons vu
				voyez	ayez vu

Subjonctif

présent			**passé**			
que	je	voie	que	j'	aie	vu
que	tu	voies	que	tu	aies	vu
qu'	il/elle	voie	qu'	il/elle	ait	vu
que	nous	**voyions**	que	nous	ayons	vu
que	vous	**voyiez**	que	vous	ayez	vu
qu'	ils/elles	voient	qu'	ils/elles	aient	vu
imparfait			**plus-que-parfait**			
que	je	visse	que	j'	eusse	vu
que	tu	visses	que	tu	eusses	vu
qu'	il/elle	vît	qu'	il/elle	eût	vu
que	nous	vissions	que	nous	eussions	vu
que	vous	vissiez	que	vous	eussiez	vu
qu'	ils/elles	vissent	qu'	ils/elles	eussent	vu

Attention !

– À l'indicatif imparfait et au subjonctif présent, *voir* prend un *i* après *y* aux 1re et 2e personnes du pluriel *(nous voy**i**ons, que vous voy**i**ez)*.

– *Voir* prend deux *r* au futur et au conditionnel *(je ve**rr**ai, je ve**rr**ais)*.

PRÉVOIR

3e groupe : verbes en - OIR

Indicatif

présent

je	prévois
tu	prévois
il/elle	prévoit
nous	prévoyons
vous	prévoyez
ils/elles	prévoient

passé composé

j'	ai	prévu
tu	as	prévu
il/elle	a	prévu
nous	avons	prévu
vous	avez	prévu
ils/elles	ont	prévu

imparfait

je	prévoyais
tu	prévoyais
il/elle	prévoyait
nous	**prévoyions**
vous	**prévoyiez**
ils/elles	prévoyaient

plus-que-parfait

j'	avais	prévu
tu	avais	prévu
il/elle	avait	prévu
nous	avions	prévu
vous	aviez	prévu
ils/elles	avaient	prévu

futur simple

je	**prévoirai**
tu	**prévoiras**
il/elle	**prévoira**
nous	**prévoirons**
vous	**prévoirez**
ils/elles	**prévoiront**

futur antérieur

j'	aurai	prévu
tu	auras	prévu
il/elle	aura	prévu
nous	aurons	prévu
vous	aurez	prévu
ils/elles	auront	prévu

passé simple

je	prévis
tu	prévis
il/elle	prévit
nous	prévîmes
vous	prévîtes
ils/elles	prévirent

passé antérieur

j'	eus	prévu
tu	eus	prévu
il/elle	eut	prévu
nous	eûmes	prévu
vous	eûtes	prévu
ils/elles	eurent	prévu

Conditionnel

présent

je	**prévoirais**
tu	**prévoirais**
il/elle	**prévoirait**
nous	**prévoirions**
vous	**prévoiriez**
ils/elles	**prévoiraient**

passé

j'	aurais	prévu
tu	aurais	prévu
il/elle	aurait	prévu
nous	aurions	prévu
vous	auriez	prévu
ils/elles	auraient	prévu

PRÉVOIR

Infinitif		Participe		Impératif	
présent	**passé**	**présent**	**passé**	**présent**	**passé**
prévoir	avoir prévu	prévoyant	prévu/ue, prévus/ues ayant prévu	prévois prévoyons prévoyez	aie prévu ayons prévu ayez prévu

Subjonctif						
présent			**passé**			
que	je	prévoie	que	j'	aie	prévu
que	tu	prévoies	que	tu	aies	prévu
qu'	il/elle	prévoie	qu'	il/elle	ait	prévu
que	nous	**prévoyions**	que	nous	ayons	prévu
que	vous	**prévoyiez**	que	vous	ayez	prévu
qu'	ils/elles	prévoient	qu'	ils/elles	aient	prévu
imparfait			**plus-que-parfait**			
que	je	prévisse	que	j'	eusse	prévu
que	tu	prévisses	que	tu	eusses	prévu
qu'	il/elle	prévît	qu'	il/elle	eût	prévu
que	nous	prévissions	que	nous	eussions	prévu
que	vous	prévissiez	que	vous	eussiez	prévu
qu'	ils/elles	prévissent	qu'	ils/elles	eussent	prévu

Prévoir se conjugue comme *voir,* sauf au futur et au conditionnel, formés de manière régulière sur la base *prévoi-* + désinences.

Attention !

À l'indicatif imparfait et au subjonctif présent, *prévoir* prend un *i* après *y* aux 1re et 2e personnes du pluriel *(nous prévoy**i**ons, que vous prévoy**i**ez).*

C'est là qu'on se trompe

Il ne faut pas ajouter un *e* dans la désinence du futur et du conditionnel, sous l'influence des verbes du premier groupe *(je prévoirai, je prévoirais).*

POURVOIR

3e groupe : verbes en - OIR

dépourvoir

Indicatif

présent

je	pourvois
tu	pourvois
il/elle	pourvoit
nous	pourvoyons
vous	pourvoyez
ils/elles	pourvoient

imparfait

je	pourvoyais
tu	pourvoyais
il/elle	pourvoyait
nous	**pourvoyions**
vous	**pourvoyiez**
ils/elles	pourvoyaient

futur simple

je	**pourvoirai**
tu	**pourvoiras**
il/elle	**pourvoira**
nous	**pourvoirons**
vous	**pourvoirez**
ils/elles	**pourvoiront**

passé simple

je	**pourvus**
tu	**pourvus**
il/elle	**pourvut**
nous	**pourvûmes**
vous	**pourvûtes**
ils/elles	**pourvurent**

passé composé

j'	ai	pourvu
tu	as	pourvu
il/elle	a	pourvu
nous	avons	pourvu
vous	avez	pourvu
ils/elles	ont	pourvu

plus-que-parfait

j'	avais	pourvu
tu	avais	pourvu
il/elle	avait	pourvu
nous	avions	pourvu
vous	aviez	pourvu
ils/elles	avaient	pourvu

futur antérieur

j'	aurai	pourvu
tu	auras	pourvu
il/elle	aura	pourvu
nous	aurons	pourvu
vous	aurez	pourvu
ils/elles	auront	pourvu

passé antérieur

j'	eus	pourvu
tu	eus	pourvu
il/elle	eut	pourvu
nous	eûmes	pourvu
vous	eûtes	pourvu
ils/elles	eurent	pourvu

Conditionnel

présent

je	**pourvoirais**
tu	**pourvoirais**
il/elle	**pourvoirait**
nous	**pourvoirions**
vous	**pourvoiriez**
ils/elles	**pourvoiraient**

passé

j'	aurais	pourvu
tu	aurais	pourvu
il/elle	aurait	pourvu
nous	aurions	pourvu
vous	auriez	pourvu
ils/elles	auraient	pourvu

Infinitif		Participe		Impératif	
présent	**passé**	**présent**	**passé**	**présent**	**passé**
pourvoir	avoir pourvu	pourvoyant	pourvu/ue, pourvus/ues	pourvois	aie pourvu
			ayant pourvu	pourvoyons	ayons pourvu
				pourvoyez	ayez pourvu

Subjonctif						
présent			**passé**			
que	je	pourvoie	que	j'	aie	pourvu
que	tu	pourvoies	que	tu	aies	pourvu
qu'	il/elle	pourvoie	qu'	il/elle	ait	pourvu
que	nous	**pourvoyions**	que	nous	ayons	pourvu
que	vous	**pourvoyiez**	que	vous	ayez	pourvu
qu'	ils/elles	pourvoient	qu'	ils/elles	aient	pourvu
imparfait			**plus-que-parfait**			
que	je	**pourvusse**	que	j'	eusse	pourvu
que	tu	**pourvusses**	que	tu	eusses	pourvu
qu'	il/elle	**pourvût**	qu'	il/elle	eût	pourvu
que	nous	**pourvussions**	que	nous	eussions	pourvu
que	vous	**pourvussiez**	que	vous	eussiez	pourvu
qu'	ils/elles	**pourvussent**	qu'	ils/elles	eussent	pourvu

Le verbe *pourvoir,* comme *prévoir,* s'éloigne du modèle *voir* au futur et au conditionnel. Il s'éloigne du modèle *prévoir* et *voir* au passé simple et au subjonctif imparfait *(je pourvus, que je pourvusse).*

Attention !

À l'indicatif imparfait et au subjonctif présent, *pourvoir* prend un *i* après *y* aux 1re et 2e personnes du pluriel *(nous pourvoyions, que vous pourvoyiez).*

C'est là qu'on se trompe

Il ne faut pas rajouter un *e* dans la désinence du futur et du conditionnel, sous l'influence des verbes du premier groupe *(je pourvoirai, je pourvoirais).*

Vous avez dit bizarre ?

L'usage ne connaît que le participe passé de *dépourvoir: dépourvu.*

ÉMOUVOIR

3e groupe : verbes en - OIR

mouvoir, promouvoir

Indicatif

présent

j'	**émeus**
tu	**émeus**
il/elle	**émeut**
nous	**émouvons**
vous	**émouvez**
ils/elles	**émeuvent**

passé composé

j'	ai	ému
tu	as	ému
il/elle	a	ému
nous	avons	ému
vous	avez	ému
ils/elles	ont	ému

imparfait

j'	émouvais
tu	émouvais
il/elle	émouvait
nous	émouvions
vous	émouviez
ils/elles	émouvaient

plus-que-parfait

j'	avais	ému
tu	avais	ému
il/elle	avait	ému
nous	avions	ému
vous	aviez	ému
ils/elles	avaient	ému

futur simple

j'	émouvrai
tu	émouvras
il/elle	émouvra
nous	émouvrons
vous	émouvrez
ils/elles	émouvront

futur antérieur

j'	aurai	ému
tu	auras	ému
il/elle	aura	ému
nous	aurons	ému
vous	aurez	ému
ils/elles	auront	ému

passé simple

j'	**émus**
tu	**émus**
il/elle	**émut**
nous	**émûmes**
vous	**émûtes**
ils/elles	**émurent**

passé antérieur

j'	eus	ému
tu	eus	ému
il/elle	eut	ému
nous	eûmes	ému
vous	eûtes	ému
ils/elles	eurent	ému

Conditionnel

présent

j'	émouvrais
tu	émouvrais
il/elle	émouvrait
nous	émouvrions
vous	émouvriez
ils/elles	émouvraient

passé

j'	aurais	ému
tu	aurais	ému
il/elle	aurait	ému
nous	aurions	ému
vous	auriez	ému
ils/elles	auraient	ému

Infinitif		Participe		Impératif	
présent	**passé**	**présent**	**passé**	**présent**	**passé**
émouvoir	avoir ému	émouvant	**ému/ue,** émus/ues ayant ému	**émeus** **émouvons** **émouvez**	aie ému ayons ému ayez ému

Subjonctif

présent			**passé**			
que	j'	**émeuve**	que	j'	aie	ému
que	tu	**émeuves**	que	tu	aies	ému
qu'	il/elle	**émeuve**	qu'	il/elle	ait	ému
que	nous	**émouvions**	que	nous	ayons	ému
que	vous	**émouviez**	que	vous	ayez	ému
qu'	ils/elles	**émeuvent**	qu'	ils/elles	aient	ému
imparfait			**plus-que-parfait**			
que	j'	**émusse**	que	j'	eusse	ému
que	tu	**émusses**	que	tu	eusses	ému
qu'	il/elle	**émût**	qu'	il/elle	eût	ému
que	nous	**émussions**	que	nous	eussions	ému
que	vous	**émussiez**	que	vous	eussiez	ému
qu'	ils/elles	**émussent**	qu'	ils/elles	eussent	ému

C'est là qu'on se trompe

L'alternance entre deux bases longues *émouv-* et *émeu-* rend les formes difficiles à mémoriser. C'est pourquoi on fait beaucoup d'erreurs sur la formation de l'imparfait et du futur.

C'est permis !

Traditionnellement, le participe passé de *mouvoir* prend un accent circonflexe sur le *u* à la forme masculin singulier *(mû, mue)*. La réforme orthographique de 1990 recommande de supprimer l'accent circonflexe parce qu'il n'est pas discriminant.

VALOIR

3e groupe : verbes en - OIR

équivaloir, revaloir

Indicatif

présent		passé composé		
je	vaux	j'	ai	valu
tu	vaux	tu	as	valu
il/elle	vaut	il/elle	a	valu
nous	valons	nous	avons	valu
vous	valez	vous	avez	valu
ils/elles	valent	ils/elles	ont	valu
imparfait		**plus-que-parfait**		
je	valais	j'	avais	valu
tu	valais	tu	avais	valu
il/elle	valait	il/elle	avait	valu
nous	valions	nous	avions	valu
vous	valiez	vous	aviez	valu
ils/elles	valaient	ils/elles	avaient	valu
futur simple		**futur antérieur**		
je	vaudrai	j'	aurai	valu
tu	vaudras	tu	auras	valu
il/elle	vaudra	il/elle	aura	valu
nous	vaudrons	nous	aurons	valu
vous	vaudrez	vous	aurez	valu
ils/elles	vaudront	ils/elles	auront	valu
passé simple		**passé antérieur**		
je	valus	j'	eus	valu
tu	valus	tu	eus	valu
il/elle	valut	il/elle	eut	valu
nous	valûmes	nous	eûmes	valu
vous	valûtes	vous	eûtes	valu
ils/elles	valurent	ils/elles	eurent	valu

Conditionnel

présent		passé		
je	vaudrais	j'	aurais	valu
tu	vaudrais	tu	aurais	valu
il/elle	vaudrait	il/elle	aurait	valu
nous	vaudrions	nous	aurions	valu
vous	vaudriez	vous	auriez	valu
ils/elles	vaudraient	ils/elles	auraient	valu

VALOIR

Infinitif		Participe		Impératif	
présent	**passé**	**présent**	**passé**	**présent**	**passé**
valoir	avoir valu	valant	valu/ue, valus/ues ayant valu	**vaux** valons valez	aie valu ayons valu ayez valu

Subjonctif

présent			passé			
que	je	**vaille**	que	j'	aie	valu
que	tu	**vailles**	que	tu	aies	valu
qu'	il/elle	**vaille**	qu'	il/elle	ait	valu
que	nous	valions	que	nous	ayons	valu
que	vous	valiez	que	vous	ayez	valu
qu'	ils/elles	**vaillent**	qu'	ils/elles	aient	valu
imparfait			**plus-que-parfait**			
que	je	valusse	que	j'	eusse	valu
que	tu	valusses	que	tu	eusses	valu
qu'	il/elle	valût	qu'	il/elle	eût	valu
que	nous	valussions	que	nous	eussions	valu
que	vous	valussiez	que	vous	eussiez	valu
qu'	ils/elles	valussent	qu'	ils/elles	eussent	valu

Attention !

- La terminaison est *-x* aux deux premières personnes de l'indicatif présent et au singulier de l'impératif présent.
- Lorsque *valoir* est employé intransitivement avec le sens de *être estimé à tel prix*, le participe passé est invariable : *Ce cheval ne vaut plus la somme qu'il a val**u** autrefois*. Par contre, le participe passé s'accorde lorsque le verbe est employé transitivement avec le sens de *faire obtenir : La gloire que ce rôle lui a val**ue***.

Vous avez dit bizarre ?

Revaloir est surtout usité à l'indicatif futur dans la locution familière *je te revaudrai ça*. C'est un verbe transitif et pourtant il n'a pas de passif.

PRÉVALOIR

3e groupe : verbes en - OIR

Indicatif

présent

je	**prévaux**
tu	**prévaux**
il/elle	prévaut
nous	prévalons
vous	prévalez
ils/elles	prévalent

passé composé

j'	ai	prévalu
tu	as	prévalu
il/elle	a	prévalu
nous	avons	prévalu
vous	avez	prévalu
ils/elles	ont	prévalu

imparfait

je	prévalais
tu	prévalais
il/elle	prévalait
nous	prévalions
vous	prévaliez
ils/elles	prévalaient

plus-que-parfait

j'	avais	prévalu
tu	avais	prévalu
il/elle	avait	prévalu
nous	avions	prévalu
vous	aviez	prévalu
ils/elles	avaient	prévalu

futur simple

je	prévaudrai
tu	prévaudras
il/elle	prévaudra
nous	prévaudrons
vous	prévaudrez
ils/elles	prévaudront

futur antérieur

j'	aurai	prévalu
tu	auras	prévalu
il/elle	aura	prévalu
nous	aurons	prévalu
vous	aurez	prévalu
ils/elles	auront	prévalu

passé simple

je	prévalus
tu	prévalus
il/elle	prévalut
nous	prévalûmes
vous	prévalûtes
ils/elles	prévalurent

passé antérieur

j'	eus	prévalu
tu	eus	prévalu
il/elle	eut	prévalu
nous	eûmes	prévalu
vous	eûtes	prévalu
ils/elles	eurent	prévalu

Conditionnel

présent

je	prévaudrais
tu	prévaudrais
il/elle	prévaudrait
nous	prévaudrions
vous	prévaudriez
ils/elles	prévaudraient

passé

j'	aurais	prévalu
tu	aurais	prévalu
il/elle	aurait	prévalu
nous	aurions	prévalu
vous	auriez	prévalu
ils/elles	auraient	prévalu

PRÉVALOIR

Infinitif		Participe		Impératif	
présent	**passé**	**présent**	**passé**	**présent**	**passé**
prévaloir	avoir prévalu	prévalant	prévalu/ue, prévalus/ues	**prévaux**	aie prévalu
			ayant prévalu	prévalons	ayons prévalu
				prévalez	ayez prévalu

Subjonctif

présent			passé			
que	je	**prévale**	que	j'	aie	prévalu
que	tu	**prévales**	que	tu	aies	prévalu
qu'	il/elle	**prévale**	qu'	il/elle	ait	prévalu
que	nous	**prévalions**	que	nous	ayons	prévalu
que	vous	**prévaliez**	que	vous	ayez	prévalu
qu'	ils/elles	**prévalent**	qu'	ils/elles	aient	prévalu
imparfait			**plus-que-parfait**			
que	je	prévalusse	que	j'	eusse	prévalu
que	tu	prévalusses	que	tu	eusses	prévalu
qu'	il/elle	prévalût	qu'	il/elle	eût	prévalu
que	nous	prévalussions	que	nous	eussions	prévalu
que	vous	prévalussiez	que	vous	eussiez	prévalu
qu'	ils/elles	prévalussent	qu'	ils/elles	eussent	prévalu

Prévaloir s'éloigne du modèle *valoir* au subjonctif présent *(que je prévale)*.

Attention !

À la forme pronominale, le participe passé s'accorde aux temps composés avec le sujet, conformément à la règle: *Elle s'est préval**ue** de ses avantages, ils se sont préval**us** de leurs droits.*

S'ASSEOIR (1)

3e groupe : verbes en - OIR

asseoir, rasseoir

Indicatif

présent

je	m'	assieds
tu	t'	assieds
il/elle	s'	assied
nous	nous	asseyons
vous	vous	asseyez
ils/elles	s'	asseyent

imparfait

je	m'	asseyais
tu	t'	asseyais
il/elle	s'	asseyait
nous	nous	**asseyions**
vous	vous	**asseyiez**
ils/elles	s'	asseyaient

futur simple

je	m'	assiérai
tu	t'	assiéras
il/elle	s'	assiéra
nous	nous	assiérons
vous	vous	assiérez
ils/elles	s'	assiéront

passé simple

je	m'	assis
tu	t'	assis
il/elle	s'	assit
nous	nous	assîmes
vous	vous	assîtes
ils/elles	s'	assirent

passé composé

je	me	suis	assis/se
tu	t'	es	assis/se
il/elle	s'	est	assis/se
nous	nous	sommes	assis/ses
vous	vous	êtes	assis/ses
ils/elles	se	sont	assis/ses

plus-que-parfait

je	m'	étais	assis/se
tu	t'	étais	assis/se
il/elle	s'	était	assis/se
nous	nous	étions	assis/ses
vous	vous	étiez	assis/ses
ils/elles	s'	étaient	assis/ses

futur antérieur

je	me	serai	assis/se
tu	te	seras	assis/se
il/elle	se	sera	assis/se
nous	nous	serons	assis/ses
vous	vous	serez	assis/ses
ils/elles	se	seront	assis/ses

passé antérieur

je	me	fus	assis/se
tu	te	fus	assis/se
il/elle	se	fut	assis/se
nous	nous	fûmes	assis/ses
vous	vous	fûtes	assis/ses
ils/elles	se	furent	assis/ses

Conditionnel

présent

je	m'	assiérais
tu	t'	assiérais
il/elle	s'	assiérait
nous	nous	assiérions
vous	vous	assiériez
ils/elles	s'	assiéraient

passé

je	me	serais	assis/se
tu	te	serais	assis/se
il/elle	se	serait	assis/se
nous	nous	serions	assis/ses
vous	vous	seriez	assis/ses
ils/elles	se	seraient	assis/ses

S'ASSEOIR (1)

Infinitif		Participe		Impératif	
présent	**passé**	**présent**	**passé**	**présent**	**passé**
s'asseoir	s'être assis/ise, assis/ises	s'asseyant	assis/ise, assis/ises s'étant assis/ise/is/ises	assieds-toi asseyons-nous asseyez-vous	*inusité*

Subjonctif

présent				**passé**				
que	je	m'	asseye	que	je	me	sois	assis/se
que	tu	t'	asseyes	que	tu	te	sois	assis/se
qu'	il/elle	s'	asseye	qu'	il/elle	se	soit	assis/se
que	nous	nous	**asseyions**	que	nous	nous	soyons	assis/ses
que	vous	vous	**asseyiez**	que	vous	vous	soyez	assis/ses
qu'	ils/elles	s'	asseyent	qu'	ils/elles	se	soient	assis/ses
imparfait				**plus-que-parfait**				
que	je	m'	assisse	que	je	me	fusse	assis/se
que	tu	t'	assisses	que	tu	te	fusses	assis/se
qu'	il/elle	s'	assît	qu'	il/elle	se	fût	assis/se
que	nous	nous	assissions	que	nous	nous	fussions	assis/ses
que	vous	vous	assissiez	que	vous	vous	fussiez	assis/ses
qu'	ils/elles	s'	assissent	qu'	ils/elles	se	fussent	assis/ses

Le verbe *s'asseoir* a deux conjugaisons : *Je m'assieds* ou *je m'assois.* Il forme ses temps composés avec l'auxiliaire *être*.

Attention !

À l'indicatif imparfait et au subjonctif présent, *s'asseoir* prend un *i* après *y* aux 1re et 2e personnes du pluriel *(nous nous asseyions, que vous vous asseyiez).*

C'est là qu'on se trompe

Les fautes sur le participe passé du verbe *rasseoir* sont fréquentes. Il faut écrire *une brioche rassise*. Cet emploi est à l'origine d'un nouveau verbe de formation populaire : *rassir* (1949), à partir duquel a été créé un participe passé fautif *(une brioche *rassie).*

Voir ***s'asseoir*** **(2).**

59 S'ASSEOIR (2)

3e groupe : verbes en -OIR

asseoir, rasseoir

Indicatif

présent

je	m'	assois
tu	t'	assois
il/elle	s'	assoit
nous	nous	assoyons
vous	vous	assoyez
ils/elles	s'	assoient

imparfait

je	m'	assoyais
tu	t'	assoyais
il/elle	s'	assoyait
nous	nous	**assoyions**
vous	vous	**assoyiez**
ils/elles	s'	assoyaient

futur simple

je	m'	assoirai
tu	t'	assoiras
il/elle	s'	assoira
nous	nous	assoirons
vous	vous	assoirez
ils/elles	s'	assoiront

passé simple

je	m'	assis
tu	t'	assis
il/elle	s'	assit
nous	nous	assîmes
vous	vous	assîtes
ils/elles	s'	assirent

passé composé

je	me	suis	assis/se
tu	t'	es	assis/se
il/elle	s'	est	assis/se
nous	nous	sommes	assis/ses
vous	vous	êtes	assis/ses
ils/elles	se	sont	assis/ses

plus-que-parfait

je	m'	étais	assis/se
tu	t'	étais	assis/se
il/elle	s'	était	assis/se
nous	nous	étions	assis/ses
vous	vous	étiez	assis/ses
ils/elles	s'	étaient	assis/ses

futur antérieur

je	me	serai	assis/se
tu	te	seras	assis/se
il/elle	se	sera	assis/se
nous	nous	serons	assis/ses
vous	vous	serez	assis/ses
ils/elles	se	seront	assis/ses

passé antérieur

je	me	fus	assis/se
tu	te	fus	assis/se
il/elle	se	fut	assis/se
nous	nous	fûmes	assis/ses
vous	vous	fûtes	assis/ses
ils/elles	se	furent	assis/ses

Conditionnel

présent

je	m'	assoirais
tu	t'	assoirais
il/elle	s'	assoirait
nous	nous	assoirions
vous	vous	assoiriez
ils/elles	s'	assoiraient

passé

je	me	serais	assis/se
tu	te	serais	assis/se
il/elle	se	serait	assis/se
nous	nous	serions	assis/ses
vous	vous	seriez	assis/ses
ils/elles	se	seraient	assis/ses

Infinitif		Participe		Impératif	
présent	**passé**	**présent**	**passé**	**présent**	**passé**
s'asseoir	s'être assis/ise, assis/ises	s'assoyant	assis/ise, assis/ises s'étant assis/ise/is/ises	assois-toi assoyons-nous assoyez-vous	*inusité*

Subjonctif

présent				passé				
que	je	m'	assoie	que	je	me	sois	assis/se
que	tu	t'	assoies	que	tu	te	sois	assis/se
qu'	il/elle	s'	assoie	qu'	il/elle	se	soit	assis/se
que	nous	nous	**assoyions**	que	nous	nous	soyons	assis/ses
que	vous	vous	**assoyiez**	que	vous	vous	soyez	assis/ses
qu'	ils/elles	s'	assoient	qu'	ils/elles	se	soient	assis/ses
imparfait				**plus-que-parfait**				
que	je	m'	assisse	que	je	me	fusse	assis/se
que	tu	t'	assisses	que	tu	te	fusses	assis/se
qu'	il/elle	s'	assît	qu'	il/elle	se	fût	assis/se
que	nous	nous	assissions	que	nous	nous	fussions	assis/ses
que	vous	vous	assissiez	que	vous	vous	fussiez	assis/ses
qu'	ils/elles	s'	assissent	qu'	ils/elles	se	fussent	assis/ses

- Le verbe *s'asseoir* a deux conjugaisons: *Je m'assois* ou *je m'assieds*. Il forme ses temps composés avec l'auxiliaire *être*.
- La conjugaison du verbe *s'asseoir (2)* est régulière par rapport à l'infinitif, mais ces formes sont moins courantes et réputées moins élégantes.

Attention !

– À l'indicatif imparfait et au subjonctif présent, *s'asseoir* prend un *i* après *y* aux 1re et 2e personnes du pluriel.

– Le «*e* muet» du radical *(s'asseoir)* disparaît totalement dans la conjugaison *(je m'ass**o**is, je m'ass**o**irai...)*.

C'est permis !

La réforme orthographique de 1990 préconise d'écrire l'infinitif *s'assoir, assoir* et *rassoir* sans *e*.

Voir *s'asseoir* **(1).**

SURSEOIR

3e groupe : verbes en - OIR

Indicatif

présent		passé composé		
je	sursois	j'	ai	sursis
tu	sursois	tu	as	sursis
il/elle	sursoit	il/elle	a	sursis
nous	sursoyons	nous	avons	sursis
vous	sursoyez	vous	avez	sursis
ils/elles	sursoient	ils/elles	ont	sursis
imparfait		**plus-que-parfait**		
je	sursoyais	j'	avais	sursis
tu	sursoyais	tu	avais	sursis
il/elle	sursoyait	il/elle	avait	sursis
nous	**sursoyions**	nous	avions	sursis
vous	**sursoyiez**	vous	aviez	sursis
ils/elles	sursoyaient	ils/elles	avaient	sursis
futur simple		**futur antérieur**		
je	**surseoirai**	j'	aurai	sursis
tu	**surseoiras**	tu	auras	sursis
il/elle	**surseoira**	il/elle	aura	sursis
nous	**surseoirons**	nous	aurons	sursis
vous	**surseoirez**	vous	aurez	sursis
ils/elles	**surseoiront**	ils/elles	auront	sursis
passé simple		**passé antérieur**		
je	sursis	j'	eus	sursis
tu	sursis	tu	eus	sursis
il/elle	sursit	il/elle	eut	sursis
nous	sursîmes	nous	eûmes	sursis
vous	sursîtes	vous	eûtes	sursis
ils/elles	sursirent	ils/elles	eurent	sursis

Conditionnel

présent		passé		
je	**surseoirais**	j'	aurais	sursis
tu	**surseoirais**	tu	aurais	sursis
il/elle	**surseoirait**	il/elle	aurait	sursis
nous	**surseoirions**	nous	aurions	sursis
vous	**surseoiriez**	vous	auriez	sursis
ils/elles	**surseoiraient**	ils/elles	auraient	sursis

SURSEOIR

Infinitif		Participe		Impératif	
présent	**passé**	**présent**	**passé**	**présent**	**passé**
surseoir	avoir sursis	sursoyant	sursis	sursois	aie sursis
			ayant sursis	sursoyons	ayons sursis
				sursoyez	ayez sursis

Subjonctif

présent			passé			
que	je	sursoie	que	j'	aie	sursis
que	tu	sursoies	que	tu	aies	sursis
qu'	il/elle	sursoie	qu'	il/elle	ait	sursis
que	nous	**sursoyions**	que	nous	ayons	sursis
que	vous	**sursoyiez**	que	vous	ayez	sursis
qu'	ils/elles	sursoient	qu'	ils/elles	aient	sursis
imparfait			**plus-que-parfait**			
que	je	sursisse	que	j'	eusse	sursis
que	tu	sursisses	que	tu	eusses	sursis
qu'	il/elle	sursît	qu'	il/elle	eût	sursis
que	nous	sursissions	que	nous	eussions	sursis
que	vous	sursissiez	que	vous	eussiez	sursis
qu'	ils/elles	sursissent	qu'	ils/elles	eussent	sursis

Surseoir ne se conjugue pas comme *asseoir*, le «*e* muet» du radical ne disparaît pas de manière régulière.

Attention !

- À l'indicatif imparfait et au subjonctif présent, *surseoir* prend un *i* après *y* aux 1re et 2e personnes du pluriel *(nous sursoyions, que vous sursoyiez)*.
- Le participe passé du verbe *surseoir* est invariable.

C'est permis !

La réforme orthographique de 1990 préconise de supprimer le *e* dans l'infinitif *(sursoir)*, la conjugaison du futur *(sursoirai)* et du conditionnel *(sursoirais)*.

Vous avez dit bizarre ?

Le nom *sursis* est dérivé du participe passé.

SEOIR

3e groupe : verbes en -OIR

messeoir

Indicatif

présent		imparfait		futur simple	
il/elle	sied	il/elle	seyait	il/elle	siéra
ils/elles	siéent	ils/elles	seyaient	ils/elles	siéront

Conditionnel

présent	
il/elle	siérait
ils/elles	siéraient

Subjonctif

présent	
qu'il/elle	siée
qu'ils/elles	siéent

Infinitif

présent	passé
seoir	*inusité*

Participe

présent	passé
seyant séant	*inusité*

- Le verbe *seoir* qui signifie *convenir* est archaïque et défectif. Il survit cependant à la 3e personne des temps simples, et dans certains dérivés d'usage courant.
- *Seoir* se conjugue comme *s'asseoir (1)*, son dérivé. Il peut entrer dans une construction impersonnelle: *Il vous sied mal de jouer au voyou.*
- *Messeoir,* dérivé de *seoir,* entre dans une construction impersonnelle: *Il messied de...* (il ne convient pas de...).

C'est permis !

La réforme orthographique de 1990 préconise de supprimer le *e* dans l'infinitif *messoir*. Le verbe *seoir*, lui, garde son *e*.

Vous avez dit bizarre ?

Seoir a deux formes de participe présent: *séant* et *seyant*. Son participe présent *séant* entre dans une construction impersonnelle: *Il est séant de...* L'autre forme de participe présent *seyant* s'emploie couramment comme adjectif: *Une coiffure seyante.*

PLEUVOIR

3e groupe : verbes en - OIR

repleuvoir

Indicatif

présent		**passé composé**		
il	pleut	il	a	plu
imparfait		**plus-que-parfait**		
il	pleuvait	il	avait	plu
futur simple		**futur antérieur**		
il	pleuvra	il	aura	plu
passé simple		**passé antérieur**		
il	plut	il	eut	plu

Conditionnel

présent		**passé**		
il	pleuvrait	il	aurait	plu

Infinitif		Participe		Impératif	
présent	**passé**	**présent**	**passé**	**présent**	**passé**
pleuvoir	avoir plu	pleuvant	plu ayant plu	*inusité*	*inusité*

Subjonctif

présent		**passé**		
qu'il	pleuve	qu'il	ait	plu
imparfait		**plus-que-parfait**		
qu'il	plût	qu'il	eût	plu

Pleuvoir est un verbe essentiellement impersonnel. Il fait partie des verbes météorologiques *(il vente, il neige, il grêle...)*, pour lesquels le pronom *il*, simple marque de la 3e personne, n'a pas de référent précis.

Attention !

– Le participe passé du verbe *pleuvoir* est invariable.

– Plusieurs formes du verbe *pleuvoir* sont homographes des formes correspondantes du verbe *plaire* (*il plut, il a plu*, par exemple).

Vous avez dit bizarre ?

Au sens figuré, le verbe peut se conjuguer également à la troisième personne du pluriel : *Les bonnes nouvelles pleuvent.*

CHOIR

3e groupe : verbes en -OIR

Indicatif

présent		**passé composé**		
je	chois	je	suis	chu/ue
tu	chois	tu	es	chu/ue
il/elle	choit	il/elle	est	chu/ue
inusité		nous	sommes	chus/ues
inusité		vous	êtes	chus/ues
ils/elles	choient	ils/elles	sont	chus/ues
imparfait		**plus-que-parfait**		
inusité		j'	étais	chu/ue
		tu	étais	chu/ue
		il/elle	était	chu/ue
		nous	étions	chus/ues
		vous	étiez	chus/ues
		ils/elles	étaient	chus/ues
futur simple		**futur antérieur**		
je	choirai/cherrai	je	serai	chu/ue
tu	choiras/cherras	tu	seras	chu/ue
il/elle	choira/cherra	il/elle	sera	chu/ue
nous	choirons/cherrons	nous	serons	chus/ues
vous	choirez/cherrez	vous	serez	chus/ues
ils/elles	choiront/cherront	ils/elles	seront	chus/ues
passé simple		**passé antérieur**		
je	chus	je	fus	chu/ue
tu	chus	tu	fus	chu/ue
il/elle	chut	il/elle	fut	chu/ue
nous	chûmes	nous	fûmes	chus/ues
vous	chûtes	vous	fûtes	chus/ues
ils/elles	churent	ils/elles	furent	chus/ues

Conditionnel

présent		**passé**		
je	choirais/cherrais	je	serais	chu/ue
tu	choirais/cherrais	tu	serais	chu/ue
il/elle	choirait/cherrait	il/elle	serait	chu/ue
nous	choirions/cherrions	nous	serions	chus/ues
vous	choiriez/cherriez	vous	seriez	chus/ues
ils/elles	choiraient/cherraient	ils/elles	seraient	chus/ues

CHOIR

Infinitif		Participe		Impératif	
présent	**passé**	**présent**	**passé**	**présent**	**passé**
choir	être chu/ue, chus/ues	*inusité*	chu/ue, chus/ues étant chu/ue/us/ues	*inusité*	*inusité*

Subjonctif

présent		passé			
inusité		que	je	sois	chu/ue
		que	tu	sois	chu/ue
		qu'	il/elle	soit	chu/ue
		que	nous	soyons	chus/ues
		que	vous	soyez	chus/ues
		qu'	ils/elles	soient	chus/ues
imparfait		**plus-que-parfait**			
inusité		que	je	fusse	chu/ue
inusité		que	tu	fusses	chu/ue
qu'il/elle	chût	qu'	il/elle	fût	chu/ue
inusité		que	nous	fussions	chus/ues
inusité		que	vous	fussiez	chus/ues
inusité		qu'	ils/elles	fussent	chus/ues

Le verbe *choir* qui signifie *tomber* est défectif: il ne se conjugue ni à tous les modes, ni à tous les temps, ni à toutes les personnes. C'est un verbe archaïque qui ne se rencontre plus qu'à l'infinitif et à la 3e personne du présent de l'indicatif (avec une intention plaisante), ainsi que dans la périphrase verbale *laisser choir.*

Attention !

Il faut signaler que les formes du futur et du conditionnel construites sur la base *cher- (je* ***cher****rai, je* ***cher****rais)* sont archaïques, elles n'apparaissent que dans les contes: « *Tire la chevillette et la bobinette cherra* » (C. Perrault, *le Petit Chaperon rouge*).

C'est là qu'on se trompe

Choir forme ses temps composés avec l'auxiliaire *être (je suis chu, ils étaient chus).* La conjugaison avec *avoir* est considérée comme fautive.

64 ÉCHOIR

3e groupe : verbes en -OIR

Indicatif

présent		passé composé		
il/elle	échoit/échet	il/elle	est	échu/ue
ils/elles	échoient/échéent	ils/elles	sont	échus/ues
imparfait		**plus-que-parfait**		
il/elle	échoyait/échéait	il/elle	était	échu/ue
ils/elles	échoyaient/échéaient	ils/elles	étaient	échus/ues
futur simple		**futur antérieur**		
il/elle	échoira/écherra	il/elle	sera	échu/ue
ils/elles	échoiront/écherront	ils/elles	seront	échus/ues
passé simple		**passé antérieur**		
il/elle	échut	il/elle	fut	échu/ue
ils/elles	échurent	ils/elles	furent	échus/ues

Conditionnel

présent		passé		
il/elle	échoirait/écherrait	il/elle	serait	échu/ue
ils/elles	échoiraient/écherraient	ils/elles	seraient	échus/ues

Infinitif / Participe / Impératif

Infinitif présent	Infinitif passé	Participe présent	Participe passé	Impératif présent	Impératif passé
échoir	être échu/ue, échus/ues	échéant	échu/ue, échus/ues étant échu/ue/us/ues	*inusité*	*inusité*

Subjonctif

présent		passé		
qu'il/elle	échoie/échée	qu'il/elle	soit	échu/ue
qu'ils/elles	échoient/échéent	qu'ils/elles	soient	échus/ues
imparfait		**plus-que-parfait**		
qu'il/elle	échût	qu'il/elle	fût	échu/ue
qu'ils/elles	échussent	qu'ils/elles	fussent	échus/ues

- Le verbe *échoir* qui signifie *être dévolu à* est défectif, c'est-à-dire qu'il a une conjugaison incomplète : il ne se conjugue ni à tous les modes, ni à tous les temps, ni à toutes les personnes (il ne s'emploie qu'à la 3e personne).
- *Échoir* connaît une construction impersonnelle : *Il lui est échu un héritage qu'il n'attendait pas.*

C'est là qu'on se trompe

Échoir forme ses temps composés avec l'auxiliaire *être*. La conjugaison avec *avoir* a longtemps été considérée comme fautive.

Vous avez dit bizarre ?

– Les formes *il écherra, il écherrait* concurrencent *il échoira, il échoirait*. On rencontre parfois à l'imparfait *il échéait* et, plus rarement, au présent, *il échet*.
– Le participe présent *échéant*, devenu adjectif, est employé en droit, dans l'expression *le cas échéant* (s'il y a lieu).

DÉCHOIR

3e groupe : verbes en -OIR

Indicatif

présent		passé composé				
je	déchois	j'	ai	déchu/	suis	déchu/ue
tu	déchois	tu	as	déchu/	es	déchu/ue
il/elle	déchoit	il/elle	a	déchu/	est	déchu/ue
nous	déchoyons	nous	avons	déchu/	sommes	déchus/ues
vous	déchoyez	vous	avez	déchu/	êtes	déchus/ues
ils/elles	déchoient	ils/elles	ont	déchu/	sont	déchus/ues

imparfait		plus-que-parfait				
inusité		j'	avais	déchu/	étais	déchu/ue
		tu	avais	déchu/	étais	déchu/ue
		il/elle	avait	déchu/	était	déchu/ue
		nous	avions	déchu/	étions	déchus/ues
		vous	aviez	déchu/	étiez	déchus/ues
		ils/elles	avaient	déchu/	étaient	déchus/ues

futur simple		futur antérieur				
je	déchoirai	j'	aurai	déchu/	serai	déchu/ue
tu	déchoiras	tu	auras	déchu/	seras	déchu/ue
il/elle	déchoira	il/elle	aura	déchu/	sera	déchu/ue
nous	déchoirons	nous	aurons	déchu/	serons	déchus/ues
vous	déchoirez	vous	aurez	déchu/	serez	déchus/ues
ils/elles	déchoiront	ils/elles	auront	déchu/	seront	déchus/ues

passé simple		passé antérieur				
je	déchus	j'	eus	déchu/	fus	déchu/ue
tu	déchus	tu	eus	déchu/	fus	déchu/ue
il/elle	déchut	il/elle	eut	déchu/	fut	déchu/ue
nous	déchûmes	nous	eûmes	déchu/	fûmes	déchus/ues
vous	déchûtes	vous	eûtes	déchu/	fûtes	déchus/ues
ils/elles	déchurent	ils/elles	eurent	déchu/	furent	déchus/ues

Conditionnel

présent		passé				
je	déchoirais	j'	aurais	déchu/	serais	déchu/ue
tu	déchoirais	tu	aurais	déchu/	serais	déchu/ue
il/elle	déchoirait	il/elle	aurait	déchu/	serait	déchu/ue
nous	déchoirions	nous	aurions	déchu/	serions	déchus/ues
vous	déchoiriez	vous	auriez	déchu/	seriez	déchus/ues
ils/elles	déchoiraient	ils/elles	auraient	déchu/	seraient	déchus/ues

DÉCHOIR

Infinitif		Participe		Impératif	
présent	**passé**	**présent**	**passé**	**présent**	**passé**
déchoir	avoir déchu/ être déchu/ue, déchus/ues	*inusité*	déchu/ue, déchus/ues ayant déchu/ étant déchu/ue/us/ues	*inusité*	*inusité*

Subjonctif

présent			**passé**					
que	je	déchoie	que	j'	aie	déchu/	sois	déchu/ue
que	tu	déchoies	que	tu	aies	déchu/	sois	déchu/ue
qu'	il/elle	déchoie	qu'	il/elle	ait	déchu/	soit	déchu/ue
que	nous	**déchoyions**	que	nous	ayons	déchu/	soyons	déchus/ues
que	vous	**déchoyiez**	que	vous	ayez	déchu/	soyez	déchus/ues
qu'	ils/elles	déchoient	qu'	ils/elles	aient	déchu/	soient	déchus/ues
imparfait			**plus-que-parfait**					
que	je	déchusse	que	j'	eusse	déchu/	fusse	déchu/ue
que	tu	déchusses	que	tu	eusses	déchu/	fusses	déchu/ue
qu'	il/elle	déchût	qu'	il/elle	eût	déchu/	fût	déchu/ue
que	nous	déchussions	que	nous	eussions	déchu/	fussions	déchus/ues
que	vous	déchussiez	que	vous	eussiez	déchu/	fussiez	déchus/ues
qu'	ils/elles	déchussent	qu'	ils/elles	eussent	déchu/	fussent	déchus/ues

Le verbe *déchoir* est défectif. Il ne s'emploie pas au participe présent, ni à l'imparfait, ni à l'impératif.

Attention !

– Au subjonctif présent, *déchoir* prend un *i* après *y* aux 1re et 2e personnes du pluriel *(que nous déchoy**i**ons, que vous déchoy**i**ez)*.

– *Déchoir* forme ses temps composés avec l'auxiliaire *être* ou *avoir* selon la nuance de sens. Il se conjugue avec l'auxiliaire *avoir* quand il exprime une action : *Il a déchu rapidement* (il a décliné). Il se conjugue avec l'auxiliaire *être* quand il exprime un état : *Il est déchu de son rang* (il est tombé à un rang inférieur).

RENDRE

3e groupe : verbes en -DRE

défendre, fendre, descendre, pendre, tendre, fondre,
pondre, répondre, tondre, perdre, mordre...

Indicatif

présent		passé composé		
je	**rends**	j'	ai	rendu
tu	**rends**	tu	as	rendu
il/elle	**rend**	il/elle	a	rendu
nous	rendons	nous	avons	rendu
vous	rendez	vous	avez	rendu
ils/elles	rendent	ils/elles	ont	rendu
imparfait		**plus-que-parfait**		
je	rendais	j'	avais	rendu
tu	rendais	tu	avais	rendu
il/elle	rendait	il/elle	avait	rendu
nous	rendions	nous	avions	rendu
vous	rendiez	vous	aviez	rendu
ils/elles	rendaient	ils/elles	avaient	rendu
futur simple		**futur antérieur**		
je	rendrai	j'	aurai	rendu
tu	rendras	tu	auras	rendu
il/elle	rendra	il/elle	aura	rendu
nous	rendrons	nous	aurons	rendu
vous	rendrez	vous	aurez	rendu
ils/elles	rendront	ils/elles	auront	rendu
passé simple		**passé antérieur**		
je	rendis	j'	eus	rendu
tu	rendis	tu	eus	rendu
il/elle	rendit	il/elle	eut	rendu
nous	rendîmes	nous	eûmes	rendu
vous	rendîtes	vous	eûtes	rendu
ils/elles	rendirent	ils/elles	eurent	rendu

Conditionnel

présent		passé		
je	rendrais	j'	aurais	rendu
tu	rendrais	tu	aurais	rendu
il/elle	rendrait	il/elle	aurait	rendu
nous	rendrions	nous	aurions	rendu
vous	rendriez	vous	auriez	rendu
ils/elles	rendraient	ils/elles	auraient	rendu

RENDRE

Infinitif		Participe		Impératif	
présent	**passé**	**présent**	**passé**	**présent**	**passé**
rendre	avoir rendu	rendant	rendu/ue,	**rends**	aie rendu
			rendus/ues	rendons	ayons rendu
			ayant rendu	rendez	ayez rendu

Subjonctif

présent			**passé**			
que	je	rende	que	j'	aie	rendu
que	tu	rendes	que	tu	aies	rendu
qu'	il/elle	rende	qu'	il/elle	ait	rendu
que	nous	rendions	que	nous	ayons	rendu
que	vous	rendiez	que	vous	ayez	rendu
qu'	ils/elles	rendent	qu'	ils/elles	aient	rendu
imparfait			**plus-que-parfait**			
que	je	rendisse	que	j'	eusse	rendu
que	tu	rendisses	que	tu	eusses	rendu
qu'	il/elle	rendît	qu'	il/elle	eût	rendu
que	nous	rendissions	que	nous	eussions	rendu
que	vous	rendissiez	que	vous	eussiez	rendu
qu'	ils/elles	rendissent	qu'	ils/elles	eussent	rendu

Les verbes en *-dre (-andre, -endre, -erdre, -ondre, -ordre),* à l'exception des verbes en *-indre* et en *-soudre*, conservent la consonne finale *(d)* de leur radical. La 3e personne du singulier de l'indicatif présent n'a pas de désinence : *Il rend.*

Une petite astuce !

Les verbes qui se conjuguent sur le modèle de *rendre* font apparaître la consonne finale *(d)* du radical à la 1re personne du pluriel. Quand on entend *d* au pluriel, on sait qu'il faut écrire *d* au singulier :

- rendre : *nous rendons, je rends*
- répondre : *nous répondons, je réponds*
- tordre : *nous tordons, je tords.*

67 RÉPANDRE

3e groupe : verbes en -(AN)DRE

épandre

Indicatif

présent		passé composé		
je	**répands**	j'	ai	répandu
tu	**répands**	tu	as	répandu
il/elle	**répand**	il/elle	a	répandu
nous	répandons	nous	avons	répandu
vous	répandez	vous	avez	répandu
ils/elles	répandent	ils/elles	ont	répandu
imparfait		**plus-que-parfait**		
je	répandais	j'	avais	répandu
tu	répandais	tu	avais	répandu
il/elle	répandait	il/elle	avait	répandu
nous	répandions	nous	avions	répandu
vous	répandiez	vous	aviez	répandu
ils/elles	répandaient	ils/elles	avaient	répandu
futur simple		**futur antérieur**		
je	répandrai	j'	aurai	répandu
tu	répandras	tu	auras	répandu
il/elle	répandra	il/elle	aura	répandu
nous	répandrons	nous	aurons	répandu
vous	répandrez	vous	aurez	répandu
ils/elles	répandront	ils/elles	auront	répandu
passé simple		**passé antérieur**		
je	répandis	j'	eus	répandu
tu	répandis	tu	eus	répandu
il/elle	répandit	il/elle	eut	répandu
nous	répandîmes	nous	eûmes	répandu
vous	répandîtes	vous	eûtes	répandu
ils/elles	répandirent	ils/elles	eurent	répandu

Conditionnel

présent		passé		
je	répandrais	j'	aurais	répandu
tu	répandrais	tu	aurais	répandu
il/elle	répandrait	il/elle	aurait	répandu
nous	répandrions	nous	aurions	répandu
vous	répandriez	vous	auriez	répandu
ils/elles	répandraient	ils/elles	auraient	répandu

RÉPANDRE

Infinitif		Participe		Impératif	
présent	**passé**	**présent**	**passé**	**présent**	**passé**
répandre	avoir répandu	répandant	répandu/ue, répandus/ues ayant répandu	**répands** répandons répandez	aie répandu ayons répandu ayez répandu

Subjonctif						
présent			**passé**			
que	je	répande	que	j'	aie	répandu
que	tu	répandes	que	tu	aies	répandu
qu'	il/elle	répande	qu'	il/elle	ait	répandu
que	nous	répandions	que	nous	ayons	répandu
que	vous	répandiez	que	vous	ayez	répandu
qu'	ils/elles	répandent	qu'	ils/elles	aient	répandu
imparfait			**plus-que-parfait**			
que	je	répandisse	que	j'	eusse	répandu
que	tu	répandisses	que	tu	eusses	répandu
qu'	il/elle	répandît	qu'	il/elle	eût	répandu
que	nous	répandissions	que	nous	eussions	répandu
que	vous	répandissiez	que	vous	eussiez	répandu
qu'	ils/elles	répandissent	qu'	ils/elles	eussent	répandu

Les verbes en *-andre (répandre* et *épandre)* conservent la consonne finale *(d)* de leur radical. La 3e personne du singulier de l'indicatif présent n'a pas de désinence : ***Il répand.***

Attention !

Les verbes en [ɑ̃dr] s'écrivent tous avec *e*, sauf *répandre* et *épandre*.

Une petite astuce !

Répandre et *épandre* font apparaître la consonne finale *(d)* du radical à la 1re personne du pluriel. Quand on entend *d* au pluriel, on sait qu'il faut écrire *d* au singulier : *Nous répandons, je répands.*

PRENDRE

3e groupe : verbes en -(EN)DRE

apprendre, comprendre, se méprendre, surprendre, reprendre...

Indicatif

présent		**passé composé**		
je	**prends**	j'	ai	pris
tu	**prends**	tu	as	pris
il/elle	**prend**	il/elle	a	pris
nous	prenons	nous	avons	pris
vous	prenez	vous	avez	pris
ils/elles	**prennent**	ils/elles	ont	pris
imparfait		**plus-que-parfait**		
je	prenais	j'	avais	pris
tu	prenais	tu	avais	pris
il/elle	prenait	il/elle	avait	pris
nous	prenions	nous	avions	pris
vous	preniez	vous	aviez	pris
ils/elles	prenaient	ils/elles	avaient	pris
futur simple		**futur antérieur**		
je	prendrai	j'	aurai	pris
tu	prendras	tu	auras	pris
il/elle	prendra	il/elle	aura	pris
nous	prendrons	nous	aurons	pris
vous	prendrez	vous	aurez	pris
ils/elles	prendront	ils/elles	auront	pris
passé simple		**passé antérieur**		
je	pris	j'	eus	pris
tu	pris	tu	eus	pris
il/elle	prit	il/elle	eut	pris
nous	prîmes	nous	eûmes	pris
vous	prîtes	vous	eûtes	pris
ils/elles	prirent	ils/elles	eurent	pris

Conditionnel

présent		**passé**		
je	prendrais	j'	aurais	pris
tu	prendrais	tu	aurais	pris
il/elle	prendrait	il/elle	aurait	pris
nous	prendrions	nous	aurions	pris
vous	prendriez	vous	auriez	pris
ils/elles	prendraient	ils/elles	auraient	pris

Infinitif		Participe		Impératif	
présent	**passé**	**présent**	**passé**	**présent**	**passé**
prendre	avoir pris	prenant	pris/ise, pris/ises	**prends**	aie pris
			ayant pris	prenons	ayons pris
				prenez	ayez pris

Subjonctif

présent			**passé**			
que	je	**prenne**	que	j'	aie	pris
que	tu	**prennes**	que	tu	aies	pris
qu'	il/elle	**prenne**	qu'	il/elle	ait	pris
que	nous	prenions	que	nous	ayons	pris
que	vous	preniez	que	vous	ayez	pris
qu'	ils/elles	**prennent**	qu'	ils/elles	aient	pris
imparfait			**plus-que-parfait**			
que	je	prisse	que	j'	eusse	pris
que	tu	prisses	que	tu	eusses	pris
qu'	il/elle	prît	qu'	il/elle	eût	pris
que	nous	prissions	que	nous	eussions	pris
que	vous	prissiez	que	vous	eussiez	pris
qu'	ils/elles	prissent	qu'	ils/elles	eussent	pris

Prendre et ses dérivés conservent la consonne finale *(d)* du radical aux trois premières personnes du présent de l'indicatif, mais la perdent aux trois personnes du pluriel *(je prends, nous prenons).*

C'est là qu'on se trompe

Le verbe *prendre* et ses dérivés comportent un «*e* sourd» [ə] *(nous prenons)* chaque fois que la consonne *d* disparaît. Le «*e* sourd» devient «*e* ouvert» [ɛ] dans la conjugaison devant une syllabe muette *(ils prennent).* Pour noter le «*e* ouvert», on double la consonne *n.*

CRAINDRE

3e groupe : verbes en - (AIN)DRE

contraindre, plaindre

Indicatif

présent		**passé composé**		
je	crains	j'	ai	craint
tu	crains	tu	as	craint
il/elle	craint	il/elle	a	craint
nous	craignons	nous	avons	craint
vous	craignez	vous	avez	craint
ils/elles	craignent	ils/elles	ont	craint
imparfait		**plus-que-parfait**		
je	craignais	j'	avais	craint
tu	craignais	tu	avais	craint
il/elle	craignait	il/elle	avait	craint
nous	craignions	nous	avions	craint
vous	craigniez	vous	aviez	craint
ils/elles	craignaient	ils/elles	avaient	craint
futur simple		**futur antérieur**		
je	craindrai	j'	aurai	craint
tu	craindras	tu	auras	craint
il/elle	craindra	il/elle	aura	craint
nous	craindrons	nous	aurons	craint
vous	craindrez	vous	aurez	craint
ils/elles	craindront	ils/elles	auront	craint
passé simple		**passé antérieur**		
je	craignis	j'	eus	craint
tu	craignis	tu	eus	craint
il/elle	craignit	il/elle	eut	craint
nous	craignîmes	nous	eûmes	craint
vous	craignîtes	vous	eûtes	craint
ils/elles	craignirent	ils/elles	eurent	craint

Conditionnel

présent		**passé**		
je	craindrais	j'	aurais	craint
tu	craindrais	tu	aurais	craint
il/elle	craindrait	il/elle	aurait	craint
nous	craindrions	nous	aurions	craint
vous	craindriez	vous	auriez	craint
ils/elles	craindraient	ils/elles	auraient	craint

Infinitif		Participe		Impératif	
présent	**passé**	**présent**	**passé**	**présent**	**passé**
craindre	avoir craint	craignant	craint/te, craints/tes ayant craint	crains craignons craignez	aie craint ayons craint ayez craint

Subjonctif						
présent			**passé**			
que	je	craigne	que	j'	aie	craint
que	tu	craignes	que	tu	aies	craint
qu'	il/elle	craigne	qu'	il/elle	ait	craint
que	nous	craignions	que	nous	ayons	craint
que	vous	craigniez	que	vous	ayez	craint
qu'	ils/elles	craignent	qu'	ils/elles	aient	craint
imparfait			**plus-que-parfait**			
que	je	craignisse	que	j'	eusse	craint
que	tu	craignisses	que	tu	eusses	craint
qu'	il/elle	craignît	qu'	il/elle	eût	craint
que	nous	craignissions	que	nous	eussions	craint
que	vous	craignissiez	que	vous	eussiez	craint
qu'	ils/elles	craignissent	qu'	ils/elles	eussent	craint

Les verbes en *-aindre* perdent la consonne finale *(d)* de leur radical au présent de l'indicatif. Ils forment les trois personnes du pluriel en *-gn-*. Le *d* du radical ne se retrouve qu'au futur et au conditionnel.

Une petite astuce !

Les verbes en *-dre* qui ont une forme en *-gnons* à la première personne du pluriel ne conservent jamais le *d* au présent :
- craindre : *nous craignons, je crains*
- peindre : *nous peignons, je peins*
- joindre : *nous joignons, je joins.*

Par contre, les verbes qui font entendre le *d* à la première personne du pluriel le conservent au singulier : *Nous rendons, je rends.*

PEINDRE

3e groupe : verbes en -(EIN)DRE

teindre, astreindre, enfreindre, restreindre, atteindre, ceindre, éteindre, feindre, geindre...

Indicatif

présent

je	peins
tu	peins
il/elle	peint
nous	peignons
vous	peignez
ils/elles	peignent

imparfait

je	peignais
tu	peignais
il/elle	peignait
nous	peignions
vous	peigniez
ils/elles	peignaient

futur simple

je	peindrai
tu	peindras
il/elle	peindra
nous	peindrons
vous	peindrez
ils/elles	peindront

passé simple

je	peignis
tu	peignis
il/elle	peignit
nous	peignîmes
vous	peignîtes
ils/elles	peignirent

passé composé

j'	ai	peint
tu	as	peint
il/elle	a	peint
nous	avons	peint
vous	avez	peint
ils/elles	ont	peint

plus-que-parfait

j'	avais	peint
tu	avais	peint
il/elle	avait	peint
nous	avions	peint
vous	aviez	peint
ils/elles	avaient	peint

futur antérieur

j'	aurai	peint
tu	auras	peint
il/elle	aura	peint
nous	aurons	peint
vous	aurez	peint
ils/elles	auront	peint

passé antérieur

j'	eus	peint
tu	eus	peint
il/elle	eut	peint
nous	eûmes	peint
vous	eûtes	peint
ils/elles	eurent	peint

Conditionnel

présent

je	peindrais
tu	peindrais
il/elle	peindrait
nous	peindrions
vous	peindriez
ils/elles	peindraient

passé

j'	aurais	peint
tu	aurais	peint
il/elle	aurait	peint
nous	aurions	peint
vous	auriez	peint
ils/elles	auraient	peint

Infinitif		Participe		Impératif	
présent	**passé**	**présent**	**passé**	**présent**	**passé**
peindre	avoir peint	peignant	peint/te, peints/tes	peins	aie peint
			ayant peint	peignons	ayons peint
				peignez	ayez peint

Subjonctif						
présent			**passé**			
que	je	peigne	que	j'	aie	peint
que	tu	peignes	que	tu	aies	peint
qu'	il/elle	peigne	qu'	il/elle	ait	peint
que	nous	peignions	que	nous	ayons	peint
que	vous	peigniez	que	vous	ayez	peint
qu'	ils/elles	peignent	qu'	ils/elles	aient	peint
imparfait			**plus-que-parfait**			
que	je	peignisse	que	j'	eusse	peint
que	tu	peignisses	que	tu	eusses	peint
qu'	il/elle	peignît	qu'	il/elle	eût	peint
que	nous	peignissions	que	nous	eussions	peint
que	vous	peignissiez	que	vous	eussiez	peint
qu'	ils/elles	peignissent	qu'	ils/elles	eussent	peint

Les verbes en *-eindre* perdent la consonne finale *(d)* de leur radical au présent de l'indicatif. Ils forment les trois personnes du pluriel en *-gn-*. Le *d* du radical ne se retrouve qu'au futur et au conditionnel.

Une petite astuce !

Les verbes en *-dre* qui ont une forme en *-gnons* à la première personne du pluriel ne conservent jamais le *d* au présent:
- peindre: *nous peignons, je peins*
- craindre: *nous craignons, je crains*
- joindre: *nous joignons, je joins.*

Par contre, les verbes qui font entendre le *d* à la première personne du pluriel le conservent au singulier: *Nous rendons, je rends.*

JOINDRE

3e groupe : verbes en -(OIN)DRE

oindre, poindre, adjoindre, enjoindre, rejoindre, conjoindre, disjoindre...

Indicatif

présent

je	joins
tu	joins
il/elle	joint
nous	joignons
vous	joignez
ils/elles	joignent

imparfait

je	joignais
tu	joignais
il/elle	joignait
nous	joignions
vous	joigniez
ils/elles	joignaient

futur simple

je	joindrai
tu	joindras
il/elle	joindra
nous	joindrons
vous	joindrez
ils/elles	joindront

passé simple

je	joignis
tu	joignis
il/elle	joignit
nous	joignîmes
vous	joignîtes
ils/elles	joignirent

passé composé

j'	ai	joint
tu	as	joint
il/elle	a	joint
nous	avons	joint
vous	avez	joint
ils/elles	ont	joint

plus-que-parfait

j'	avais	joint
tu	avais	joint
il/elle	avait	joint
nous	avions	joint
vous	aviez	joint
ils/elles	avaient	joint

futur antérieur

j'	aurai	joint
tu	auras	joint
il/elle	aura	joint
nous	aurons	joint
vous	aurez	joint
ils/elles	auront	joint

passé antérieur

j'	eus	joint
tu	eus	joint
il/elle	eut	joint
nous	eûmes	joint
vous	eûtes	joint
ils/elles	eurent	joint

Conditionnel

présent

je	joindrais
tu	joindrais
il/elle	joindrait
nous	joindrions
vous	joindriez
ils/elles	joindraient

passé

j'	aurais	joint
tu	aurais	joint
il/elle	aurait	joint
nous	aurions	joint
vous	auriez	joint
ils/elles	auraient	joint

JOINDRE

Infinitif		Participe		Impératif	
présent	**passé**	**présent**	**passé**	**présent**	**passé**
joindre	avoir joint	joignant	**joint**/te,	**joins**	aie joint
			joints/tes	joignons	ayons joint
			ayant joint	joignez	ayez joint

Subjonctif

présent			**passé**			
que	je	joigne	que	j'	aie	joint
que	tu	joignes	que	tu	aies	joint
qu'	il/elle	joigne	qu'	il/elle	ait	joint
que	nous	joignions	que	nous	ayons	joint
que	vous	joigniez	que	vous	ayez	joint
qu'	ils/elles	joignent	qu'	ils/elles	aient	joint
imparfait			**plus-que-parfait**			
que	je	joignisse	que	j'	eusse	joint
que	tu	joignisses	que	tu	eusses	joint
qu'	il/elle	joignît	qu'	il/elle	eût	joint
que	nous	joignissions	que	nous	eussions	joint
que	vous	joignissiez	que	vous	eussiez	joint
qu'	ils/elles	joignissent	qu'	ils/elles	eussent	joint

Les verbes en *-oindre* perdent la consonne finale *(d)* de leur radical au présent de l'indicatif. Ils forment les trois personnes du pluriel en *-gn-*. Le *d* du radical ne se retrouve qu'au futur et au conditionnel.

Une petite astuce !

Les verbes en *-dre* qui ont une forme en *-gnons* à la première personne du pluriel ne conservent jamais le *d* au présent :
– joindre : *nous joignons, je joins*
– peindre : *nous peignons, je peins*
– craindre : *nous craignons, je crains.*
Par contre, les verbes qui font entendre le *d* à la première personne du pluriel le conservent au singulier : *Nous rendons, je rends.*

ROMPRE

3e groupe : verbes en - (P)RE

corrompre, interrompre

Indicatif

présent

je	**romps**
tu	**romps**
il/elle	**rompt**
nous	rompons
vous	rompez
ils/elles	rompent

imparfait

je	rompais
tu	rompais
il/elle	rompait
nous	rompions
vous	rompiez
ils/elles	rompaient

futur simple

je	romprai
tu	rompras
il/elle	rompra
nous	romprons
vous	romprez
ils/elles	rompront

passé simple

je	rompis
tu	rompis
il/elle	rompit
nous	rompîmes
vous	rompîtes
ils/elles	rompirent

passé composé

j'	ai	rompu
tu	as	rompu
il/elle	a	rompu
nous	avons	rompu
vous	avez	rompu
ils/elles	ont	rompu

plus-que-parfait

j'	avais	rompu
tu	avais	rompu
il/elle	avait	rompu
nous	avions	rompu
vous	aviez	rompu
ils/elles	avaient	rompu

futur antérieur

j'	aurai	rompu
tu	auras	rompu
il/elle	aura	rompu
nous	aurons	rompu
vous	aurez	rompu
ils/elles	auront	rompu

passé antérieur

j'	eus	rompu
tu	eus	rompu
il/elle	eut	rompu
nous	eûmes	rompu
vous	eûtes	rompu
ils/elles	eurent	rompu

Conditionnel

présent

je	romprais
tu	romprais
il/elle	romprait
nous	romprions
vous	rompriez
ils/elles	rompraient

passé

j'	aurais	rompu
tu	aurais	rompu
il/elle	aurait	rompu
nous	aurions	rompu
vous	auriez	rompu
ils/elles	auraient	rompu

Infinitif		Participe		Impératif	
présent	**passé**	**présent**	**passé**	**présent**	**passé**
rompre	avoir rompu	rompant	rompu/ue,	**romps**	aie rompu
			rompus/ues	rompons	ayons rompu
			ayant rompu	rompez	ayez rompu

Subjonctif						
présent			**passé**			
que	je	rompe	que	j'	aie	rompu
que	tu	rompes	que	tu	aies	rompu
qu'	il/elle	rompe	qu'	il/elle	ait	rompu
que	nous	rompions	que	nous	ayons	rompu
que	vous	rompiez	que	vous	ayez	rompu
qu'	ils/elles	rompent	qu'	ils/elles	aient	rompu
imparfait			**plus-que-parfait**			
que	je	rompisse	que	j'	eusse	rompu
que	tu	rompisses	que	tu	eusses	rompu
qu'	il/elle	rompît	qu'	il/elle	eût	rompu
que	nous	rompissions	que	nous	eussions	rompu
que	vous	rompissiez	que	vous	eussiez	rompu
qu'	ils/elles	rompissent	qu'	ils/elles	eussent	rompu

Les verbes en *-pre (rompre, interrompre, corrompre)* conservent dans toutes leurs formes la consonne finale *(p)* de leur radical.

Attention !

Contrairement aux verbes en *-dre*, qui n'ont pas de désinence à la 3e personne du singulier de l'indicatif présent *(il rend)*, le verbe *rompre* cumule le *p* du radical et le *t* de la désinence : *Il rompt*.

Une petite astuce !

Les verbes en *-pre* font apparaître la consonne finale *(p)* du radical à la 1re personne du pluriel. Quand on entend *p* au pluriel, on sait qu'il faut écrire *p* au singulier : *Nous rompons, je romps.*

73

VAINCRE

3e groupe : verbes en -(C)RE

convaincre

Indicatif

présent

je	vaincs
tu	vaincs
il/elle	**vainc**
nous	vainquons
vous	vainquez
ils/elles	vainquent

imparfait

je	vainquais
tu	vainquais
il/elle	vainquait
nous	vainquions
vous	vainquiez
ils/elles	vainquaient

futur simple

je	vaincrai
tu	vaincras
il/elle	vaincra
nous	vaincrons
vous	vaincrez
ils/elles	vaincront

passé simple

je	vainquis
tu	vainquis
il/elle	vainquit
nous	vainquîmes
vous	vainquîtes
ils/elles	vainquirent

passé composé

j'	ai	vaincu
tu	as	vaincu
il/elle	a	vaincu
nous	avons	vaincu
vous	avez	vaincu
ils/elles	ont	vaincu

plus-que-parfait

j'	avais	vaincu
tu	avais	vaincu
il/elle	avait	vaincu
nous	avions	vaincu
vous	aviez	vaincu
ils/elles	avaient	vaincu

futur antérieur

j'	aurai	vaincu
tu	auras	vaincu
il/elle	aura	vaincu
nous	aurons	vaincu
vous	aurez	vaincu
ils/elles	auront	vaincu

passé antérieur

j'	eus	vaincu
tu	eus	vaincu
il/elle	eut	vaincu
nous	eûmes	vaincu
vous	eûtes	vaincu
ils/elles	eurent	vaincu

Conditionnel

présent

je	vaincrais
tu	vaincrais
il/elle	vaincrait
nous	vaincrions
vous	vaincriez
ils/elles	vaincraient

passé

j'	aurais	vaincu
tu	aurais	vaincu
il/elle	aurait	vaincu
nous	aurions	vaincu
vous	auriez	vaincu
ils/elles	auraient	vaincu

VAINCRE

Infinitif		Participe		Impératif	
présent	**passé**	**présent**	**passé**	**présent**	**passé**
vaincre	avoir vaincu	vainquant	vaincu/ue, vaincus/ues ayant vaincu	vaincs vainquons vainquez	aie vaincu ayons vaincu ayez vaincu

Subjonctif

présent			**passé**			
que	je	vainque	que	j'	aie	vaincu
que	tu	vainques	que	tu	aies	vaincu
qu'	il/elle	vainque	qu'	il/elle	ait	vaincu
que	nous	vainquions	que	nous	ayons	vaincu
que	vous	vainquiez	que	vous	ayez	vaincu
qu'	ils/elles	vainquent	qu'	ils/elles	aient	vaincu
imparfait			**plus-que-parfait**			
que	je	vainquisse	que	j'	eusse	vaincu
que	tu	vainquisses	que	tu	eusses	vaincu
qu'	il/elle	vainquît	qu'	il/elle	eût	vaincu
que	nous	vainquissions	que	nous	eussions	vaincu
que	vous	vainquissiez	que	vous	eussiez	vaincu
qu'	ils/elles	vainquissent	qu'	ils/elles	eussent	vaincu

Les verbes en *-cre (vaincre, convaincre)* conservent dans toutes leurs formes la consonne finale de leur radical, avec des variations orthographiques, *c* ou *qu*. La graphie *c* laisse place à *qu* quand la désinence commence par une voyelle *(nous vain**qu**ons)*, sauf pour le participe passé *(vain**c**u)*.

Attention !

La 3e personne du singulier se termine sur la consonne finale du radical sans marque de désinence : *Il vainc.*

74

BATTRE

3e groupe : verbes en -(TT)RE

abattre, débattre, s'ébattre, embattre, rabattre, rebattre, combattre

Indicatif

présent

je	**bats**
tu	**bats**
il/elle	**bat**
nous	battons
vous	battez
ils/elles	battent

imparfait

je	battais
tu	battais
il/elle	battait
nous	battions
vous	battiez
ils/elles	battaient

futur simple

je	battrai
tu	battras
il/elle	battra
nous	battrons
vous	battrez
ils/elles	battront

passé simple

je	battis
tu	battis
il/elle	battit
nous	battîmes
vous	battîtes
ils/elles	battirent

passé composé

j'	ai	battu
tu	as	battu
il/elle	a	battu
nous	avons	battu
vous	avez	battu
ils/elles	ont	battu

plus-que-parfait

j'	avais	battu
tu	avais	battu
il/elle	avait	battu
nous	avions	battu
vous	aviez	battu
ils/elles	avaient	battu

futur antérieur

j'	aurai	battu
tu	auras	battu
il/elle	aura	battu
nous	aurons	battu
vous	aurez	battu
ils/elles	auront	battu

passé antérieur

j'	eus	battu
tu	eus	battu
il/elle	eut	battu
nous	eûmes	battu
vous	eûtes	battu
ils/elles	eurent	battu

Conditionnel

présent

je	battrais
tu	battrais
il/elle	battrait
nous	battrions
vous	battriez
ils/elles	battraient

passé

j'	aurais	battu
tu	aurais	battu
il/elle	aurait	battu
nous	aurions	battu
vous	auriez	battu
ils/elles	auraient	battu

BATTRE

Infinitif		Participe		Impératif	
présent	**passé**	**présent**	**passé**	**présent**	**passé**
battre	avoir battu	battant	battu/ue, battus/ues ayant battu	**bats** battons battez	aie battu ayons battu ayez battu

Subjonctif						
présent			**passé**			
que	je	batte	que	j'	aie	battu
que	tu	battes	que	tu	aies	battu
qu'	il/elle	batte	qu'	il/elle	ait	battu
que	nous	battions	que	nous	ayons	battu
que	vous	battiez	que	vous	ayez	battu
qu'	ils/elles	battent	qu'	ils/elles	aient	battu
imparfait			**plus-que-parfait**			
que	je	battisse	que	j'	eusse	battu
que	tu	battisses	que	tu	eusses	battu
qu'	il/elle	battît	qu'	il/elle	eût	battu
que	nous	battissions	que	nous	eussions	battu
que	vous	battissiez	que	vous	eussiez	battu
qu'	ils/elles	battissent	qu'	ils/elles	eussent	battu

Battre et ses dérivés conservent dans toutes leurs formes au moins un *t* de leur radical : *Je ba**t**s, tu raba**t**s.*

Attention !

Il y a deux *t* devant une voyelle *(je ba**t**-**t**ais)* et devant un *r (je ba**tt**rai).*

Voir *mettre* (dont *battre* se distingue au passé simple et à l'imparfait du subjonctif).

75

CONNAÎTRE

3e groupe : verbes en - (AÎT)RE

méconnaître, reconnaître, paraître, apparaître, comparaître, disparaître...

Indicatif

présent

je	connais
tu	connais
il/elle	**connaît**
nous	connaissons
vous	connaissez
ils/elles	connaissent

imparfait

je	connaissais
tu	connaissais
il/elle	connaissait
nous	connaissions
vous	connaissiez
ils/elles	connaissaient

futur simple

je	**connaîtrai**
tu	**connaîtras**
il/elle	**connaîtra**
nous	**connaîtrons**
vous	**connaîtrez**
ils/elles	**connaîtront**

passé simple

je	connus
tu	connus
il/elle	connut
nous	connûmes
vous	connûtes
ils/elles	connurent

passé composé

j'	ai	connu
tu	as	connu
il/elle	a	connu
nous	avons	connu
vous	avez	connu
ils/elles	ont	connu

plus-que-parfait

j'	avais	connu
tu	avais	connu
il/elle	avait	connu
nous	avions	connu
vous	aviez	connu
ils/elles	avaient	connu

futur antérieur

j'	aurai	connu
tu	auras	connu
il/elle	aura	connu
nous	aurons	connu
vous	aurez	connu
ils/elles	auront	connu

passé antérieur

j'	eus	connu
tu	eus	connu
il/elle	eut	connu
nous	eûmes	connu
vous	eûtes	connu
ils/elles	eurent	connu

Conditionnel

présent

je	**connaîtrais**
tu	**connaîtrais**
il/elle	**connaîtrait**
nous	**connaîtrions**
vous	**connaîtriez**
ils/elles	**connaîtraient**

passé

j'	aurais	connu
tu	aurais	connu
il/elle	aurait	connu
nous	aurions	connu
vous	auriez	connu
ils/elles	auraient	connu

CONNAÎTRE

Infinitif		Participe		Impératif	
présent	**passé**	**présent**	**passé**	**présent**	**passé**
connaître	avoir connu	connaissant	connu/ue,	connais	aie connu
			connus/ues	connaissons	ayons connu
			ayant connu	connaissez	ayez connu

Subjonctif

présent			**passé**			
que	je	connaisse	que	j'	aie	connu
que	tu	connaisses	que	tu	aies	connu
qu'	il/elle	connaisse	qu'	il/elle	ait	connu
que	nous	connaissions	que	nous	ayons	connu
que	vous	connaissiez	que	vous	ayez	connu
qu'	ils/elles	connaissent	qu'	ils/elles	aient	connu
imparfait			**plus-que-parfait**			
que	je	connusse	que	j'	eusse	connu
que	tu	connusses	que	tu	eusses	connu
qu'	il/elle	connût	qu'	il/elle	eût	connu
que	nous	connussions	que	nous	eussions	connu
que	vous	connussiez	que	vous	eussiez	connu
qu'	ils/elles	connussent	qu'	ils/elles	eussent	connu

Les verbes en *-aître* prennent un accent circonflexe sur le *i* chaque fois que celui-ci est suivi d'un *t (il connaît, il connaîtra).*

C'est permis !

La réforme orthographique de 1990 autorise la suppression de l'accent circonflexe chaque fois que celui-ci n'est pas discriminant : *Il connait, il connaitra.*

NAÎTRE

3e groupe : verbes en -(AÎT)RE

renaître

Indicatif

présent

je	nais
tu	nais
il/elle	nait
nous	naissons
vous	naissez
ils/elles	naissent

imparfait

je	naissais
tu	naissais
il/elle	naissait
nous	naissions
vous	naissiez
ils/elles	naissaient

futur simple

je	naîtrai
tu	naîtras
il/elle	naîtra
nous	naîtrons
vous	naîtrez
ils/elles	naîtront

passé simple

je	naquis
tu	naquis
il/elle	naquit
nous	naquîmes
vous	naquîtes
ils/elles	naquirent

passé composé

je	suis	né/ée
tu	es	né/ée
il/elle	est	né/ée
nous	sommes	nés/ées
vous	êtes	nés/ées
ils/elles	sont	nés/ées

plus-que-parfait

j'	étais	né/ée
tu	étais	né/ée
il/elle	était	né/ée
nous	étions	nés/ées
vous	étiez	nés/ées
ils/elles	étaient	nés/ées

futur antérieur

je	serai	né/ée
tu	seras	né/ée
il/elle	sera	né/ée
nous	serons	nés/ées
vous	serez	nés/ées
ils/elles	seront	nés/ées

passé antérieur

je	fus	né/ée
tu	fus	né/ée
il/elle	fut	né/ée
nous	fûmes	nés/ées
vous	fûtes	nés/ées
ils/elles	furent	nés/ées

Conditionnel

présent

je	naîtrais
tu	naîtrais
il/elle	naîtrait
nous	naîtrions
vous	naîtriez
ils/elles	naîtraient

passé

je	serais	né/ée
tu	serais	né/ée
il/elle	serait	né/ée
nous	serions	nés/ées
vous	seriez	nés/ées
ils/elles	seraient	nés/ées

NAÎTRE

Infinitif		Participe		Impératif	
présent	**passé**	**présent**	**passé**	**présent**	**passé**
naître	être né/ée, nés/ées	naissant	né/née, nés/nées étant né/née/nés/nées	nais naissons naissez	sois né/ée soyons nés/ées soyez nés/ées

Subjonctif

présent			**passé**			
que	je	naisse	que	je	sois	né/ée
que	tu	naisses	que	tu	sois	né/ée
qu'	il/elle	naisse	qu'	il/elle	soit	né/ée
que	nous	naissions	que	nous	soyons	nés/ées
que	vous	naissiez	que	vous	soyez	nés/ées
qu'	ils/elles	naissent	qu'	ils/elles	soient	nés/ées
imparfait			**plus-que-parfait**			
que	je	naquisse	que	je	fusse	né/ée
que	tu	naquisses	que	tu	fusses	né/ée
qu'	il/elle	naquît	qu'	il/elle	fût	né/ée
que	nous	naquissions	que	nous	fussions	nés/ées
que	vous	naquissiez	que	vous	fussiez	nés/ées
qu'	ils/elles	naquissent	qu'	ils/elles	fussent	nés/ées

- Les verbes en *-aître* prennent un accent circonflexe sur le *i* chaque fois qu'il est suivi d'un *t (il naît, il naîtra, il naîtrait).*
- Le verbe *naître* se conjugue sur le modèle de *connaître*, sauf au passé simple, au subjonctif imparfait, et au participe passé.
- *Naître* forme ses temps composés avec l'auxiliaire *être*.
- *Renaître* n'a pas de participe passé, donc pas de temps composés.

C'est permis !

La réforme orthographique de 1990 autorise la suppression de l'accent circonflexe chaque fois que celui-ci n'est pas discriminant : *Il nait, il naitra.*

DIRE

3e groupe : verbes en -(I)RE

redire

Indicatif

présent		passé composé		
je	dis	j'	ai	dit
tu	dis	tu	as	dit
il/elle	dit	il/elle	a	dit
nous	disons	nous	avons	dit
vous	dites	vous	avez	dit
ils/elles	disent	ils/elles	ont	dit
imparfait		**plus-que-parfait**		
je	disais	j'	avais	dit
tu	disais	tu	avais	dit
il/elle	disait	il/elle	avait	dit
nous	disions	nous	avions	dit
vous	disiez	vous	aviez	dit
ils/elles	disaient	ils/elles	avaient	dit
futur simple		**futur antérieur**		
je	dirai	j'	aurai	dit
tu	diras	tu	auras	dit
il/elle	dira	il/elle	aura	dit
nous	dirons	nous	aurons	dit
vous	direz	vous	aurez	dit
ils/elles	diront	ils/elles	auront	dit
passé simple		**passé antérieur**		
je	dis	j'	eus	dit
tu	dis	tu	eus	dit
il/elle	dit	il/elle	eut	dit
nous	dîmes	nous	eûmes	dit
vous	dîtes	vous	eûtes	dit
ils/elles	dirent	ils/elles	eurent	dit

Conditionnel

présent		passé		
je	dirais	j'	aurais	dit
tu	dirais	tu	aurais	dit
il/elle	dirait	il/elle	aurait	dit
nous	dirions	nous	aurions	dit
vous	diriez	vous	auriez	dit
ils/elles	diraient	ils/elles	auraient	dit

DIRE

Infinitif		Participe		Impératif	
présent	**passé**	**présent**	**passé**	**présent**	**passé**
dire	avoir dit	disant	dit/ite, dits/ites	dis	aie dit
			ayant dit	disons	ayons dit
				dites	ayez dit

Subjonctif

présent			passé			
que	je	dise	que	j'	aie	dit
que	tu	dises	que	tu	aies	dit
qu'	il/elle	dise	qu'	il/elle	ait	dit
que	nous	disions	que	nous	ayons	dit
que	vous	disiez	que	vous	ayez	dit
qu'	ils/elles	disent	qu'	ils/elles	aient	dit
imparfait			**plus-que-parfait**			
que	je	disse	que	j'	eusse	dit
que	tu	disses	que	tu	eusses	dit
qu'	il/elle	dît	qu'	il/elle	eût	dit
que	nous	dissions	que	nous	eussions	dit
que	vous	dissiez	que	vous	eussiez	dit
qu'	ils/elles	dissent	qu'	ils/elles	eussent	dit

- Parmi les dérivés de *dire*, seul *redire* se conjugue exactement comme le verbe simple.
- Les dérivés du verbe *dire* se répartissent en trois classes, selon leur 2e personne du pluriel, au présent de l'indicatif :

– *vous dites, vous redites*

– *vous médisez, contredisez, dédisez, interdisez, prédisez*

– *vous maudissez.*

MÉDIRE

3e groupe : verbes en -(I)RE

contredire, dédire, interdire, prédire

Indicatif

présent

je	médis
tu	médis
il/elle	médit
nous	médisons
vous	médisez
ils/elles	médisent

imparfait

je	médisais
tu	médisais
il/elle	médisait
nous	médisions
vous	médisiez
ils/elles	médisaient

futur simple

je	médirai
tu	médiras
il/elle	médira
nous	médirons
vous	médirez
ils/elles	médiront

passé simple

je	médis
tu	médis
il/elle	médit
nous	médîmes
vous	médîtes
ils/elles	médirent

passé composé

j'	ai	médit
tu	as	médit
il/elle	a	médit
nous	avons	médit
vous	avez	médit
ils/elles	ont	médit

plus-que-parfait

j'	avais	médit
tu	avais	médit
il/elle	avait	médit
nous	avions	médit
vous	aviez	médit
ils/elles	avaient	médit

futur antérieur

j'	aurai	médit
tu	auras	médit
il/elle	aura	médit
nous	aurons	médit
vous	aurez	médit
ils/elles	auront	médit

passé antérieur

j'	eus	médit
tu	eus	médit
il/elle	eut	médit
nous	eûmes	médit
vous	eûtes	médit
ils/elles	eurent	médit

Conditionnel

présent

je	médirais
tu	médirais
il/elle	médirait
nous	médirions
vous	médiriez
ils/elles	médiraient

passé

j'	aurais	médit
tu	aurais	médit
il/elle	aurait	médit
nous	aurions	médit
vous	auriez	médit
ils/elles	auraient	médit

MÉDIRE

Infinitif		Participe		Impératif	
présent	**passé**	**présent**	**passé**	**présent**	**passé**
médire	avoir médit	médisant	médit	médis	aie médit
			ayant médit	médisons	ayons médit
				médisez	ayez médit

Subjonctif

présent			**passé**			
que	je	médise	que	j'	aie	médit
que	tu	médises	que	tu	aies	médit
qu'	il/elle	médise	qu'	il/elle	ait	médit
que	nous	médisions	que	nous	ayons	médit
que	vous	médisiez	que	vous	ayez	médit
qu'	ils/elles	médisent	qu'	ils/elles	aient	médit
imparfait			**plus-que-parfait**			
que	je	médisse	que	j'	eusse	médit
que	tu	médisses	que	tu	eusses	médit
qu'	il/elle	médît	qu'	il/elle	eût	médit
que	nous	médissions	que	nous	eussions	médit
que	vous	médissiez	que	vous	eussiez	médit
qu'	ils/elles	médissent	qu'	ils/elles	eussent	médit

- Parmi les dérivés de *dire*, seul *redire* se conjugue exactement comme le verbe simple.
- Les dérivés du verbe *dire* se répartissent en trois classes, selon leur 2e personne du pluriel, au présent de l'indicatif:

– *vous dites, vous redites*

– *vous médisez, contredisez, dédisez, interdisez, prédisez*

– *vous maudissez.*

Attention !

Le participe passé du verbe *médire* est invariable.

MAUDIRE

3e groupe : verbes en -(I)RE

Indicatif

présent			**passé composé**		
je	maudis		j'	ai	maudit
tu	maudis		tu	as	maudit
il/elle	maudit		il/elle	a	maudit
nous	maudissons		nous	avons	maudit
vous	maudissez		vous	avez	maudit
ils/elles	maudissent		ils/elles	ont	maudit
imparfait			**plus-que-parfait**		
je	maudissais		j'	avais	maudit
tu	maudissais		tu	avais	maudit
il/elle	maudissait		il/elle	avait	maudit
nous	maudissions		nous	avions	maudit
vous	maudissiez		vous	aviez	maudit
ils/elles	maudissaient		ils/elles	avaient	maudit
futur simple			**futur antérieur**		
je	maudirai		j'	aurai	maudit
tu	maudiras		tu	auras	maudit
il/elle	maudira		il/elle	aura	maudit
nous	maudirons		nous	aurons	maudit
vous	maudirez		vous	aurez	maudit
ils/elles	maudiront		ils/elles	auront	maudit
passé simple			**passé antérieur**		
je	maudis		j'	eus	maudit
tu	maudis		tu	eus	maudit
il/elle	maudit		il/elle	eut	maudit
nous	maudîmes		nous	eûmes	maudit
vous	maudîtes		vous	eûtes	maudit
ils/elles	maudirent		ils/elles	eurent	maudit

Conditionnel

présent			**passé**		
je	maudirais		j'	aurais	maudit
tu	maudirais		tu	aurais	maudit
il/elle	maudirait		il/elle	aurait	maudit
nous	maudirions		nous	aurions	maudit
vous	maudiriez		vous	auriez	maudit
ils/elles	maudiraient		ils/elles	auraient	maudit

Infinitif		Participe		Impératif	
présent	**passé**	**présent**	**passé**	**présent**	**passé**
maudire	avoir maudit	maudissant	maudit/te, maudits/tes ayant maudit	maudis maudissons maudissez	aie maudit ayons maudit ayez maudit

Subjonctif

présent			**passé**			
que	je	maudisse	que	j'	aie	maudit
que	tu	maudisses	que	tu	aies	maudit
qu'	il/elle	maudisse	qu'	il/elle	ait	maudit
que	nous	maudissions	que	nous	ayons	maudit
que	vous	maudissiez	que	vous	ayez	maudit
qu'	ils/elles	maudissent	qu'	ils/elles	aient	maudit
imparfait			**plus-que-parfait**			
que	je	maudisse	que	j'	eusse	maudit
que	tu	maudisses	que	tu	eusses	maudit
qu'	il/elle	maudît	qu'	il/elle	eût	maudit
que	nous	maudissions	que	nous	eussions	maudit
que	vous	maudissiez	que	vous	eussiez	maudit
qu'	ils/elles	maudissent	qu'	ils/elles	eussent	maudit

Maudire se conjugue sur le modèle des verbes du deuxième groupe, bien qu'il appartienne au troisième groupe par son infinitif et son participe passé. En effet, toutes ses formes se rattachent à la conjugaison de *finir*, sauf l'infinitif en *-ire* et le participe passé en *-it (maudi**t**)*. C'est le seul dérivé de *dire* qui se conjugue ainsi.

Vous avez dit bizarre ?

Le verbe *maudire* a changé sa conjugaison sous l'influence de son antonyme *bénir*.

BRUIRE

3e groupe : verbes en - (I)RE

Indicatif

présent

je	bruis
tu	bruis
il/elle	bruit
nous	bruissons
vous	bruissez
ils/elles	bruissent

imparfait

je	bruissais
tu	bruissais
il/elle	bruissait
nous	bruissions
vous	bruissiez
ils/elles	bruissaient

futur simple

je	bruirai
tu	bruiras
il/elle	bruira
nous	bruirons
vous	bruirez
ils/elles	bruiront

passé simple

je	bruis
tu	bruis
il/elle	bruit
nous	bruîmes
vous	bruîtes
ils/elles	bruirent

passé composé

j'	ai	bruit
tu	as	bruit
il/elle	a	bruit
nous	avons	bruit
vous	avez	bruit
ils/elles	ont	bruit

plus-que-parfait

j'	avais	bruit
tu	avais	bruit
il/elle	avait	bruit
nous	avions	bruit
vous	aviez	bruit
ils/elles	avaient	bruit

futur antérieur

j'	aurai	bruit
tu	auras	bruit
il/elle	aura	bruit
nous	aurons	bruit
vous	aurez	bruit
ils/elles	auront	bruit

passé antérieur

j'	eus	bruit
tu	eus	bruit
il/elle	eut	bruit
nous	eûmes	bruit
vous	eûtes	bruit
ils/elles	eurent	bruit

Conditionnel

présent

je	bruirais
tu	bruirais
il/elle	bruirait
nous	bruirions
vous	bruiriez
ils/elles	bruiraient

passé

j'	aurais	bruit
tu	aurais	bruit
il/elle	aurait	bruit
nous	aurions	bruit
vous	auriez	bruit
ils/elles	auraient	bruit

BRUIRE

Infinitif		Participe		Impératif	
présent	**passé**	**présent**	**passé**	**présent**	**passé**
bruire	avoir bruit	bruissant	bruit	bruis	aie bruit
			ayant bruit	bruissons	ayons bruit
				bruissez	ayez bruit

Subjonctif

présent

que	je	bruisse
que	tu	bruisses
qu'	il/elle	bruisse
que	nous	bruissions
que	vous	bruissiez
qu'	ils/elles	bruissent

imparfait

inusité

passé

que	j'	aie	bruit
que	tu	aies	bruit
qu'	il/elle	ait	bruit
que	nous	ayons	bruit
que	vous	ayez	bruit
qu'	ils/elles	aient	bruit

plus-que-parfait

que	j'	eusse	bruit
que	tu	eusses	bruit
qu'	il/elle	eût	bruit
que	nous	eussions	bruit
que	vous	eussiez	bruit
qu'	ils/elles	eussent	bruit

- *Bruire*, verbe du 3e groupe, a calqué ses formes sur *finir*, verbe du 2e groupe, avec une alternance du radical *brui-/ bruiss-* (le second radical étant formé sur le substantif *bruissement*). *Bruire* s'emploie surtout à l'infinitif et au participe présent, il est rare en dehors de la 3e personne.
- L'ancien participe présent *bruyant* subsiste comme adjectif.

Attention !

Le participe passé du verbe *bruire* est invariable.

C'est là qu'on se trompe

Une forme d'infinitif calquée sur le premier groupe, *bruisser*, s'est créée à partir des formes en *-ss-* de *bruire*. C'est une forme condamnée par l'Académie.

ÉCRIRE

3e groupe : verbes en -(I)RE

décrire, récrire, circonscrire, inscrire, prescrire, proscrire, souscrire, transcrire, réinscrire, retranscrire

Indicatif

présent

j'	écris
tu	écris
il/elle	écrit
nous	écrivons
vous	écrivez
ils/elles	écrivent

imparfait

j'	écrivais
tu	écrivais
il/elle	écrivait
nous	écrivions
vous	écriviez
ils/elles	écrivaient

futur simple

j'	écrirai
tu	écriras
il/elle	écrira
nous	écrirons
vous	écrirez
ils/elles	écriront

passé simple

j'	écrivis
tu	écrivis
il/elle	écrivit
nous	écrivîmes
vous	écrivîtes
ils/elles	écrivirent

passé composé

j'	ai	écrit
tu	as	écrit
il/elle	a	écrit
nous	avons	écrit
vous	avez	écrit
ils/elles	ont	écrit

plus-que-parfait

j'	avais	écrit
tu	avais	écrit
il/elle	avait	écrit
nous	avions	écrit
vous	aviez	écrit
ils/elles	avaient	écrit

futur antérieur

j'	aurai	écrit
tu	auras	écrit
il/elle	aura	écrit
nous	aurons	écrit
vous	aurez	écrit
ils/elles	auront	écrit

passé antérieur

j'	eus	écrit
tu	eus	écrit
il/elle	eut	écrit
nous	eûmes	écrit
vous	eûtes	écrit
ils/elles	eurent	écrit

Conditionnel

présent

j'	écrirais
tu	écrirais
il/elle	écrirait
nous	écririons
vous	écririez
ils/elles	écriraient

passé

j'	aurais	écrit
tu	aurais	écrit
il/elle	aurait	écrit
nous	aurions	écrit
vous	auriez	écrit
ils/elles	auraient	écrit

Infinitif		Participe		Impératif	
présent	**passé**	**présent**	**passé**	**présent**	**passé**
écrire	avoir écrit	écrivant	écrit/te, écrits/tes	écris	aie écrit
			ayant écrit	écrivons	ayons écrit
				écrivez	ayez écrit

Subjonctif						
présent			**passé**			
que	j'	écrive	que	j'	aie	écrit
que	tu	écrives	que	tu	aies	écrit
qu'	il/elle	écrive	qu'	il/elle	ait	écrit
que	nous	écrivions	que	nous	ayons	écrit
que	vous	écriviez	que	vous	ayez	écrit
qu'	ils/elles	écrivent	qu'	ils/elles	aient	écrit
imparfait			**plus-que-parfait**			
que	j'	écrivisse	que	j'	eusse	écrit
que	tu	écrivisses	que	tu	eusses	écrit
qu'	il/elle	écrivît	qu'	il/elle	eût	écrit
que	nous	écrivissions	que	nous	eussions	écrit
que	vous	écrivissiez	que	vous	eussiez	écrit
qu'	ils/elles	écrivissent	qu'	ils/elles	eussent	écrit

Écrire et ses dérivés se conjuguent comme *dire*, mais avec une base longue en *v*- *(écri**v**-)*, qui sert à construire le participe présent, les pluriels du présent de l'indicatif et de l'impératif, l'indicatif imparfait et passé simple, et le subjonctif présent et imparfait.

LIRE

3ᵉ groupe : verbes en -(I)RE

relire, élire, réélire

Indicatif

présent		passé composé		
je	lis	j'	ai	lu
tu	lis	tu	as	lu
il/elle	lit	il/elle	a	lu
nous	lisons	nous	avons	lu
vous	lisez	vous	avez	lu
ils/elles	lisent	ils/elles	ont	lu
imparfait		**plus-que-parfait**		
je	lisais	j'	avais	lu
tu	lisais	tu	avais	lu
il/elle	lisait	il/elle	avait	lu
nous	lisions	nous	avions	lu
vous	lisiez	vous	aviez	lu
ils/elles	lisaient	ils/elles	avaient	lu
futur simple		**futur antérieur**		
je	lirai	j'	aurai	lu
tu	liras	tu	auras	lu
il/elle	lira	il/elle	aura	lu
nous	lirons	nous	aurons	lu
vous	lirez	vous	aurez	lu
ils/elles	liront	ils/elles	auront	lu
passé simple		**passé antérieur**		
je	lus	j'	eus	lu
tu	lus	tu	eus	lu
il/elle	lut	il/elle	eut	lu
nous	lûmes	nous	eûmes	lu
vous	lûtes	vous	eûtes	lu
ils/elles	lurent	ils/elles	eurent	lu

Conditionnel

présent		passé		
je	lirais	j'	aurais	lu
tu	lirais	tu	aurais	lu
il/elle	lirait	il/elle	aurait	lu
nous	lirions	nous	aurions	lu
vous	liriez	vous	auriez	lu
ils/elles	liraient	ils/elles	auraient	lu

Infinitif		Participe		Impératif	
présent	**passé**	**présent**	**passé**	**présent**	**passé**
lire	avoir lu	lisant	lu/ue, lus/ues	lis	aie lu
			ayant lu	lisons	ayons lu
				lisez	ayez lu

Subjonctif

présent			**passé**			
que	je	lise	que	j'	aie	lu
que	tu	lises	que	tu	aies	lu
qu'	il/elle	lise	qu'	il/elle	ait	lu
que	nous	lisions	que	nous	ayons	lu
que	vous	lisiez	que	vous	ayez	lu
qu'	ils/elles	lisent	qu'	ils/elles	aient	lu
imparfait			**plus-que-parfait**			
que	je	lusse	que	j'	eusse	lu
que	tu	lusses	que	tu	eusses	lu
qu'	il/elle	lût	qu'	il/elle	eût	lu
que	nous	lussions	que	nous	eussions	lu
que	vous	lussiez	que	vous	eussiez	lu
qu'	ils/elles	lussent	qu'	ils/elles	eussent	lu

Le verbe *lire* se conjugue comme *dire*, sauf au passé simple *(je l**u**s)*, au subjonctif imparfait *(que je l**u**sse)*, et au participe passé *(l**u**)*, où il a des formes en *u*.

83

RIRE

3e groupe : verbes en -(I)RE

sourire

Indicatif

présent		**passé composé**		
je	ris	j'	ai	ri
tu	ris	tu	as	ri
il/elle	rit	il/elle	a	ri
nous	rions	nous	avons	ri
vous	riez	vous	avez	ri
ils/elles	rient	ils/elles	ont	ri
imparfait		**plus-que-parfait**		
je	riais	j'	avais	ri
tu	riais	tu	avais	ri
il/elle	riait	il/elle	avait	ri
nous	riions	nous	avions	ri
vous	riiez	vous	aviez	ri
ils/elles	riaient	ils/elles	avaient	ri
futur simple		**futur antérieur**		
je	rirai	j'	aurai	ri
tu	riras	tu	auras	ri
il/elle	rira	il/elle	aura	ri
nous	rirons	nous	aurons	ri
vous	rirez	vous	aurez	ri
ils/elles	riront	ils/elles	auront	ri
passé simple		**passé antérieur**		
je	ris	j'	eus	ri
tu	ris	tu	eus	ri
il/elle	rit	il/elle	eut	ri
nous	rîmes	nous	eûmes	ri
vous	rîtes	vous	eûtes	ri
ils/elles	rirent	ils/elles	eurent	ri

Conditionnel

présent		**passé**		
je	rirais	j'	aurais	ri
tu	rirais	tu	aurais	ri
il/elle	rirait	il/elle	aurait	ri
nous	ririons	nous	aurions	ri
vous	ririez	vous	auriez	ri
ils/elles	riraient	ils/elles	auraient	ri

RIRE

Infinitif		Participe		Impératif	
présent	**passé**	**présent**	**passé**	**présent**	**passé**
rire	avoir ri	riant	ri	ris	aie ri
			ayant ri	rions	ayons ri
				riez	ayez ri

Subjonctif

présent			**passé**			
que	je	rie	que	j'	aie	ri
que	tu	ries	que	tu	aies	ri
qu'	il/elle	rie	qu'	il/elle	ait	ri
que	nous	riions	que	nous	ayons	ri
que	vous	riiez	que	vous	ayez	ri
qu'	ils/elles	rient	qu'	ils/elles	aient	ri
imparfait			**plus-que-parfait**			
que	je	risse	que	j'	eusse	ri
que	tu	risses	que	tu	eusses	ri
qu'	il/elle	rît	qu'	il/elle	eût	ri
que	nous	rissions	que	nous	eussions	ri
que	vous	rissiez	que	vous	eussiez	ri
qu'	ils/elles	rissent	qu'	ils/elles	eussent	ri

Attention !

– À l'indicatif imparfait et au subjonctif présent, aux 1re et 2e personnes du pluriel, les formes présentent une succession de deux *i (nous riions, que vous riiez).*

– Le participe passé de *rire* ne prend pas de *-t (ri)*. Il est invariable, même dans l'emploi pronominal : *Elles se sont **ri** de notre mésaventure.*

84 SUFFIRE

3e groupe : verbes en -(I)RE

Indicatif

présent		**passé composé**		
je	suffis	j'	ai	suffi
tu	suffis	tu	as	suffi
il/elle	suffit	il/elle	a	suffi
nous	suffisons	nous	avons	suffi
vous	suffisez	vous	avez	suffi
ils/elles	suffisent	ils/elles	ont	suffi
imparfait		**plus-que-parfait**		
je	suffisais	j'	avais	suffi
tu	suffisais	tu	avais	suffi
il/elle	suffisait	il/elle	avait	suffi
nous	suffisions	nous	avions	suffi
vous	suffisiez	vous	aviez	suffi
ils/elles	suffisaient	ils/elles	avaient	suffi
futur simple		**futur antérieur**		
je	suffirai	j'	aurai	suffi
tu	suffiras	tu	auras	suffi
il/elle	suffira	il/elle	aura	suffi
nous	suffirons	nous	aurons	suffi
vous	suffirez	vous	aurez	suffi
ils/elles	suffiront	ils/elles	auront	suffi
passé simple		**passé antérieur**		
je	suffis	j'	eus	suffi
tu	suffis	tu	eus	suffi
il/elle	suffit	il/elle	eut	suffi
nous	suffîmes	nous	eûmes	suffi
vous	suffîtes	vous	eûtes	suffi
ils/elles	suffirent	ils/elles	eurent	suffi

Conditionnel

présent		**passé**		
je	suffirais	j'	aurais	suffi
tu	suffirais	tu	aurais	suffi
il/elle	suffirait	il/elle	aurait	suffi
nous	suffirions	nous	aurions	suffi
vous	suffiriez	vous	auriez	suffi
ils/elles	suffiraient	ils/elles	auraient	suffi

SUFFIRE

Infinitif		Participe		Impératif	
présent	**passé**	**présent**	**passé**	**présent**	**passé**
suffire	avoir suffi	suffisant	suffi	suffis	aie suffi
			ayant suffi	suffisons	ayons suffi
				suffisez	ayez suffi

Subjonctif

présent			**passé**			
que	je	suffise	que	j'	aie	suffi
que	tu	suffises	que	tu	aies	suffi
qu'	il/elle	suffise	qu'	il/elle	ait	suffi
que	nous	suffisions	que	nous	ayons	suffi
que	vous	suffisiez	que	vous	ayez	suffi
qu'	ils/elles	suffisent	qu'	ils/elles	aient	suffi
imparfait			**plus-que-parfait**			
que	je	suffisse	que	j'	eusse	suffi
que	tu	suffisses	que	tu	eusses	suffi
qu'	il/elle	suffît	qu'	il/elle	eût	suffi
que	nous	suffissions	que	nous	eussions	suffi
que	vous	suffissiez	que	vous	eussiez	suffi
qu'	ils/elles	suffissent	qu'	ils/elles	eussent	suffi

Le verbe *suffire* se conjugue comme *dire*, mais son participe passé est invariable et ne prend pas de *-t (suffi)*.

Attention !

Suffire prend deux *f* dans toute sa conjugaison.

CONDUIRE

3e groupe : verbes en -(UI)RE

déduire, introduire, produire, séduire, traduire, réduire, construire, détruire, instruire, nuire, luire...

Indicatif

présent		passé composé		
je	conduis	j'	ai	conduit
tu	conduis	tu	as	conduit
il/elle	conduit	il/elle	a	conduit
nous	conduisons	nous	avons	conduit
vous	conduisez	vous	avez	conduit
ils/elles	conduisent	ils/elles	ont	conduit
imparfait		**plus-que-parfait**		
je	conduisais	j'	avais	conduit
tu	conduisais	tu	avais	conduit
il/elle	conduisait	il/elle	avait	conduit
nous	conduisions	nous	avions	conduit
vous	conduisiez	vous	aviez	conduit
ils/elles	conduisaient	ils/elles	avaient	conduit
futur simple		**futur antérieur**		
je	conduirai	j'	aurai	conduit
tu	conduiras	tu	auras	conduit
il/elle	conduira	il/elle	aura	conduit
nous	conduirons	nous	aurons	conduit
vous	conduirez	vous	aurez	conduit
ils/elles	conduiront	ils/elles	auront	conduit
passé simple		**passé antérieur**		
je	conduisis	j'	eus	conduit
tu	conduisis	tu	eus	conduit
il/elle	conduisit	il/elle	eut	conduit
nous	conduisîmes	nous	eûmes	conduit
vous	conduisîtes	vous	eûtes	conduit
ils/elles	conduisirent	ils/elles	eurent	conduit

Conditionnel

présent		passé		
je	conduirais	j'	aurais	conduit
tu	conduirais	tu	aurais	conduit
il/elle	conduirait	il/elle	aurait	conduit
nous	conduirions	nous	aurions	conduit
vous	conduiriez	vous	auriez	conduit
ils/elles	conduiraient	ils/elles	auraient	conduit

CONDUIRE

Infinitif		Participe		Impératif	
présent	**passé**	**présent**	**passé**	**présent**	**passé**
conduire	avoir conduit	conduisant	conduit/te, conduits/tes ayant conduit	conduis conduisons conduisez	aie conduit ayons conduit ayez conduit

Subjonctif

présent			**passé**			
que	je	conduise	que	j'	aie	conduit
que	tu	conduises	que	tu	aies	conduit
qu'	il/elle	conduise	qu'	il/elle	ait	conduit
que	nous	conduisions	que	nous	ayons	conduit
que	vous	conduisiez	que	vous	ayez	conduit
qu'	ils/elles	conduisent	qu'	ils/elles	aient	conduit
imparfait			**plus-que-parfait**			
que	je	conduisisse	que	j'	eusse	conduit
que	tu	conduisisses	que	tu	eusses	conduit
qu'	il/elle	conduisît	qu'	il/elle	eût	conduit
que	nous	conduisissions	que	nous	eussions	conduit
que	vous	conduisissiez	que	vous	eussiez	conduit
qu'	ils/elles	conduisissent	qu'	ils/elles	eussent	conduit

Les verbes qui se conjuguent sur le modèle de *conduire* ont un passé simple en *-uisi- (je trad**uisis**, je constr**uisis**)* et un participe passé en *-uit (trad**uit**, constr**uit**)*.

C'est là qu'on se trompe

Nuire, luire et *reluire* se conjuguent sur le modèle de *conduire*, mais ne prennent pas de *-t* au participe passé *(nui, lui, relui)*.

86

SUIVRE

3e groupe : verbes en -(IV)RE

poursuivre, s'ensuivre

Indicatif

présent		passé composé		
je	suis	j'	ai	suivi
tu	suis	tu	as	suivi
il/elle	suit	il/elle	a	suivi
nous	suivons	nous	avons	suivi
vous	suivez	vous	avez	suivi
ils/elles	suivent	ils/elles	ont	suivi
imparfait		**plus-que-parfait**		
je	suivais	j'	avais	suivi
tu	suivais	tu	avais	suivi
il/elle	suivait	il/elle	avait	suivi
nous	suivions	nous	avions	suivi
vous	suiviez	vous	aviez	suivi
ils/elles	suivaient	ils/elles	avaient	suivi
futur simple		**futur antérieur**		
je	suivrai	j'	aurai	suivi
tu	suivras	tu	auras	suivi
il/elle	suivra	il/elle	aura	suivi
nous	suivrons	nous	aurons	suivi
vous	suivrez	vous	aurez	suivi
ils/elles	suivront	ils/elles	auront	suivi
passé simple		**passé antérieur**		
je	suivis	j'	eus	suivi
tu	suivis	tu	eus	suivi
il/elle	suivit	il/elle	eut	suivi
nous	suivîmes	nous	eûmes	suivi
vous	suivîtes	vous	eûtes	suivi
ils/elles	suivirent	ils/elles	eurent	suivi

Conditionnel

présent		passé		
je	suivrais	j'	aurais	suivi
tu	suivrais	tu	aurais	suivi
il/elle	suivrait	il/elle	aurait	suivi
nous	suivrions	nous	aurions	suivi
vous	suivriez	vous	auriez	suivi
ils/elles	suivraient	ils/elles	auraient	suivi

SUIVRE

Infinitif		Participe		Impératif	
présent	**passé**	**présent**	**passé**	**présent**	**passé**
suivre	avoir suivi	suivant	suivi/ie, suivis/ies	suis	aie suivi
			ayant suivi	suivons	ayons suivi
				suivez	ayez suivi

Subjonctif						
présent			**passé**			
que	je	suive	que	j'	aie	suivi
que	tu	suives	que	tu	aies	suivi
qu'	il/elle	suive	qu'	il/elle	ait	suivi
que	nous	suivions	que	nous	ayons	suivi
que	vous	suiviez	que	vous	ayez	suivi
qu'	ils/elles	suivent	qu'	ils/elles	aient	suivi
imparfait			**plus-que-parfait**			
que	je	suivisse	que	j'	eusse	suivi
que	tu	suivisses	que	tu	eusses	suivi
qu'	il/elle	suivît	qu'	il/elle	eût	suivi
que	nous	suivissions	que	nous	eussions	suivi
que	vous	suivissiez	que	vous	eussiez	suivi
qu'	ils/elles	suivissent	qu'	ils/elles	eussent	suivi

La base *sui-* est utilisée devant les désinences en *-s (je **suis**)* et en *-t (il **suit**)*.

Attention !

– Le participe passé de *suivre* ne prend pas de *-t (suivi, suivie)*.

– Le verbe *s'ensuivre*, essentiellement pronominal, se conjugue sur le modèle de *suivre*, mais il forme ses temps composés avec *être* et n'est employé qu'aux 3es personnes et à l'infinitif.

87

VIVRE

3e groupe : verbes en -(IV)RE

revivre, survivre

Indicatif

présent

je	vis
tu	vis
il/elle	vit
nous	vivons
vous	vivez
ils/elles	vivent

passé composé

j'	ai	vécu
tu	as	vécu
il/elle	a	vécu
nous	avons	vécu
vous	avez	vécu
ils/elles	ont	vécu

imparfait

je	vivais
tu	vivais
il/elle	vivait
nous	vivions
vous	viviez
ils/elles	vivaient

plus-que-parfait

j'	avais	vécu
tu	avais	vécu
il/elle	avait	vécu
nous	avions	vécu
vous	aviez	vécu
ils/elles	avaient	vécu

futur simple

je	vivrai
tu	vivras
il/elle	vivra
nous	vivrons
vous	vivrez
ils/elles	vivront

futur antérieur

j'	aurai	vécu
tu	auras	vécu
il/elle	aura	vécu
nous	aurons	vécu
vous	aurez	vécu
ils/elles	auront	vécu

passé simple

je	vécus
tu	vécus
il/elle	vécut
nous	vécûmes
vous	vécûtes
ils/elles	vécurent

passé antérieur

j'	eus	vécu
tu	eus	vécu
il/elle	eut	vécu
nous	eûmes	vécu
vous	eûtes	vécu
ils/elles	eurent	vécu

Conditionnel

présent

je	vivrais
tu	vivrais
il/elle	vivrait
nous	vivrions
vous	vivriez
ils/elles	vivraient

passé

j'	aurais	vécu
tu	aurais	vécu
il/elle	aurait	vécu
nous	aurions	vécu
vous	auriez	vécu
ils/elles	auraient	vécu

Infinitif		Participe		Impératif	
présent	**passé**	**présent**	**passé**	**présent**	**passé**
vivre	avoir vécu	vivant	vécu/ue, vécus/ues ayant vécu	vis vivons vivez	aie vécu ayons vécu ayez vécu

Subjonctif

présent			**passé**			
que	je	vive	que	j'	aie	vécu
que	tu	vives	que	tu	aies	vécu
qu'	il/elle	vive	qu'	il/elle	ait	vécu
que	nous	vivions	que	nous	ayons	vécu
que	vous	viviez	que	vous	ayez	vécu
qu'	ils/elles	vivent	qu'	ils/elles	aient	vécu
imparfait			**plus-que-parfait**			
que	je	vécusse	que	j'	eusse	vécu
que	tu	vécusses	que	tu	eusses	vécu
qu'	il/elle	vécût	qu'	il/elle	eût	vécu
que	nous	vécussions	que	nous	eussions	vécu
que	vous	vécussiez	que	vous	eussiez	vécu
qu'	ils/elles	vécussent	qu'	ils/elles	eussent	vécu

- La base *vi-* est utilisée devant les désinences en *-s (je **vis**)* et en *-t (il **vit**)*.
- La base *véc-* sert à construire le passé simple *(je **véc**us)*, le subjonctif imparfait *(que je **véc**usse)* et le participe passé *(**véc**u)*, à l'aide des désinences en *-u*.

Attention !

Survivre se conjugue sur le modèle de *vivre*, mais son participe passé est invariable *(survécu)*.

CROIRE

3e groupe : verbes en -(OI)RE

accroire

Indicatif

présent		passé composé		
je	crois	j'	ai	cru
tu	crois	tu	as	cru
il/elle	croit	il/elle	a	cru
nous	croyons	nous	avons	cru
vous	croyez	vous	avez	cru
ils/elles	croient	ils/elles	ont	cru
imparfait		**plus-que-parfait**		
je	croyais	j'	avais	cru
tu	croyais	tu	avais	cru
il/elle	croyait	il/elle	avait	cru
nous	croyions	nous	avions	cru
vous	croyiez	vous	aviez	cru
ils/elles	croyaient	ils/elles	avaient	cru
futur simple		**futur antérieur**		
je	croirai	j'	aurai	cru
tu	croiras	tu	auras	cru
il/elle	croira	il/elle	aura	cru
nous	croirons	nous	aurons	cru
vous	croirez	vous	aurez	cru
ils/elles	croiront	ils/elles	auront	cru
passé simple		**passé antérieur**		
je	crus	j'	eus	cru
tu	crus	tu	eus	cru
il/elle	crut	il/elle	eut	cru
nous	crûmes	nous	eûmes	cru
vous	crûtes	vous	eûtes	cru
ils/elles	crurent	ils/elles	eurent	cru

Conditionnel

présent		passé		
je	croirais	j'	aurais	cru
tu	croirais	tu	aurais	cru
il/elle	croirait	il/elle	aurait	cru
nous	croirions	nous	aurions	cru
vous	croiriez	vous	auriez	cru
ils/elles	croiraient	ils/elles	auraient	cru

Infinitif		Participe		Impératif	
présent	**passé**	**présent**	**passé**	**présent**	**passé**
croire	avoir cru	croyant	cru/ue, crus/ues ayant cru	crois croyons croyez	aie cru ayons cru ayez cru

Subjonctif						
présent			**passé**			
que	je	croie	que	j'	aie	cru
que	tu	croies	que	tu	aies	cru
qu'	il/elle	croie	qu'	il/elle	ait	cru
que	nous	croyions	que	nous	ayons	cru
que	vous	croyiez	que	vous	ayez	cru
qu'	ils/elles	croient	qu'	ils/elles	aient	cru
imparfait			**plus-que-parfait**			
que	je	crusse	que	j'	eusse	cru
que	tu	crusses	que	tu	eusses	cru
qu'	il/elle	crût	qu'	il/elle	eût	cru
que	nous	crussions	que	nous	eussions	cru
que	vous	crussiez	que	vous	eussiez	cru
qu'	ils/elles	crussent	qu'	ils/elles	eussent	cru

Attention !

À l'indicatif imparfait et au subjonctif présent, *croire* prend un *i* après *y* aux 1re et 2e personnes du pluriel *(nous croyions, que vous croyiez).*

Vous avez dit bizarre ?

Accroire, seul dérivé du verbe *croire*, n'est employé qu'à l'infinitif, après *faire* et *laisser (en faire accroire à quelqu'un).*

BOIRE

3e groupe : verbes en -(OI)RE

reboire

Indicatif

présent

je	bois
tu	bois
il/elle	boit
nous	buvons
vous	buvez
ils/elles	boivent

imparfait

je	buvais
tu	buvais
il/elle	buvait
nous	buvions
vous	buviez
ils/elles	buvaient

futur simple

je	boirai
tu	boiras
il/elle	boira
nous	boirons
vous	boirez
ils/elles	boiront

passé simple

je	bus
tu	bus
il/elle	but
nous	bûmes
vous	bûtes
ils/elles	burent

passé composé

j'	ai	bu
tu	as	bu
il/elle	a	bu
nous	avons	bu
vous	avez	bu
ils/elles	ont	bu

plus-que-parfait

j'	avais	bu
tu	avais	bu
il/elle	avait	bu
nous	avions	bu
vous	aviez	bu
ils/elles	avaient	bu

futur antérieur

j'	aurai	bu
tu	auras	bu
il/elle	aura	bu
nous	aurons	bu
vous	aurez	bu
ils/elles	auront	bu

passé antérieur

j'	eus	bu
tu	eus	bu
il/elle	eut	bu
nous	eûmes	bu
vous	eûtes	bu
ils/elles	eurent	bu

Conditionnel

présent

je	boirais
tu	boirais
il/elle	boirait
nous	boirions
vous	boiriez
ils/elles	boiraient

passé

j'	aurais	bu
tu	aurais	bu
il/elle	aurait	bu
nous	aurions	bu
vous	auriez	bu
ils/elles	auraient	bu

BOIRE

Infinitif		Participe		Impératif	
présent	**passé**	**présent**	**passé**	**présent**	**passé**
boire	avoir bu	buvant	bu/ue, bus/ues	bois	aie bu
			ayant bu	buvons	ayons bu
				buvez	ayez bu

Subjonctif						
présent			**passé**			
que	je	boive	que	j'	aie	bu
que	tu	boives	que	tu	aies	bu
qu'	il/elle	boive	qu'	il/elle	ait	bu
que	nous	buvions	que	nous	ayons	bu
que	vous	buviez	que	vous	ayez	bu
qu'	ils/elles	boivent	qu'	ils/elles	aient	bu
imparfait			**plus-que-parfait**			
que	je	busse	que	j'	eusse	bu
que	tu	busses	que	tu	eusses	bu
qu'	il/elle	bût	qu'	il/elle	eût	bu
que	nous	bussions	que	nous	eussions	bu
que	vous	bussiez	que	vous	eussiez	bu
qu'	ils/elles	bussent	qu'	ils/elles	eussent	bu

Attention !

À l'indicatif présent, trois bases différentes sont utilisées : *boi- (je **bois**), buv- (nous **buv**ons), boiv- (ils **boiv**ent).*

Vous avez dit bizarre ?

– De la conjugaison de l'ancien verbe *emboire*, il ne subsiste que le participe passé *(imbu)* et le nom tiré du verbe *(embu).*

– De l'ancien verbe *fourboire*, il reste le participe passé *(fourbu).*

SE DISTRAIRE

3e groupe : verbes en -(RAI)RE

abstraire, extraire, soustraire, traire, braire

Indicatif

présent

je	me	distrais
tu	te	distrais
il/elle	se	distrait
nous	nous	distrayons
vous	vous	distrayez
ils/elles	se	distraient

imparfait

je	me	distrayais
tu	te	distrayais
il/elle	se	distrayait
nous	nous	distrayions
vous	vous	distrayiez
ils/elles	se	distrayaient

futur simple

je	me	distrairai
tu	te	distrairas
il/elle	se	distraira
nous	nous	distrairons
vous	vous	distrairez
ils/elles	se	distrairont

passé simple

inusité

passé composé

je	me	suis	distrait/te
tu	t'	es	distrait/te
il/elle	s'	est	distrait/te
nous	nous	sommes	distraits/tes
vous	vous	êtes	distraits/tes
ils/elles	se	sont	distraits/tes

plus-que-parfait

je	m'	étais	distrait/te
tu	t'	étais	distrait/te
il/elle	s'	était	distrait/te
nous	nous	étions	distraits/tes
vous	vous	étiez	distraits/tes
ils/elles	s'	étaient	distraits/tes

futur antérieur

je	me	serai	distrait/te
tu	te	seras	distrait/te
il/elle	se	sera	distrait/te
nous	nous	serons	distraits/tes
vous	vous	serez	distraits/tes
ils/elles	se	seront	distraits/tes

passé antérieur

je	me	fus	distrait/te
tu	te	fus	distrait/te
il/elle	se	fut	distrait/te
nous	nous	fûmes	distraits/tes
vous	vous	fûtes	distraits/tes
ils/elles	se	furent	distraits/tes

Conditionnel

présent

je	me	distrairais
tu	te	distrairais
il/elle	se	distrairait
nous	nous	distrairions
vous	vous	distrairiez
ils/elles	se	distrairaient

passé

je	me	serais	distrait/te
tu	te	serais	distrait/te
il/elle	se	serait	distrait/te
nous	nous	serions	distraits/tes
vous	vous	seriez	distraits/tes
ils/elles	se	seraient	distraits/tes

Infinitif		Participe		Impératif	
présent	**passé**	**présent**	**passé**	**présent**	**passé**
se distraire	s'être distrait/te, distraits/tes	se distrayant	distrait/te, distraits/tes s'étant distrait/te/ts/tes	distrais-toi distrayons-nous distrayez-vous	*inusité*

Subjonctif

présent				passé				
que	je	me	distraie	que	je	me	sois	distrait/te
que	tu	te	distraies	que	tu	te	sois	distrait/te
qu'	il/elle	se	distraie	qu'	il/elle	se	soit	distrait/te
que	nous	nous	distrayions	que	nous	nous	soyons	distraits/tes
que	vous	vous	distrayiez	que	vous	vous	soyez	distraits/tes
qu'	ils/elles	se	distraient	qu'	ils/elles	se	soient	distraits/tes
imparfait				**plus-que-parfait**				
inusité				que	je	me	fusse	distrait/te
				que	tu	te	fusses	distrait/te
				qu'	il/elle	se	fût	distrait/te
				que	nous	nous	fussions	distraits/tes
				que	vous	vous	fussiez	distraits/tes
				qu'	ils/elles	se	fussent	distraits/tes

- Le verbe *se distraire*, parce qu'il est pronominal, forme ses temps composés avec l'auxiliaire *être*.
- Le verbe *distraire*, non pronominal, et les autres verbes en *-raire (abstraire, extraire...)* forment leurs temps composés avec l'auxiliaire *avoir*.

Attention !

À l'indicatif imparfait et au subjonctif présent, *se distraire* prend un *i* après *y* aux 1re et 2e personnes du pluriel *(nous nous distray**i**ons, que vous vous distray**i**ez)*.

PLAIRE

3e groupe : verbes en - (AI)RE

complaire, déplaire, taire

Indicatif

présent		passé composé		
je	plais	j'	ai	plu
tu	plais	tu	as	plu
il/elle	plaît	il/elle	a	plu
nous	plaisons	nous	avons	plu
vous	plaisez	vous	avez	plu
ils/elles	plaisent	ils/elles	ont	plu
imparfait		**plus-que-parfait**		
je	plaisais	j'	avais	plu
tu	plaisais	tu	avais	plu
il/elle	plaisait	il/elle	avait	plu
nous	plaisions	nous	avions	plu
vous	plaisiez	vous	aviez	plu
ils/elles	plaisaient	ils/elles	avaient	plu
futur simple		**futur antérieur**		
je	plairai	j'	aurai	plu
tu	plairas	tu	auras	plu
il/elle	plaira	il/elle	aura	plu
nous	plairons	nous	aurons	plu
vous	plairez	vous	aurez	plu
ils/elles	plairont	ils/elles	auront	plu
passé simple		**passé antérieur**		
je	plus	j'	eus	plu
tu	plus	tu	eus	plu
il/elle	plut	il/elle	eut	plu
nous	plûmes	nous	eûmes	plu
vous	plûtes	vous	eûtes	plu
ils/elles	plurent	ils/elles	eurent	plu

Conditionnel

présent		passé		
je	plairais	j'	aurais	plu
tu	plairais	tu	aurais	plu
il/elle	plairait	il/elle	aurait	plu
nous	plairions	nous	aurions	plu
vous	plairiez	vous	auriez	plu
ils/elles	plairaient	ils/elles	auraient	plu

PLAIRE

Infinitif		Participe		Impératif	
présent	**passé**	**présent**	**passé**	**présent**	**passé**
plaire	avoir plu	plaisant	plu ayant plu	plais plaisons plaisez	aie plu ayons plu ayez plu

Subjonctif

présent			**passé**			
que	je	plaise	que	j'	aie	plu
que	tu	plaises	que	tu	aies	plu
qu'	il/elle	plaise	qu'	il/elle	ait	plu
que	nous	plaisions	que	nous	ayons	plu
que	vous	plaisiez	que	vous	ayez	plu
qu'	ils/elles	plaisent	qu'	ils/elles	aient	plu
imparfait			**plus-que-parfait**			
que	je	plusse	que	j'	eusse	plu
que	tu	plusses	que	tu	eusses	plu
qu'	il/elle	plût	qu'	il/elle	eût	plu
que	nous	plussions	que	nous	eussions	plu
que	vous	plussiez	que	vous	eussiez	plu
qu'	ils/elles	plussent	qu'	ils/elles	eussent	plu

Attention !

– Le participe passé de *plaire* et de ses dérivés *(complaire, déplaire)* est invariable *(plu, complu, déplu)*, mais celui de *taire* est variable *(tu, tue, tus, tues)*.

– Plusieurs formes du verbe *plaire* sont homographes des formes correspondantes du verbe *pleuvoir* (*il plut, il a plu*, par exemple).

C'est là qu'on se trompe

À la troisième personne de l'indicatif présent, on écrit *il plaît, il complaît, il déplaît* (avec un accent circonflexe sur le *i*), mais *il tait* (sans accent).

C'est permis !

La réforme orthographique de 1990 autorise la suppression de l'accent circonflexe chaque fois que celui-ci n'est pas discriminant : *Il plait, il complait, il déplait.*

92 CROÎTRE

3e groupe : verbes en -(OÎT)RE

Indicatif

présent

je	croîs
tu	croîs
il/elle	croît
nous	croissons
vous	croissez
ils/elles	croissent

imparfait

je	croissais
tu	croissais
il/elle	croissait
nous	croissions
vous	croissiez
ils/elles	croissaient

futur simple

je	croîtrai
tu	croîtras
il/elle	croîtra
nous	croîtrons
vous	croîtrez
ils/elles	croîtront

passé simple

je	crûs
tu	crûs
il/elle	crût
nous	crûmes
vous	crûtes
ils/elles	crûrent

passé composé

j'	ai	crû
tu	as	crû
il/elle	a	crû
nous	avons	crû
vous	avez	crû
ils/elles	ont	crû

plus-que-parfait

j'	avais	crû
tu	avais	crû
il/elle	avait	crû
nous	avions	crû
vous	aviez	crû
ils/elles	avaient	crû

futur antérieur

j'	aurai	crû
tu	auras	crû
il/elle	aura	crû
nous	aurons	crû
vous	aurez	crû
ils/elles	auront	crû

passé antérieur

j'	eus	crû
tu	eus	crû
il/elle	eut	crû
nous	eûmes	crû
vous	eûtes	crû
ils/elles	eurent	crû

Conditionnel

présent

je	croîtrais
tu	croîtrais
il/elle	croîtrait
nous	croîtrions
vous	croîtriez
ils/elles	croîtraient

passé

j'	aurais	crû
tu	aurais	crû
il/elle	aurait	crû
nous	aurions	crû
vous	auriez	crû
ils/elles	auraient	crû

CROÎTRE

Infinitif		Participe		Impératif	
présent	**passé**	**présent**	**passé**	**présent**	**passé**
croître	avoir crû	croissant	crû/crue, crus/crues ayant crû	croîs croissons croissez	aie crû ayons crû ayez crû

Subjonctif

présent			passé			
que	je	croisse	que	j'	aie	crû
que	tu	croisses	que	tu	aies	crû
qu'	il/elle	croisse	qu'	il/elle	ait	crû
que	nous	croissions	que	nous	ayons	crû
que	vous	croissiez	que	vous	ayez	crû
qu'	ils/elles	croissent	qu'	ils/elles	aient	crû
imparfait			**plus-que-parfait**			
que	je	crûsse	que	j'	eusse	crû
que	tu	crûsses	que	tu	eusses	crû
qu'	il/elle	crût	qu'	il/elle	eût	crû
que	nous	crûssions	que	nous	eussions	crû
que	vous	crûssiez	que	vous	eussiez	crû
qu'	ils/elles	crûssent	qu'	ils/elles	eussent	crû

- L'accent circonflexe est présent dans les temps construits sur la base *croît-* (infinitif, futur et conditionnel).
- Le verbe *croître* conserve également son accent circonflexe chaque fois que ses formes peuvent être confondues avec celles du verbe *croire*, sauf au participe passé qui ne prend l'accent circonflexe qu'au masculin singulier *(crû)*.

C'est là qu'on se trompe

Les formes du participe passé *crue, crus, crues* sont homographes des formes correspondantes du verbe *croire*.

C'est permis !

La réforme orthographique de 1990 autorise la suppression de l'accent circonflexe chaque fois que celui-ci n'est pas discriminant : *croitre, je croitrai, je croitrais.*

93 ACCROÎTRE

3e groupe : verbes en -(OÎT)RE

décroître, recroître

Indicatif

présent		passé composé		
j'	accrois	j'	ai	accru
tu	accrois	tu	as	accru
il/elle	accroît	il/elle	a	accru
nous	accroissons	nous	avons	accru
vous	accroissez	vous	avez	accru
ils/elles	accroissent	ils/elles	ont	accru
imparfait		**plus-que-parfait**		
j'	accroissais	j'	avais	accru
tu	accroissais	tu	avais	accru
il/elle	accroissait	il/elle	avait	accru
nous	accroissions	nous	avions	accru
vous	accroissiez	vous	aviez	accru
ils/elles	accroissaient	ils/elles	avaient	accru
futur simple		**futur antérieur**		
j'	accroîtrai	j'	aurai	accru
tu	accroîtras	tu	auras	accru
il/elle	accroîtra	il/elle	aura	accru
nous	accroîtrons	nous	aurons	accru
vous	accroîtrez	vous	aurez	accru
ils/elles	accroîtront	ils/elles	auront	accru
passé simple		**passé antérieur**		
j'	accrus	j'	eus	accru
tu	accrus	tu	eus	accru
il/elle	accrut	il/elle	eut	accru
nous	accrûmes	nous	eûmes	accru
vous	accrûtes	vous	eûtes	accru
ils/elles	accrurent	ils/elles	eurent	accru

Conditionnel

présent		passé		
j'	accroîtrais	j'	aurais	accru
tu	accroîtrais	tu	aurais	accru
il/elle	accroîtrait	il/elle	aurait	accru
nous	accroîtrions	nous	aurions	accru
vous	accroîtriez	vous	auriez	accru
ils/elles	accroîtraient	ils/elles	auraient	accru

ACCROÎTRE

Infinitif		Participe		Impératif	
présent	**passé**	**présent**	**passé**	**présent**	**passé**
accroître	avoir accru	accroissant	accru/ue, accrus/ues ayant accru	accrois accroissons accroissez	aie accru ayons accru ayez accru

Subjonctif							
présent			**passé**				
que	j'	accroisse	que	j'	aie	accru	
que	tu	accroisses	que	tu	aies	accru	
qu'	il/elle	accroisse	qu'	il/elle	ait	accru	
que	nous	accroissions	que	nous	ayons	accru	
que	vous	accroissiez	que	vous	ayez	accru	
qu'	ils/elles	accroissent	qu'	ils/elles	aient	accru	
imparfait			**plus-que-parfait**				
que	j'	accrusse	que	j'	eusse	accru	
que	tu	accrusses	que	tu	eusses	accru	
qu'	il/elle	accrût	qu'	il/elle	eût	accru	
que	nous	accrussions	que	nous	eussions	accru	
que	vous	accrussiez	que	vous	eussiez	accru	
qu'	ils/elles	accrussent	qu'	ils/elles	eussent	accru	

L'accent circonflexe est présent dans les temps construits sur la base *accroît-* (infinitif, futur et conditionnel). Comme il n'y a aucune confusion possible avec *croire*, il ne figure pas ailleurs, sauf à la troisième personne du singulier de l'indicatif *(il accroît)*.

Attention !

Décroître et *recroître* se conjuguent sur le modèle de *accroître*, mais *recroître* conserve l'accent circonflexe au participe passé masculin singulier : *recrû* (ainsi différencié de l'adjectif *recru* dans l'expression : *recru de fatigue*).

C'est permis !

La réforme orthographique de 1990 autorise la suppression de l'accent circonflexe chaque fois que celui-ci n'est pas discriminant : *Il accroit, il accroitra.*

94

CONCLURE

3e groupe : verbes en -(U)RE

inclure, exclure, occlure

Indicatif

présent

je	conclus
tu	conclus
il/elle	conclut
nous	concluons
vous	concluez
ils/elles	concluent

imparfait

je	concluais
tu	concluais
il/elle	concluait
nous	concluions
vous	concluiez
ils/elles	concluaient

futur simple

je	conclurai
tu	concluras
il/elle	conclura
nous	conclurons
vous	conclurez
ils/elles	concluront

passé simple

je	conclus
tu	conclus
il/elle	conclut
nous	conclûmes
vous	conclûtes
ils/elles	conclurent

passé composé

j'	ai	conclu
tu	as	conclu
il/elle	a	conclu
nous	avons	conclu
vous	avez	conclu
ils/elles	ont	conclu

plus-que-parfait

j'	avais	conclu
tu	avais	conclu
il/elle	avait	conclu
nous	avions	conclu
vous	aviez	conclu
ils/elles	avaient	conclu

futur antérieur

j'	aurai	conclu
tu	auras	conclu
il/elle	aura	conclu
nous	aurons	conclu
vous	aurez	conclu
ils/elles	auront	conclu

passé antérieur

j'	eus	conclu
tu	eus	conclu
il/elle	eut	conclu
nous	eûmes	conclu
vous	eûtes	conclu
ils/elles	eurent	conclu

Conditionnel

présent

je	conclurais
tu	conclurais
il/elle	conclurait
nous	conclurions
vous	concluriez
ils/elles	concluraient

passé

j'	aurais	conclu
tu	aurais	conclu
il/elle	aurait	conclu
nous	aurions	conclu
vous	auriez	conclu
ils/elles	auraient	conclu

CONCLURE

Infinitif		Participe		Impératif	
présent	**passé**	**présent**	**passé**	**présent**	**passé**
conclure	avoir conclu	concluant	conclu/ue, conclus/ues	conclus	aie conclu
			ayant conclu	concluons	ayons conclu
				concluez	ayez conclu

Subjonctif

présent			**passé**			
que	je	conclue	que	j'	aie	conclu
que	tu	conclues	que	tu	aies	conclu
qu'	il/elle	conclue	qu'	il/elle	ait	conclu
que	nous	concluions	que	nous	ayons	conclu
que	vous	concluiez	que	vous	ayez	conclu
qu'	ils/elles	concluent	qu'	ils/elles	aient	conclu
imparfait			**plus-que-parfait**			
que	je	conclusse	que	j'	eusse	conclu
que	tu	conclusses	que	tu	eusses	conclu
qu'	il/elle	conclût	qu'	il/elle	eût	conclu
que	nous	conclussions	que	nous	eussions	conclu
que	vous	conclussiez	que	vous	eussiez	conclu
qu'	ils/elles	conclussent	qu'	ils/elles	eussent	conclu

Attention !

Aux deux premières personnes du pluriel de l'imparfait de l'indicatif et du présent du subjonctif, trois voyelles se suivent *(nous concl**uio**ns, que vous concl**uie**z)*.

C'est là qu'on se trompe

Conclure et *exclure* ont un participe passé sans *s* *(conclu, exclu)*, à la différence de *inclure* et *occlure* *(inclus, occlus)*.

Vous avez dit bizarre ?

Reclus est un adjectif qui vient du verbe *reclure* : *Elle vit recluse.*

RÉSOUDRE

3e groupe : verbes en - (SOU)DRE

absoudre, dissoudre

Indicatif

présent		**passé composé**		
je	résous	j'	ai	résolu
tu	résous	tu	as	résolu
il/elle	résout	il/elle	a	résolu
nous	résolvons	nous	avons	résolu
vous	résolvez	vous	avez	résolu
ils/elles	résolvent	ils/elles	ont	résolu
imparfait		**plus-que-parfait**		
je	résolvais	j'	avais	résolu
tu	résolvais	tu	avais	résolu
il/elle	résolvait	il/elle	avait	résolu
nous	résolvions	nous	avions	résolu
vous	résolviez	vous	aviez	résolu
ils/elles	résolvaient	ils/elles	avaient	résolu
futur simple		**futur antérieur**		
je	résoudrai	j'	aurai	résolu
tu	résoudras	tu	auras	résolu
il/elle	résoudra	il/elle	aura	résolu
nous	résoudrons	nous	aurons	résolu
vous	résoudrez	vous	aurez	résolu
ils/elles	résoudront	ils/elles	auront	résolu
passé simple		**passé antérieur**		
je	résolus	j'	eus	résolu
tu	résolus	tu	eus	résolu
il/elle	résolut	il/elle	eut	résolu
nous	résolûmes	nous	eûmes	résolu
vous	résolûtes	vous	eûtes	résolu
ils/elles	résolurent	ils/elles	eurent	résolu

Conditionnel

présent		**passé**		
je	résoudrais	j'	aurais	résolu
tu	résoudrais	tu	aurais	résolu
il/elle	résoudrait	il/elle	aurait	résolu
nous	résoudrions	nous	aurions	résolu
vous	résoudriez	vous	auriez	résolu
ils/elles	résoudraient	ils/elles	auraient	résolu

RÉSOUDRE

Infinitif		Participe		Impératif	
présent	**passé**	**présent**	**passé**	**présent**	**passé**
résoudre	avoir résolu	résolvant	résolu/ue, résolus/ues ayant résolu	résous résolvons résolvez	aie résolu ayons résolu ayez résolu

Subjonctif

présent			**passé**			
que	je	résolve	que	j'	aie	résolu
que	tu	résolves	que	tu	aies	résolu
qu'	il/elle	résolve	qu'	il/elle	ait	résolu
que	nous	résolvions	que	nous	ayons	résolu
que	vous	résolviez	que	vous	ayez	résolu
qu'	ils/elles	résolvent	qu'	ils/elles	aient	résolu
imparfait			**plus-que-parfait**			
que	je	résolusse	que	j'	eusse	résolu
que	tu	résolusses	que	tu	eusses	résolu
qu'	il/elle	résolût	qu'	il/elle	eût	résolu
que	nous	résolussions	que	nous	eussions	résolu
que	vous	résolussiez	que	vous	eussiez	résolu
qu'	ils/elles	résolussent	qu'	ils/elles	eussent	résolu

Les verbes en *-soudre* perdent le *d* du radical au présent de l'indicatif, comme les verbes en *-(a/e/o)indre*. Le *d* du radical ne se trouve qu'au futur et au conditionnel *(je résou**d**rai, je résou**d**rais)*.

Attention !

La seule différence entre *résoudre* et les autres verbes en *-soudre* concerne le participe passé : *résolu* s'écrit sans *s*, à la différence de *absous* et *dissous*.

C'est là qu'on se trompe

Il ne faut pas confondre les participes passés *absous, absoute* et *dissous, dissoute* avec les adjectifs *absolu* et *dissolu*.

C'est permis !

La réforme orthographique de 1990 autorise d'écrire *absout, dissout*.

MOUDRE

3e groupe : verbes en -(OU)DRE

émoudre, remoudre

Indicatif

présent		**passé composé**		
je	mouds	j'	ai	moulu
tu	mouds	tu	as	moulu
il/elle	moud	il/elle	a	moulu
nous	moulons	nous	avons	moulu
vous	moulez	vous	avez	moulu
ils/elles	moulent	ils/elles	ont	moulu
imparfait		**plus-que-parfait**		
je	moulais	j'	avais	moulu
tu	moulais	tu	avais	moulu
il/elle	moulait	il/elle	avait	moulu
nous	moulions	nous	avions	moulu
vous	mouliez	vous	aviez	moulu
ils/elles	moulaient	ils/elles	avaient	moulu
futur simple		**futur antérieur**		
je	moudrai	j'	aurai	moulu
tu	moudras	tu	auras	moulu
il/elle	moudra	il/elle	aura	moulu
nous	moudrons	nous	aurons	moulu
vous	moudrez	vous	aurez	moulu
ils/elles	moudront	ils/elles	auront	moulu
passé simple		**passé antérieur**		
je	moulus	j'	eus	moulu
tu	moulus	tu	eus	moulu
il/elle	moulut	il/elle	eut	moulu
nous	moulûmes	nous	eûmes	moulu
vous	moulûtes	vous	eûtes	moulu
ils/elles	moulurent	ils/elles	eurent	moulu

Conditionnel

présent		**passé**		
je	moudrais	j'	aurais	moulu
tu	moudrais	tu	aurais	moulu
il/elle	moudrait	il/elle	aurait	moulu
nous	moudrions	nous	aurions	moulu
vous	moudriez	vous	auriez	moulu
ils/elles	moudraient	ils/elles	auraient	moulu

MOUDRE

Infinitif		Participe		Impératif	
présent	**passé**	**présent**	**passé**	**présent**	**passé**
moudre	avoir moulu	moulant	moulu/ue,	mouds	aie moulu
			moulus/ues	moulons	ayons moulu
			ayant moulu	moulez	ayez moulu

Subjonctif						
présent			**passé**			
que	je	moule	que	j'	aie	moulu
que	tu	moules	que	tu	aies	moulu
qu'	il/elle	moule	qu'	il/elle	ait	moulu
que	nous	moulions	que	nous	ayons	moulu
que	vous	mouliez	que	vous	ayez	moulu
qu'	ils/elles	moulent	qu'	ils/elles	aient	moulu
imparfait			**plus-que-parfait**			
que	je	moulusse	que	j'	eusse	moulu
que	tu	moulusses	que	tu	eusses	moulu
qu'	il/elle	moulût	qu'	il/elle	eût	moulu
que	nous	moulussions	que	nous	eussions	moulu
que	vous	moulussiez	que	vous	eussiez	moulu
qu'	ils/elles	moulussent	qu'	ils/elles	eussent	moulu

Les verbes en *-oudre* conservent le *d* du radical aux trois premières personnes du présent de l'indicatif, comme les verbes en *-endre* et en *-ondre*. La 3e personne du singulier n'a pas de désinence : *Il moud*.

C'est là qu'on se trompe

Le *d* est remplacé par un *l* à l'imparfait, au passé simple et aux trois personnes du pluriel de l'indicatif présent : dire **nous moudons*, sur le modèle *nous rendons*, est fautif.

Vous avez dit bizarre ?

Émoulu vient de l'ancien verbe *émoudre*, et *vermoulu* vient de l'expression *moulu par les vers*.

COUDRE

3e groupe : verbes en -(OU)DRE

découdre, recoudre

Indicatif

présent

je	couds
tu	couds
il/elle	coud
nous	cousons
vous	cousez
ils/elles	cousent

imparfait

je	cousais
tu	cousais
il/elle	cousait
nous	cousions
vous	cousiez
ils/elles	cousaient

futur simple

je	coudrai
tu	coudras
il/elle	coudra
nous	coudrons
vous	coudrez
ils/elles	coudront

passé simple

je	cousis
tu	cousis
il/elle	cousit
nous	cousîmes
vous	cousîtes
ils/elles	cousirent

passé composé

j'	ai	cousu
tu	as	cousu
il/elle	a	cousu
nous	avons	cousu
vous	avez	cousu
ils/elles	ont	cousu

plus-que-parfait

j'	avais	cousu
tu	avais	cousu
il/elle	avait	cousu
nous	avions	cousu
vous	aviez	cousu
ils/elles	avaient	cousu

futur antérieur

j'	aurai	cousu
tu	auras	cousu
il/elle	aura	cousu
nous	aurons	cousu
vous	aurez	cousu
ils/elles	auront	cousu

passé antérieur

j'	eus	cousu
tu	eus	cousu
il/elle	eut	cousu
nous	eûmes	cousu
vous	eûtes	cousu
ils/elles	eurent	cousu

Conditionnel

présent

je	coudrais
tu	coudrais
il/elle	coudrait
nous	coudrions
vous	coudriez
ils/elles	coudraient

passé

j'	aurais	cousu
tu	aurais	cousu
il/elle	aurait	cousu
nous	aurions	cousu
vous	auriez	cousu
ils/elles	auraient	cousu

COUDRE

Infinitif		Participe		Impératif	
présent	**passé**	**présent**	**passé**	**présent**	**passé**
coudre	avoir cousu	cousant	cousu/ue, cousus/ues ayant cousu	couds cousons cousez	aie cousu ayons cousu ayez cousu

Subjonctif

présent			passé			
que	je	couse	que	j'	aie	cousu
que	tu	couses	que	tu	aies	cousu
qu'	il/elle	couse	qu'	il/elle	ait	cousu
que	nous	cousions	que	nous	ayons	cousu
que	vous	cousiez	que	vous	ayez	cousu
qu'	ils/elles	cousent	qu'	ils/elles	aient	cousu
imparfait			**plus-que-parfait**			
que	je	cousisse	que	j'	eusse	cousu
que	tu	cousisses	que	tu	eusses	cousu
qu'	il/elle	cousît	qu'	il/elle	eût	cousu
que	nous	cousissions	que	nous	eussions	cousu
que	vous	cousissiez	que	vous	eussiez	cousu
qu'	ils/elles	cousissent	qu'	ils/elles	eussent	cousu

Les verbes en *-oudre* conservent le *d* du radical aux trois premières personnes du présent de l'indicatif, comme les verbes en *-endre* et en *-ondre*. La 3e personne du singulier n'a pas de désinence : *Il coud.*

C'est là qu'on se trompe

Le *d* est remplacé par un *s* à l'imparfait, au passé simple et aux trois personnes du pluriel de l'indicatif présent : dire **nous coudons*, sur le modèle *nous rendons*, est fautif.

CLORE

3e groupe : verbes en -(O)RE

enclore, éclore, déclore, forclore

Indicatif

présent

je	clos
tu	clos
il/elle	clôt
nous	closons
vous	closez
ils/elles	closent

imparfait

inusité

futur simple

je	clorai
tu	cloras
il/elle	clora
nous	clorons
vous	clorez
ils/elles	cloront

passé simple

inusité

passé composé

j'	ai	clos
tu	as	clos
il/elle	a	clos
nous	avons	clos
vous	avez	clos
ils/elles	ont	clos

plus-que-parfait

j'	avais	clos
tu	avais	clos
il/elle	avait	clos
nous	avions	clos
vous	aviez	clos
ils/elles	avaient	clos

futur antérieur

j'	aurai	clos
tu	auras	clos
il/elle	aura	clos
nous	aurons	clos
vous	aurez	clos
ils/elles	auront	clos

passé antérieur

j'	eus	clos
tu	eus	clos
il/elle	eut	clos
nous	eûmes	clos
vous	eûtes	clos
ils/elles	eurent	clos

Conditionnel

présent

je	clorais
tu	clorais
il/elle	clorait
nous	clorions
vous	cloriez
ils/elles	cloraient

passé

j'	aurais	clos
tu	aurais	clos
il/elle	aurait	clos
nous	aurions	clos
vous	auriez	clos
ils/elles	auraient	clos

Infinitif		Participe		Impératif	
présent	**passé**	**présent**	**passé**	**présent**	**passé**
clore	avoir clos	closant	clos/ose,	clos	aie clos
			clos/oses	*inusité*	ayons clos
			ayant clos	*inusité*	ayez clos

Subjonctif

présent			**passé**			
que	je	close	que	j'	aie	clos
que	tu	closes	que	tu	aies	clos
qu'	il/elle	close	qu'	il/elle	ait	clos
que	nous	closions	que	nous	ayons	clos
que	vous	closiez	que	vous	ayez	clos
qu'	ils/elles	closent	qu'	ils/elles	aient	clos
imparfait			**plus-que-parfait**			
inusité			que	j'	eusse	clos
			que	tu	eusses	clos
			qu'	il/elle	eût	clos
			que	nous	eussions	clos
			que	vous	eussiez	clos
			qu'	ils/elles	eussent	clos

Le verbe *clore* et ses dérivés sont défectifs. Ils sont inusités à l'imparfait, au passé simple et à l'imparfait du subjonctif, et peu employés aux autres temps.

Attention !

- *Clore* prend un accent circonflexe sur le *o* à la 3e personne du singulier du présent *(il clôt)*, mais pas ses dérivés *éclore (il éclot)* et *enclore (il enclot).*
- *Déclore* et *forclore* n'existent plus qu'au participe passé et à l'infinitif.

SE REPAÎTRE

3e groupe : verbes en - (AÎT)RE

paître

Indicatif

présent			passé composé			
je	me	repais	je	me	suis	repu/ue
tu	te	repais	tu	t'	es	repu/ue
il/elle	se	repaît	il/elle	s'	est	repu/ue
nous	nous	repaissons	nous	nous	sommes	repus/ues
vous	vous	repaissez	vous	vous	êtes	repus/ues
ils/elles	se	repaissent	ils/elles	se	sont	repus/ues

imparfait			plus-que-parfait			
je	me	repaissais	je	m'	étais	repu/ue
tu	te	repaissais	tu	t'	étais	repu/ue
il/elle	se	repaissait	il/elle	s'	était	repu/ue
nous	nous	repaissions	nous	nous	étions	repus/ues
vous	vous	repaissiez	vous	vous	étiez	repus/ues
ils/elles	se	repaissaient	ils/elles	s'	étaient	repus/ues

futur simple			futur antérieur			
je	me	repaîtrai	je	me	serai	repu/ue
tu	te	repaîtras	tu	te	seras	repu/ue
il/elle	se	repaîtra	il/elle	se	sera	repu/ue
nous	nous	repaîtrons	nous	nous	serons	repus/ues
vous	vous	repaîtrez	vous	vous	serez	repus/ues
ils/elles	se	repaîtront	ils/elles	se	seront	repus/ues

passé simple			passé antérieur			
je	me	repus	je	me	fus	repu/ue
tu	te	repus	tu	te	fus	repu/ue
il/elle	se	reput	il/elle	se	fut	repu/ue
nous	nous	repûmes	nous	nous	fûmes	repus/ues
vous	vous	repûtes	vous	vous	fûtes	repus/ues
ils/elles	se	repurent	ils/elles	se	furent	repus/ues

Conditionnel

présent			passé			
je	me	repaîtrais	je	me	serais	repu/ue
tu	te	repaîtrais	tu	te	serais	repu/ue
il/elle	se	repaîtrait	il/elle	se	serait	repu/ue
nous	nous	repaîtrions	nous	nous	serions	repus/ues
vous	vous	repaîtriez	vous	vous	seriez	repus/ues
ils/elles	se	repaîtraient	ils/elles	se	seraient	repus/ues

Infinitif		Participe		Impératif	
présent	**passé**	**présent**	**passé**	**présent**	**passé**
se repaître	s'être repu/ue, repus/ues	se repaissant	repu/ue, repus/ues s'étant repu/ue/us/ues	repais-toi repaissons-nous repaissez-vous	*inusité*

Subjonctif

présent				passé				
que	je	me	repaisse	que	je	me	sois	repu/ue
que	tu	te	repaisses	que	tu	te	sois	repu/ue
qu'	il/elle	se	repaisse	qu'	il/elle	se	soit	repu/ue
que	nous	nous	repaissions	que	nous	nous	soyons	repus/ues
que	vous	vous	repaissiez	que	vous	vous	soyez	repus/ues
qu'	ils/elles	se	repaissent	qu'	ils/elles	se	soient	repus/ues
imparfait				**plus-que-parfait**				
que	je	me	repusse	que	je	me	fusse	repu/ue
que	tu	te	repusses	que	tu	te	fusses	repu/ue
qu'	il/elle	se	repût	qu'	il/elle	se	fût	repu/ue
que	nous	nous	repussions	que	nous	nous	fussions	repus/ues
que	vous	vous	repussiez	que	vous	vous	fussiez	repus/ues
qu'	ils/elles	se	repussent	qu'	ils/elles	se	fussent	repus/ues

- Les verbes en *-aître* prennent un accent circonflexe sur le *i* chaque fois qu'il est suivi d'un *t (il se repaît, il se repaîtra, il se repaîtrait).*
- Le verbe *se repaître,* pronominal, forme ses temps composés avec l'auxiliaire *être.*

Attention !

Paître n'a pas de participe passé, donc pas de temps composés. Il n'existe ni au passé simple ni au subjonctif imparfait.

C'est permis !

La réforme orthographique de 1990 autorise la suppression de l'accent circonflexe chaque fois que celui-ci n'est pas discriminant : *Il se repait, il se repaitra.*

CONFIRE

3e groupe : verbes en -(I)RE

déconfire, frire, circoncire

Indicatif

présent		passé composé		
je	confis	j'	ai	confit
tu	confis	tu	as	confit
il/elle	confit	il/elle	a	confit
nous	confisons	nous	avons	confit
vous	confisez	vous	avez	confit
ils/elles	confisent	ils/elles	ont	confit
imparfait		**plus-que-parfait**		
je	confisais	j'	avais	confit
tu	confisais	tu	avais	confit
il/elle	confisait	il/elle	avait	confit
nous	confisions	nous	avions	confit
vous	confisiez	vous	aviez	confit
ils/elles	confisaient	ils/elles	avaient	confit
futur simple		**futur antérieur**		
je	confirai	j'	aurai	confit
tu	confiras	tu	auras	confit
il/elle	confira	il/elle	aura	confit
nous	confirons	nous	aurons	confit
vous	confirez	vous	aurez	confit
ils/elles	confiront	ils/elles	auront	confit
passé simple		**passé antérieur**		
je	confis	j'	eus	confit
tu	confis	tu	eus	confit
il/elle	confit	il/elle	eut	confit
nous	confîmes	nous	eûmes	confit
vous	confîtes	vous	eûtes	confit
ils/elles	confirent	ils/elles	eurent	confit

Conditionnel

présent		passé		
je	confirais	j'	aurais	confit
tu	confirais	tu	aurais	confit
il/elle	confirait	il/elle	aurait	confit
nous	confirions	nous	aurions	confit
vous	confiriez	vous	auriez	confit
ils/elles	confiraient	ils/elles	auraient	confit

CONFIRE

Infinitif		Participe		Impératif	
présent	**passé**	**présent**	**passé**	**présent**	**passé**
confire	avoir confit	confisant	confit/te,	confis	aie confit
			confits/tes	confisons	ayons confit
			ayant confit	confisez	ayez confit

Subjonctif						
présent			**passé**			
que	je	confise	que	j'	aie	confit
que	tu	confises	que	tu	aies	confit
qu'	il/elle	confise	qu'	il/elle	ait	confit
que	nous	confisions	que	nous	ayons	confit
que	vous	confisiez	que	vous	ayez	confit
qu'	ils/elles	confisent	qu'	ils/elles	aient	confit
imparfait			**plus-que-parfait**			
que	je	confisse	que	j'	eusse	confit
que	tu	confisses	que	tu	eusses	confit
qu'	il/elle	confît	qu'	il/elle	eût	confit
que	nous	confissions	que	nous	eussions	confit
que	vous	confissiez	que	vous	eussiez	confit
qu'	ils/elles	confissent	qu'	ils/elles	eussent	confit

Les verbes *confire, déconfire, frire* et *circoncire* suivent le modèle de *suffire,* sauf pour les participes passés, qui sont variables et qui prennent un *t (confi**t**, confi**te**; déconfi**t**, déconfi**te**; fri**t**, fri**te**)* ou un *s (circonci**s**, circonci**se**).*

Attention !

Frire est un verbe défectif qui n'a pas de pluriel au présent de l'indicatif et de l'impératif. Il est par ailleurs inusité à l'indicatif imparfait et passé simple, ainsi qu'au subjonctif présent et imparfait. Aux formes inusitées, il est remplacé par la tournure *faire frire.*

Les fiches du verbe

MODE D'EMPLOI DES FICHES DU VERBE

Les 53 **fiches du verbe** rassemblent les difficultés de conjugaison et d'accord des verbes de la langue française et apportent des réponses simples et précises.

Chaque point de conjugaison ou d'accord est facilement accessible grâce à son classement alphabétique et à la question d'usage qui l'explicite.

Le déroulement d'une fiche s'articule autour de repères simples comme l'énoncé d'une règle de conjugaison et les rubriques décrites en début d'ouvrage, page 8.

Une difficulté de conjugaison allant rarement seule, des renvois d'une fiche à une autre sont proposés dès que nécessaire.

Émaillées d'exemples tirés de la vie courante, de citations ainsi que de tableaux de synthèse, les fiches claires et attrayantes de ***Tout sur les verbes français*** faciliteront à tous la maîtrise des verbes et de leur construction.

L'ACCORD DU PARTICIPE PASSÉ

En bref

■ Dans tous les cas où la différence entre le masculin et le féminin, entre le singulier et le pluriel ne s'entend pas, l'accord du participe passé est une question d'orthographe plus encore que de grammaire.

■ Le participe passé employé sans auxiliaire s'accorde comme un adjectif avec le nom auquel il se rapporte : *Des fleurs fanées.*

■ Le participe passé employé avec l'auxiliaire *être* s'accorde avec le sujet, sauf avec certains verbes pronominaux : *Les employés sont partis.*

■ Le participe passé employé avec l'auxiliaire *avoir* ne peut s'accorder qu'avec un complément d'objet direct placé avant l'auxiliaire.

■ Le participe passé reste invariable si le verbe n'a pas de complément d'objet direct, ou si celui-ci est placé après le verbe : *J'ai perdu mes chaussures. Les dix euros que ce livre a coûté.*

■ Le participe passé d'un verbe impersonnel est invariable : *Les grands froids qu'il a fait.*

C'est là qu'on se trompe

Le participe passé des verbes pronominaux, bien que conjugué avec l'auxiliaire *être*, suit la règle d'accord du participe conjugué avec le verbe *avoir* : *Ils se sont plu. Elles se sont écrit*, sauf quand le verbe est essentiellement pronominal ou de sens passif : *Ils se sont repentis. Les rues se sont vidées.* ■

Des petites astuces !

– Le participe passé suivi d'un verbe à l'infinitif s'accorde si le COD est l'agent du verbe à l'infinitif : *Les champions que j'ai vus courir.*

– Les participes passés de *faire* et *laisser* suivis d'un infinitif sont toujours invariables: *La robe qu'elle a fait faire.* ■

L'ACCORD DU PARTICIPE PASSÉ

Comment accorder le participe passé conjugué avec le verbe *avoir*?

- **Le participe passé employé avec le verbe *avoir* ne s'accorde jamais avec son sujet.**

Le participe passé s'accorde

Si le verbe est précédé de son complément d'objet direct, le participe passé s'accorde en genre et en nombre avec ce COD: *Quels problèmes as-tu rencontrés? J'ai résumé les œuvres que j'ai lues. Les épreuves que m'a fournies le photographe.*

Attention !

En français, le COD est généralement placé après le verbe. Il est placé avant le verbe dans trois cas:

– Avec les interrogatifs: ***Quelles œuvres*** *as-tu lues?*

– Lorsqu'il est un pronom relatif: *J'ai résumé celles* ***que*** *j'ai lues.*

– Lorsqu'il est un pronom personnel: *Je* ***les*** *ai lues avant de les résumer. Il* ***nous*** *a invités, mon frère et moi.*

Des petites astuces !

– Dans les cas de subordination au deuxième degré, c'est-à-dire quand le participe passé est placé entre deux *que*, il faut bien identifier le COD: *La somme qu'il avait espérée./La somme qu'il avait espéré qu'on lui donnerait. Les aventures que j'ai imaginées./Les aventures que j'ai imaginé que je vivrais* (ici, *aventures* est COD de *vivrais*; la proposition conjonctive *que je vivrais* est COD de *j'ai imaginé*: *J'avais imaginé que je vivrais des aventures*).

– Quand le pronom COD est *en*, le participe reste invariable: *Des fleurs, il n'en a pas offert souvent. Des nouvelles, il m'en a donné tous les jours.*

Le participe passé ne s'accorde pas

- Si le verbe n'a pas de complément d'objet direct: *Les enfants ont sauté de joie.*
- Si le COD est placé après le verbe: *Ils ont apporté des documents. Il a fermé la porte.*

L'accord n'est donc possible que pour les verbes transitifs directs, c'est-à-dire les verbes qui ont un complément d'objet construit sans préposition. Il faut que le complément soit un vrai COD.

C'est là qu'on se trompe

– Il n'y a pas d'accord pour les verbes intransitifs : *Il ment. / Il a menti.*
– Il n'y a pas d'accord pour les verbes transitifs indirects : *Elle parle à sa mère. / Elle lui a parlé.*
– Il n'y a pas d'accord pour les verbes impersonnels : *Les soins qu'il a fallu; les tempêtes qu'il y a eu dans cette région; les grandes chaleur qu'il a fait.*
– Il n'y a pas d'accord pour les verbes qui se construisent avec un complément circonstanciel de mesure sans préposition (*courir, coûter, durer, mesurer, peser, valoir, vivre...*). Ce complément ressemble à un COD mais il répond à la question *combien* et non à la question *quoi* : *Les cinq euros que ce livre a coûté; les mille mètres qu'elle a couru; les deux heures que ce discours a duré.*

Vous avez dit bizarre ?

L'accord se fait lorsque ces verbes sont employés avec un COD dans un sens figuré : *Les dangers que j'ai courus; les efforts que ce travail m'a coûtés; la gloire que cette action lui a value; l'histoire qu'il a vécue.*

Cas particuliers

- Quand le participe passé a pour COD un nom collectif, il s'accorde selon l'idée qui l'emporte : *La bande d'oiseaux que nous avons vue (vus); les bottes de foin qu'on a fauché...*
- Quand les COD sont joints par *ou* marquant l'exclusion, l'accord se fait avec le dernier : *Est-ce lui ou elle que tu as invitée ?*
- Un participe passé suivi d'un adjectif attribut s'accorde avec le COD quand il est placé avant le verbe : *Cette plage que l'on avait dite polluée, il l'a crue perdue.*

Vous avez dit bizarre ?

L'absence d'accord est fréquente et tolérée : *Cette plage que l'on avait dit polluée, il l'a trouvé belle.*

L'ACCORD DU PARTICIPE PASSÉ DES VERBES PRONOMINAUX

Comment accorder le participe passé des verbes pronominaux ?

■ Les verbes pronominaux sont précédés d'un pronom de la même personne que le sujet : *Je me lève.* Ils sont toujours conjugués avec le verbe *être.*

Les verbes essentiellement pronominaux

■ **Comment reconnaître les verbes essentiellement pronominaux ?**
Les verbes essentiellement pronominaux n'existent qu'à la forme pronominale et ils n'auraient aucun sens sans le pronom : *s'absenter, se souvenir, se méfier, se moquer, s'écrier...* Ils n'ont jamais de COD.

■ **Comment accorder les verbes essentiellement pronominaux ?**
L'accord se fait obligatoirement avec le sujet : ***Les oiseaux*** *se sont envol**és**.* ***Les années*** *se sont enfui**es**.* ***Elles*** *se sont moqu**ées** de nous.*

Exception

Bien que le verbe *s'arroger* soit essentiellement pronominal, il se construit avec un COD : *s'arroger un droit.* Son participe passé ne s'accorde pas avec le sujet mais avec le COD s'il est placé devant le verbe : ***Les droits*** *exorbitants qu'il s'est arrog**és**/ Ils se sont arrog**é** **des droits**.*

Les verbes pronominaux passifs

■ **Comment reconnaître les verbes pronominaux passifs ?**
Les verbes pronominaux passifs ne sont pas de véritables pronominaux, car le pronom *se* n'est pas un pronom réfléchi : *Ce vin se boit au dessert* (= ce vin est bu au dessert). *Cette expression ne s'emploie plus aujourd'hui* (= n'est plus employée).

■ **Comment accorder les verbes pronominaux passifs ?**
L'accord se fait obligatoirement avec le sujet, exactement comme au passif : *Les tableaux se sont vendus très cher* (= les tableaux ont été vendus très cher.)

Les verbes occasionnellement pronominaux

■ **Comment reconnaître les verbes occasionnellement pronominaux ?**
Les verbes occasionnellement pronominaux sont susceptibles d'un emploi non pronominal : *acheter une robe/s'acheter une robe; regarder un tableau/ se regarder dans la glace.* Le pronom *se* prend alors une fonction grammaticale (COD ou COI).

L'ACCORD DU PARTICIPE PASSÉ DES VERBES PRONOMINAUX

■ Comment accorder les verbes occasionnellement pronominaux ?

Attention !

La difficulté tient à ce qu'ils se conjuguent avec l'auxiliaire *être*, mais suivent des règles proches du participe passé conjugué avec *avoir*.

– Si le COD est placé après le verbe, il n'y a pas d'accord : *Elle s'est coupé le doigt. Elle s'est lavé les mains. Elle s'est préparé des côtelettes.*

– Si le COD est placé avant le verbe, il y a accord : *Les belles vacances qu'il s'est offertes. Voici la chemise qu'il s'est lavée. Elle s'est coupée, elle s'est lavée, elle s'est préparée.*

■ Le pronom et le sujet représentent toujours la même personne. Quand le verbe s'accorde avec le pronom COD, on peut dire aussi qu'il s'accorde avec le sujet.

Le pronom placé avant le verbe est COD, qu'il s'agisse de pronominaux de sens réciproque : *C'est alors que nous nous sommes rencontrés, puis nous nous sommes appelés au téléphone et nous nous sommes revus* (*nous* mis pour « l'un l'autre » est COD) ou qu'il s'agisse de pronominaux de sens réfléchi : *Elle s'est lavée* (= elle a lavé elle-même). *Elles se sont levées tôt. Elle s'est calmée. Elle s'est regardée dans la glace et elle s'est vue.*

Des petites astuces !

Si l'on hésite sur la classification des verbes pronominaux, on peut simplifier la règle et retenir que le participe passé des verbes pronominaux s'accorde globalement en genre et en nombre avec le sujet, sauf quand le pronom intérieur est COI.

– Quand le verbe est suivi d'un complément d'objet direct, le pronom est COI : *Elles se sont lancé des pierres. Elle s'est lavé les dents. Nous nous sommes rappelé notre enfance. Elle s'est acheté une robe.*

– Quand le verbe se construit indirectement, le pronom est COI : *Nous nous sommes parlé. Vous vous êtes souri. Ils se sont plu. Ils se sont téléphoné. Trois présidents se sont succédé la même année.*

– Pour reconnaître le COI, on remplace *être* par *avoir* : *Ils se sont nui* (= ils ont nui à eux-mêmes). *Ils se sont préparé des côtelettes* (= ils ont préparé des côtelettes à eux-mêmes).

C'est là qu'on se trompe

– Le participe passé de certaines locutions verbales est invariable : *Des dissensions se sont fait jour. Elle s'est mis à dos le directeur. Elle s'en est rendu compte. Elle s'est fait fort de réussir.*

– D'autres locutions, au contraire, sont variables : *Elle s'est crue obligée de venir. Elles se sont trouvées court.*

Quand faut-il accorder le participe passé conjugué avec le verbe *être*?

Le participe passé employé avec *être*

- Le participe passé employé avec le verbe *être* fonctionne comme un adjectif et s'accorde avec le sujet du verbe, tout comme un attribut du sujet: *À quelle heure es*-tu *sortie*? (*tu* désigne une fille). Les filles *ne sont pas admises*. Mes frères *sont arrivés aujourd'hui*.
- Cette règle s'applique aux verbes d'état *sembler, paraître, rester, demeurer* qui se construisent avec un attribut du sujet: Les spectateurs *semblent ravis*. La maison *restera fermée tout l'été*. Sa position *ne semblait pas bien arrêtée*.

Attention !

Cette règle s'aménage dans le cas des participes passés des verbes pronominaux, qui se conjuguent aussi avec le verbe *être*.

Des petites astuces !

– Le participe passé du verbe *être* est *avoir été*; *été* est toujours invariable, le participe s'accorde avec le sujet: *Isabelle a été cambriolée. Les filles ont été admises. Les magasins avaient été décorés.*

– Quand le sujet est *on*, le participe passé se met au masculin singulier ou au pluriel, si *on* représente un pluriel; l'accord se fait selon la grammaire ou selon le sens: *Mes amis et moi, on est très fatigué(s).*

– Quand le sujet est un *nous* de modestie ou un *vous* de politesse, le participe passé reste au singulier; l'accord se fait plutôt selon le sens: *Dans ce mémoire, nous sommes parti d'une simple observation. Vous serez naturellement tout excusé.*

Être auxiliaire du passif

- On définit le passif par rapport à l'actif; la transformation passive inverse les rôles du sujet (= celui qui fait l'action) et de l'objet (= celui qui subit l'action): *L'enfant casse ses jouets. / Les jouets sont cassés par l'enfant.*
- La voix passive se construit exclusivement à l'aide de l'auxiliaire *être*, dans une structure semblable à la construction de l'attribut: *La poupée a été cassée. Les voleurs sont arrêtés par les gendarmes.*
- Cette construction ne se confond pas avec les temps composés des verbes qui se conjuguent avec le verbe *être*, mais du point de vue de l'orthographe, elle suit les mêmes règles: le participe passé dans les formes passives s'accorde toujours avec le sujet.

Voir l'accord du participe passé des verbes pronominaux.

Comment accorder le participe passé suivi d'un infinitif ?

- Le participe passé suivi d'un infinitif ne suit pas exactement les règles générales.

Fait + infinitif

Le participe est toujours invariable: *La maison que j'ai **fait** bâtir; les amis qu'elle a **fait** venir; les livres qu'il a **fait** envoyer.*

Laissé + infinitif

L'accord est incertain dans l'usage, la réforme de l'orthographe recommande de ne pas accorder le participe passé.

C'est permis !

Elle s'est **laissé** *mourir. Je les ai* **laissé** *partir.* Le participe passé est invariable même quand le complément d'objet est placé avant le verbe: *La maison qu'elle a **laissé** saccager.*

Verbe de perception + infinitif

- Le participe s'accorde si le COD (placé avant le verbe, naturellement) est l'agent de l'infinitif: *La chanteuse que j'ai entendue chanter* (elle chante). Chaque verbe de la phrase possède un sujet propre: c'est moi qui entends, c'est la cantatrice qui chante. On peut toujours intercaler *en train de*: *La chanteuse que j'ai entendue en train de chanter.*
- Le participe ne s'accorde pas si le COD n'est pas l'agent de l'infinitif: *La chanson que j'ai entendu chanter* (ce n'est pas la chanson qui chante); *la pièce que j'ai vu jouer* (la pièce ne fait pas l'action de jouer). Le verbe à l'infinitif n'a pas de sujet exprimé, il peut être mis au passif: *La pièce que j'ai vu être jouée.*

Vous avez dit bizarre ?

Le sens varie selon l'accord; dans: *la chèvre que j'ai vue manger,* c'est la chèvre qui mange; dans: *la chèvre que j'ai vu manger,* la chèvre est mangée.

Une petite astuce !

Les participes qui ont pour complément d'objet direct un infinitif sous-entendu sont toujours invariables: *Il n'a pas payé toutes les sommes qu'il aurait dû* (sous-entendu: «payer»). *Je lui ai rendu tous les services que j'ai pu* (sous-entendu: «lui rendre»).

L'ACCORD DU VERBE

Quand faut-il accorder le verbe en personne ?

■ **Le verbe s'accorde en nombre et en personne avec son sujet.**

Lorsqu'un sujet représente deux personnes différentes, le verbe se met toujours au pluriel, en accord avec la personne du rang le plus petit:

- *toi et moi partirons*
  (2e + 1re personne = 1re personne)
- *lui et moi partirons*
  (3e + 1re personne = 1re personne)
- *toi et lui partirez*
  (2e + 3e personne = 2e personne)
- *vous et moi partirons*
  (2e + 1re personne = 1re personne)
- *eux et moi partirons*
  (3e + 1re personne = 1re personne)
- *vous et eux partirez*
  (2e + 3e personne = 2e personne)

Une petite astuce !

Pour ne pas se tromper, il suffit de rajouter un pronom: *Toi et moi, nous partirons.*

L'accord du verbe après le pronom relatif

Le verbe s'accorde avec l'antécédent du pronom relatif: *C'est* ***moi*** *qui* ***suis*** *responsable. C'est* ***toi*** *qui* ***viendras***. Il y a accord avec l'antécédent *moi, toi,* pronoms de 1re et 2e personne. *Vous êtes la* ***personne*** *qui m'****a*** *le plus aidé. Tu es la seule* ***personne*** *qui* ***soit*** *venue*. Il y a accord avec l'antécédent *personne*, attribut du sujet.

Une petite astuce !

Si l'antécédent est une apostrophe, le verbe est à la 2e personne: *Ah, fidèle ami, qui viens à moi dans le malheur !*

L'accord du verbe *être*

- Le verbe *être* précédé du pronom *ce* se met au pluriel si l'attribut est au pluriel: *Ce sont de gentils garçons. C'étaient les plus belles filles du pays.*
- Si *c'est* est considéré comme un présentatif figé, il n'y a aucune raison d'accorder: *C'est eux que j'attends. C'est des gens que je ne connais pas.*
- *C'est* ne s'accorde pas en personne et reste au singulier:

– devant les pluriels *nous* et *vous*: *C'est nous qui avons gagné.*

– devant l'indication de l'heure ou d'une somme: *C'est deux heures qui sonnent. C'est deux mille euros que tu me dois.*

– devant une préposition: *C'est à eux seuls que je rendrai des comptes.*

– dans les interrogations: *Est-ce tes parents qui sont là ?*

L'accord du verbe avec plusieurs sujets se fait au pluriel

Si le verbe a plusieurs sujets, on le met au pluriel, même si chacun des sujets est singulier: *Ma voisine et son mari sont venus nous voir. Ma voisine, son mari, ses enfants sont arrivés chez nous.*

L'accord du verbe avec plusieurs sujets se fait au singulier

- Si le sujet est constitué de plusieurs groupes au singulier désignant la même chose, le verbe reste au singulier: *Un air, un chant lointain et inconnu, une mélodie infiniment douce s'éleva.*
- Après plusieurs sujets introduits chacun par *aucun, chaque, nul* ou *tout* répétés, le verbe s'accorde avec le dernier sujet: *Nulle route, nulle bâtisse, nul aménagement ne troublait le paysage. Chaque client, chaque solliciteur, chaque visiteur doit être bien reçu.*

L'accord du verbe avec plusieurs sujets se fait au singulier ou au pluriel

- Après *l'un ou l'autre, l'un et l'autre,* on met le singulier (même si le pluriel est également possible): *L'un ou l'autre se dit / se disent.*
- Après *ni... ni...,* on accorde au singulier s'il y a exclusion: *Ni Paul, ni Sophie ne viendra* (personne ne viendra). L'accord se fait au pluriel dans le cas contraire: *Ni ses vacances en Italie, ni son voyage au Maroc ne l'ont enthousiasmé.*
- Quand les sujets sont coordonnés par *ou,* le verbe est au singulier si un seul sujet fait ou subit l'action: *Henri ou son frère sera président du club.* Il est au pluriel si l'on peut dire «l'un et l'autre»: *Henri ou son frère présenteront le projet avec la même conviction.*
- Après *comme, ainsi que,* le verbe est au pluriel s'il y a addition de sujets: *La mémoire comme l'imagination sont indispensables.* Le verbe est au singulier s'il s'agit d'une comparaison: *La mémoire, comme l'imagination, est une faculté étonnante.*

L'ACCORD DU VERBE

Quels sont les cas d'accord difficiles ?

■ Avec *un de ceux, une de celles*, le verbe se met au pluriel: *Je suis un de ceux qui ont réussi l'examen.*

■ **Après un nom collectif**, le verbe se met généralement au pluriel après un article indéfini: *Une dizaine de gardes entourent notre héros.*
Il se met au singulier après un article défini: *La majorité des élèves déjeune à la cantine. L'équipe de basketteurs a été battue.*
Le verbe s'accorde ainsi avec celui des deux mots qui semble le plus important.

■ **Après un adverbe de quantité**: *beaucoup de, la plupart de, peu de...* suivi d'un nom, le verbe s'accorde avec le nom qui suit l'adverbe: *Nombre de retraités s'ennuient. La plupart des invités sont arrivés. Beaucoup de courage sera nécessaire.*

C'est là qu'on se trompe

– ***Moins de deux*** **commande le pluriel**: *Moins de deux minutes m'ont suffi.*
– ***Plus d'un*** **commande le singulier**: *Plus d'une minute lui suffira.* ■

■ **Quand le sujet est un pronom indéfini de sens pluriel**, le verbe se met au pluriel: *Beaucoup sont venus, la plupart m'ont paru sympathiques. Beaucoup sont appelés, peu sont élus.*

Vous avez dit bizarre ?

– ***La plupart*** **commande le pluriel**: *La plupart arriveront à l'heure.*
– ***Le plus grand nombre*** **commande le singulier**: *Le plus grand nombre a approuvé le projet.* ■

■ **L'accord du verbe après un titre de roman :**

– Le titre étant considéré comme neutre, l'accord du verbe et de l'adjectif peut toujours se faire au masculin singulier.

– Si le titre est un nom commun avec déterminant, l'accord se fait souvent avec ce nom: Les Oiseaux *est un film de Hitchcock*, ou Les Oiseaux *ont marqué leur temps.*

– L'accord peut se faire avec le premier nom de la proposition quand le titre est une phrase: Les oiseaux se cachent pour mourir *furent un grand succès de librairie.*

– Si le titre est constitué de deux noms singuliers coordonnés, l'accord se fait avec le premier nom: Le Rouge et le Noir *est un roman de Stendhal* (le pluriel est impossible).

L'ASPECT

Qu'est-ce que l'aspect ?

■ L'aspect est la manière dont le sujet envisage l'événement dans son déroulement. L'aspect indique le point de développement de l'action: dans son début, sa fin, son entier...

L'aspect accompli / non accompli

L'aspect **accompli / non accompli** est marqué par l'opposition des temps simples et des temps composés:

– Les temps simples, d'aspect non accompli, présentent le procès en cours de déroulement: *Il lit.*

– Les temps composés, d'aspect accompli, présentent un procès achevé: *Il a lu.*

L'aspect borné / non borné

L'aspect **borné / non borné** est lié aux limites de l'action:

– L'imparfait et le présent envisagent le procès de l'intérieur, dans le cours de son déroulement, sans donner une vision précise des limites initiale ou finale (c'est pourquoi on les appelle *non bornés*): *Dans sa jeunesse, elle dessinait des chats. Toute la journée, elle dessine des chats.*

– Le passé simple *(borné)* saisit le procès de l'extérieur et le présente comme un tout indivisible: *L'ennemi signa l'armistice.*

Les auxiliaires d'aspect

Des périphrases permettent d'exprimer les différents stades de la réalisation du procès:

– l'aspect inchoatif (commencement): *Elle commence à écrire un livre.*

– l'aspect terminatif (fin): *Elle finit d'écrire un livre.*

– l'aspect progressif (déroulement): *Elle est en train d'écrire un livre.*

L'aspect sémantique

■ L'aspect sémantique est lié au sens du verbe: on distingue les verbes **conclusifs** qu'on ne peut envisager que dans leur déroulement intégral (*mourir, arriver, entrer* contiennent dans leur sens même une limitation de durée) et les verbes **non conclusifs** dont le procès ne suppose aucune limite *(dormir)* et qu'on peut accompagner d'un complément de durée *(dormir longtemps).*

■ Des valeurs d'aspect (aspect itératif, par exemple) peuvent être marquées par certains préfixes *(**re**dire, **re**faire...)* ou suffixes *(cri**ailler**, discut**ailler**, trembl**oter**).*

■ Quand l'aspect n'a pas de marque verbale propre, il peut être exprimé par des adverbes ou des compléments circonstanciels.

L'AUXILIAIRE

Quelle est la fonction de l'auxiliaire ?

■ L'auxiliaire est un verbe qui sert à conjuguer un autre verbe. Il aide à construire certaines formes verbales et, dans ce cas, il perd sa signification propre : *Luc a une guitare* (= possède) / *Luc a acheté une guitare* (= le fait d'acheter est situé dans le passé).

Être et *avoir* + participe passé

■ Les verbes *être* et *avoir* se distinguent des autres verbes de la langue car ils peuvent être utilisés comme auxiliaires de conjugaison.

■ Aux temps composés :

– tous les verbes transitifs se conjuguent avec l'auxiliaire *avoir* : *J'ai descendu la poubelle.*

– les verbes intransitifs se conjuguent le plus souvent avec *avoir*, à commencer par le verbe *être* : *J'ai été, ayant été.*

– les verbes qui indiquent un état *(demeurer, rester)* et les verbes qui expriment un changement d'état ou un déplacement *(devenir, naître, mourir, clore ; tomber, monter, descendre, entrer...)* se conjuguent avec *être* : *Je suis resté là. Je suis devenu raisonnable. Je suis tombé.*

■ À la voix pronominale, tous les verbes construisent leurs temps composés avec *être* : *Je me suis blessé, je m'étais blessé.*

■ À la voix passive, tous les verbes à tous les temps ont leurs formes construites avec *être* : *Je suis soigné, j'ai été soigné.*

Semi-auxiliaires + infinitif

Certains verbes ne jouent qu'occasionnellement le rôle d'auxiliaire, formant des périphrases avec des infinitifs : on les appelle les **semi-auxiliaires.** Ce n'est pas un domaine nettement délimité, aussi ne peut-on proposer une liste fermée :

– aller : *Le facteur va passer d'une minute à l'autre.*

– venir (de) : *Nous venons de manger.*

– être (en train de) : *Elle est en train de lire.*

– faillir : *Il a failli manquer son train.*

– se mettre (à) : *Il s'est mis à rire.*

– pouvoir : *Il peut pleuvoir, comme il peut faire beau, on ne sait pas.*

– devoir : *Il doit être dans les dix heures. Elle devait se marier avec cet homme-là un an plus tard.*

– faire : *Il fait travailler les enfants.*

– laisser : *Il se laissait battre pour la laisser gagner.*

LA CONCORDANCE DES TEMPS

Comment accorder les temps entre eux ?

■ Dans une proposition subordonnée, l'emploi des temps est le plus souvent imposé par le temps du verbe de la proposition principale. On appelle concordance des temps le rapport qui doit exister entre le verbe de la principale et celui de la subordonnée.

Dans une subordonnée à l'indicatif

■ Quand la principale et la subordonnée sont toutes les deux à l'indicatif, les temps s'accordent de manière logique en fonction de la chronologie des procès et de l'aspect.

■ Le rapport avec le moment de la parole est un élément essentiel. Les temps de la subordonnée sont sélectionnés par rapport au repère que constitue le temps de la principale.

Un repère présent (temps de la principale) appellera, dans la subordonnée:
- le présent pour exprimer une action simultanée: *Je crois qu'il arrive.*
- un temps du passé pour exprimer une action antérieure: *Je crois qu'il est arrivé. Je crois qu'il arriva ce jour-là. Je crois qu'il était arrivé le premier.*
- le futur (ou le futur antérieur) pour exprimer une action ultérieure: *Je crois qu'il arrivera demain.*

Un repère passé appellera, dans la subordonnée:
- l'imparfait pour exprimer la simultanéité: *Je croyais qu'il arrivait.*
- le plus-que-parfait pour exprimer l'antériorité: *Je croyais qu'il était arrivé.*
- le conditionnel (présent ou passé) pour exprimer la postériorité: *Je croyais qu'il arriverait. Je croyais qu'il serait arrivé.*

Dans une subordonnée au subjonctif

Les temps de la subordonnée sont là encore sélectionnés par rapport au repère que constitue le temps de la principale.
Un repère présent appellera:
- le présent pour exprimer une action simultanée ou postérieure: *Je regrette qu'il vienne* (maintenant, ou demain).
- le passé pour exprimer une action antérieure: *Je regrette qu'il soit venu.*

Un repère passé appellera:
- l'imparfait pour exprimer la simultanéité ou la postériorité: *Je regrettais qu'il vînt. J'ai regretté qu'il vînt.*
- le plus-que-parfait pour exprimer l'antériorité: *Je regrettais qu'il fût venu.*

Attention !

Dans le langage courant, seuls sont utilisés le présent et le passé du subjonctif.

LE CONDITIONNEL

Dans quels cas employer le conditionnel ?

■ **Le conditionnel employé comme temps correspond au futur du passé et au futur antérieur du passé. Avec une valeur modale, il sert à exprimer un procès dont la réalisation n'est pas certaine ou dépend d'une condition.**

Les emplois temporels

(futur du passé)

■ Le conditionnel exprime un fait à venir (à un moment non précisé du futur) qu'il situe par rapport à un repère passé :

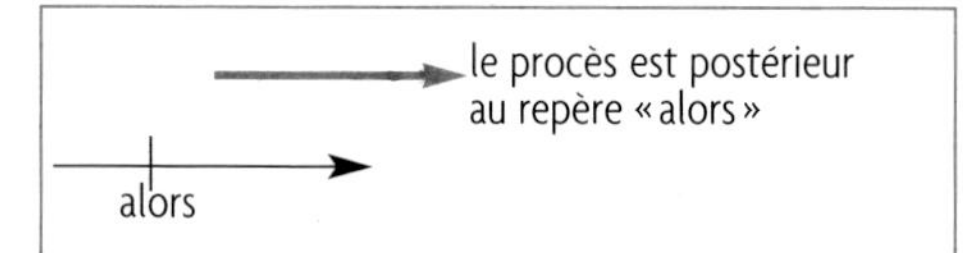

Il croyait (repère passé) *qu'il finirait hier* (futur devenu passé). *Je pensais qu'il me téléphonerait dès qu'il aurait couché les enfants* (futur antérieur du passé).

■ En discours rapporté indirect (d.i.) ou indirect libre, le conditionnel transpose un futur de discours direct (d.d.): *Elle a dit*: *«je viendrai»* (futur du d.d.) / *Elle a dit qu'elle viendrait* (conditionnel de d.i.).

■ Le conditionnel est une marque du discours indirect libre, il permet d'inscrire le point de vue d'un personnage dans un texte (ici, celui des bourgeois regardant les mineurs): *C'était la vision rouge de la révolution qui les emporterait tous [...]. Oui, un soir, le peuple lâché, débridé, galoperait ainsi sur les chemins [...]* (*Germinal*, ZOLA).

Les emplois modaux

(valeur d'irréel)

■ Le système hypothétique: *Si tu m'invitais, je viendrais.* La condition est exprimée par l'imparfait de la subordonnée, tandis que le conditionnel de la principale se comporte comme un futur hypothétique, il envisage le fait comme soumis à une condition (donc possible). C'est l'imparfait qui exprime l'irréel du présent ici *(mais tu ne m'invites pas).*

■ La subordination absente mais implicite: *Tu ne l'aurais pas dit, je l'aurais deviné. M'inviterait-il, je ne mettrais pas les pieds chez lui.*

■ En dehors de tout système de relation avec une autre proposition, le conditionnel énonce un fait dont la réalité n'est pas avérée (il ne pose pas l'existence du fait qu'il rapporte): *C'est au cours de ce voyage que l'image se serait détachée, qu'elle aurait été enlevée à la somme. Elle aurait pu exister, une photographie aurait pu être prise [...]. Mais elle ne l'a pas été* (*l'Amant*, M. DURAS).

LE CONDITIONNEL

Quelles sont les marques du conditionnel ?

■ Les formes du conditionnel présent sont construites sur l'élément *-r* de l'infinitif auquel s'ajoutent les terminaisons de l'imparfait.

imparfait	conditionnel
j'aim-ais	j'aimer-ais
tu aim-ais	tu aimer-ais
il aim-ait	il aimer-ait
nous aim-ions	nous aimer-ions
vous aim-iez	vous aimer-iez
ils aim-aient	ils aimer-aient

Le conditionnel des verbes du 1er groupe

■ Dans l'infinitif en *-er* de ces verbes, il y a un *e* qu'il ne faut pas oublier, même quand il n'est pas prononcé : *je plier/ais, je crier/ais, il créer/ait, nous saluer/ions...*

■ Les verbes en *-yer* changent leur *y* en *i* : *nous appuierions...*

■ Les verbes en *-eter* et *-eler* conservent le « *e* muet » devant *r*.

je plierais	j'appuierais	je gèlerais
tu plierais	tu appuierais	tu gèlerais
il plierait	il appuierait	il gèlerait
nous plierions	nous appuierions	nous gèlerions
vous plieriez	vous appuieriez	vous gèleriez
ils plieraient	ils appuieraient	ils gèleraient

Le conditionnel des verbes du 3e groupe

Les verbes du 3e groupe en *-re* perdent le *e* de l'infinitif : *prendre, je prendr/ais ; mordre, je mordr/ais ; écrire, j'écrir/ais.*

C'est là qu'on se trompe

Un certain nombre de verbes irréguliers ne suivent pas la règle de formation à partir de l'infinitif :

avoir : j'aurais	*venir : je viendrais*
être : je serais	*acquérir : j'acquerrais*
savoir : je saurais	*courir : je courrais*
aller : j'irais	*envoyer : j'enverrais*
cueillir : je cueillerais	*mourir : je mourrais*
tenir : je tiendrais	*voir : je verrais*
faire : je ferais	*pouvoir : je pourrais*

LE CONDITIONNEL

Faut-il parler de mode conditionnel ?

■ Dans la terminologie grammaticale officielle, publiée par le ministère de l'Éducation nationale en 1997, les conditionnels présent et passé sont classés dans les temps de l'indicatif.

Le débat

Le statut du conditionnel a été l'objet d'un débat. Une tradition ancienne faisait du conditionnel un mode spécifique. L'autorité a finalement tranché: le conditionnel est un temps de l'indicatif. C'est donc ce que les professeurs sont tenus d'enseigner.

Du point de vue de la formation

Par ses origines, le conditionnel est de même nature que les temps de l'indicatif. Futur et conditionnel sont issus de périphrases verbales formées en latin populaire sur l'infinitif. Ils ont en commun l'élément *-r* qui est la marque du futur, à quoi le conditionnel ajoute les désinences de l'imparfait (*-ais, -ait,* etc.)

Du point de vue du sens

■ Le conditionnel est apte à exprimer l'irréel: *On se croirait au printemps.* Mais il peut aussi bien énoncer un fait réel: *Je savais que tu viendrais.*

■ D'autres temps de l'indicatif, d'ailleurs, possèdent des valeurs modales. Ainsi, l'imparfait hypothétique inscrit l'action dans l'irréel: *Si j'avais su, si j'avais osé...* Le futur de politesse se substitue au présent pour atténuer une action en la situant dans le futur: *Je me permettrai de vous demander un service.*

■ Si l'on voulait traiter le conditionnel comme un mode à cause des valeurs modales qu'il peut véhiculer, il faudrait donc en faire autant, au moins pour le futur et pour l'imparfait.

Du point de vue du fonctionnement

■ Le conditionnel peut presque toujours commuter avec les temps de l'indicatif (sauf derrière *si*), mais jamais avec les temps du subjonctif.

■ Comme les temps de l'indicatif, il peut s'employer dans une proposition indépendante sans *que* et ne peut se rencontrer derrière *je veux que* (**je veux que tu viendrais* est fautif).

Attention !

Dans la langue littéraire, le plus-que-parfait du subjonctif peut se substituer au conditionnel passé, aussi bien qu'au plus-que-parfait: *S'il eût tenté sa chance, il eût reçu une réponse* (pour: *S'il avait tenté sa chance, il aurait reçu une réponse*). Le nom de «conditionnel passé deuxième forme» qu'on lui a donné ne se justifie pas.

LES FORMES CONJUGUÉES

Quelles sont les principes généraux de la conjugaison?

■ La conjugaison est la liste des formes fléchies du verbe. Les éléments qui interviennent pour réaliser ces formes sont le radical, la désinence et l'auxiliaire.

Le radical

■ Le radical est porteur du sens spécifique du verbe, on le retrouve parfois dans les mots de la même famille: ***chant**er*, ***chant***, ***chant**eur*, *dé**chant**er*.

■ Pour certains verbes, le radical subit des modifications, il comporte alors plusieurs **bases**, parfois utilisées dans un même temps: - **all**er: *je vais, j'irai, que j'**aill**e*; - ***boi**re*: *je **boi**s, nous **buv**ons, ils **boiv**ent*.

■ Du fait des variations du radical, il existe en français beaucoup de verbes irréguliers, dont la conjugaison est quelquefois unique.

La désinence

■ Les désinences (ou terminaisons) forment un système de 92 formes. C'est de leur côté qu'on trouve la régularité qui rend les formes verbales prévisibles (le futur et le conditionnel, par exemple, ne connaissent aucune exception).

■ Aux formes simples, la forme verbale comporte le radical et la désinence.

■ La désinence donne plusieurs informations en même temps. Ainsi, *ils chanteraient* peut se décomposer en *chante* – *r* – *ai* – *ent*: *-r* est la marque du futur, *-ai* est la marque de l'imparfait, *-ent* est la marque de la 3e personne du pluriel.

C'est là qu'on se trompe

Les formes orales des verbes ont beaucoup moins de marques que les formes écrites. Elles ne distinguent pas *je mange, tu manges, ils mangent, mange* (impératif) ni *je chantais, tu chantais, ils chantaient*. D'où un certain nombre d'erreurs possibles dans la conjugaison des verbes si l'on se fie à ce qu'on entend.

L'auxiliaire

Aux formes composées et au passif, la forme verbale comporte l'auxiliaire et le participe passé. C'est alors l'auxiliaire qui porte les marques de personne et de temps.

Vous avez dit bizarre ?

Seul le passé composé a une forme surcomposée qu'on rencontre surtout dans le sud de la France, avec valeur aspectuelle: *J'ai eu joué à la belotte, jadis.*

LES FORMES EN *-ANT*

Comment comprendre *-ant* à la fin d'un mot ?

■ Les formes en *-ant* peuvent recouvrir trois réalités syntaxiques différentes: le gérondif, le participe présent et l'adjectif. Le participe présent et le gérondif sont des formes verbales, ils sont invariables. L'adjectif verbal en *-ant* s'accorde avec le nom auquel il se rapporte.

Le gérondif

■ Le gérondif est toujours précédé de la préposition *en (en souriant)*, en français moderne. Forme adverbiale du verbe, il fonctionne comme un complément circonstanciel par rapport au verbe principal: *Il aime rêver en écoutant des musiques d'autrefois.*

■ Le gérondif est invariable: *Elles chantent en travaillant.*

Le participe présent

■ Le participe présent *(souriant)* conserve des propriétés verbales, tout en occupant les mêmes fonctions que l'adjectif. On reconnaît que la forme en *-ant* est employée comme verbe:

– quand elle est précédée du pronom personnel réfléchi (construction pronominale): ***Se** tournant vers l'assemblée, il sourit. De **soi**-disant guérisseurs.*

– quand elle est précédée de l'adverbe de négation *ne* (propre au verbe): ***Ne** sachant pas lire, il récita. Des enfants **ne** mentant jamais.*

– quand elle est modalisée par un adverbe postposé: *Une fille souriant **toujours**.*

– quand elle se construit avec des compléments (COD, COI, attribut, complément circonstanciel), comme le fait un verbe: *On annonce des vents soufflant **du nord*** (CC lieu). *Un homme tenant **un chapeau** à la main se présenta* (COD).

– quand elle est le centre d'une proposition circonstancielle (il faut pour cela que le participe ait pour support un mot désignant l'agent qui n'occupe aucune autre fonction dans la phrase): *La **pluie** tombant toujours, ils partirent* (CC cause). *L'**été** finissant, il fallut reprendre le chemin de l'école* (CC temps).

– quand elle suit le semi-auxiliaire *aller*: *Les ennuis **vont** croissant.*

– quand elle peut passer au participe passé: ***Ayant salué**, il sortit.*

■ Le participe présent est invariable: *Les jours raccourcissant, il fallut rentrer plus tôt.*

L'adjectif verbal

■ L'adjectif verbal *(souriant/te/ts/tes)* est un ancien participe présent qui est passé dans la catégorie des adjectifs, il ne fait plus partie des formes verbales.

■ L'adjectif verbal s'accorde avec le nom auquel il se rapporte: *Des fils souriants.*

LE FUTUR ANTÉRIEUR

Dans quels cas employer le futur antérieur ?

■ **Le futur antérieur, temps composé, présente la même valeur fondamentale que le futur simple : il projette l'action dans le futur.**

La valeur temporelle

Le futur antérieur exprime l'antériorité par rapport à un procès au futur (il est alors employé en corrélation avec le futur simple) : *Dans quelques jours, l'hiver sera fini et les arbres fleuriront. Une semaine après que vous serez partis, je partirai à mon tour.*

La valeur aspectuelle

■ Le futur antérieur exprime l'aspect accompli du futur quand il est employé de manière autonome : *J'aurai bientôt fini.*

■ Il peut remplacer le futur simple avec un verbe conclusif, c'est-à-dire un verbe que l'on ne peut envisager que dans son déroulement intégral (comme *arriver*), quand on veut montrer l'action à son achèvement : *Demain, nous aurons gagné l'Angleterre. Ce soir, nous aurons gagné le match.*

■ Avec tous les verbes, il peut exprimer la rapidité de l'action : *Nous aurons vite traversé la ville.*

La valeur modale

■ Le futur antérieur prend facilement une valeur exclamative (ou hyperbolique), en transposant dans le futur ce qui ne concerne que le présent : *On aura tout vu ! C'est le plus mauvais repas que j'aurai jamais fait !*

■ Le futur antérieur permet d'énoncer une explication probable, emploi beaucoup plus fréquent que le futur simple. Le futur antérieur dans un contexte présent exprime une supposition, en laissant entendre qu'elle sera validée : *La doublure de ma poche est déchirée, la clé sera tombée en cours de route.* L'hypothèse peut se développer sur plusieurs phrases : *Je parie que c'est Tintin qui a fait le coup : il se sera enfui quand il nous aura entendus. Il est parvenu à se libérer ! Ça va mal ! Il aura été délivrer tous les autres* (*l'Île noire*, HERGÉ).

■ Le futur antérieur peut également prendre une valeur de bilan anticipé : *Finalement, nous aurons bien travaillé cette année.* Le locuteur se détache du présent pour juger le procès comme s'il était déjà achevé, pour donner plus d'ampleur à son jugement.

Voir le futur simple.

LE FUTUR SIMPLE

Dans quels cas employer le futur simple ?

■ Le futur simple a pour valeur essentielle de projeter l'action dans un avenir plus ou moins proche. Il indique qu'une action est à venir ou qu'elle doit se réaliser avec certitude.

Les valeurs temporelles

■ Le futur indique que l'action est postérieure au «maintenant», c'est-à-dire au moment où je parle: *Mon cher Monsieur Tintin, vous avez échappé à bien des dangers [...] Mais il est une chose à laquelle vous n'échapperez pas: l'eau!* (*l'Île noire*, Hergé).

■ Le futur historique prend appui sur un repère passé. Cet emploi tient à la concordance des temps dans un texte au présent de narration: *Le consul devient un prince. Napoléon sera couronné empereur en 1802.*

■ Le futur de vérité générale (dit *futur gnomique*) vise des conseils généraux, formulés pour l'avenir. Il est fréquent dans les proverbes: *Qui vivra verra.*

Les valeurs modales

Le futur parle d'un procès non encore réalisé mais envisagé, il situe l'action autant dans l'avenir que dans ce qui est projeté; cette orientation fondamentale lui permet de prendre des valeurs modales:

– l'injonction (futur de volonté): *Vous me ferez ce devoir pour demain. Vous prendrez bien un petit café.*

La Bible exprime les dix commandements au futur: *Un seul Dieu tu adoreras. [...] Tu ne voleras pas. Tu ne porteras pas de faux témoignage contre ton prochain [...].*

– l'atténuation: *Je ne vous cacherai pas que je suis très mécontent. Je vous demanderai quelques minutes d'attention.* Il ne s'agit pas d'un procès à venir, mais déjà en cours de réalisation, que le locuteur présente comme simplement envisagé.

– le probable: *Pour qui a-t-on sonné la cloche des morts? Ah! mon Dieu, ce sera pour Mme Rousseau.* (*Du côté de chez Swann*, Proust). *Il y a une nouvelle en classe, ce sera la fille du nouveau directeur.* Le futur exprime un fait présent en le donnant comme probable, il exprime une supposition.

– l'irréel dans un système hypothétique: *S'il travaille, il réussira son examen.* (*Travailler* est donné comme la condition préalable à *réussir*, ce rapport logique et temporel est rendu par le passage du présent au futur).

LE FUTUR

Quelles sont les marques du futur ?

- Pour écrire le futur, on écrit d'abord l'infinitif du verbe, et on ajoute, pour tous les verbes, la terminaison du présent du verbe *avoir*: *-ai, -as, -a* (sauf *avons, avez*), *-ont*. Puisque tous les infinitifs en français sont en *r*, on obtient la dési nence *-rai, -ras, -ra, -ront*.

***avoir*: présent**	***manger*: futur**
j'ai	je manger – ai
tu as	tu manger – as
il a	il manger – a
nous avons	nous manger – **ons**
vous avez	vous manger – **ez**
ils ont	ils manger – ont

- Les verbes du premier groupe, conservant leur infinitif en *-er*, ont donc un *e* qu'il ne faut pas oublier, même quand il n'est pas prononcé: *je plierai, je crierai, il créera, nous saluerons...*

- Les verbes qui finissent en *-yer* changent le *y* en *i*: *il appuiera, nous nettoierons...*

Attention !

Les verbes qui finissent en *-eter* et *-eler* doublent la consonne ou prennent un *è*: *il appe**ll**era, il g**è**lera, il ach**è**tera.*

- Les verbes du troisième groupe qui finissent en *-re* perdent le *e* de l'infinitif: *écrire / j'écrirai; mordre / il mordra; prendre / je prendrai.*

C'est là qu'on se trompe

Un certain nombre de verbes irréguliers ne suivent pas la règle de formation à partir de l'infinitif: *acquérir / j'acque**rr**ai; aller / j'irai; apercevoir / j'apercevrai; avoir / j'aurai; courir / je cou**rr**ai; cueillir / je cueillerai; envoyer / j'enve**rr**ai; être / je serai; faire / je ferai; mourir / je mou**rr**ai; pouvoir / je pou**rr**ai; savoir / je saurai; tenir / je tiendrai; venir / je viendrai; voir / je ve**rr**ai.*

Attention !

pouvoir, courir, mourir, voir, envoyer et *acquérir* prennent deux *r*.

Vous avez dit bizarre ?

– Le verbe *voir* est irrégulier mais ses composés *prévoir* et *pourvoir* sont réguliers: *je prévoirai, je pourvoirai.*
– Le verbe *asseoir* perd le *e* de son infinitif: *j'assoirai* alors que *surseoir* le conserve: *je surs**e**oirai.*

FUTUR OU CONDITIONNEL

Comment distinguer le futur du conditionnel ?

■ À la première personne du singulier, les deux formes sont homophones (elles se prononcent de la même façon), mais non homographes (elles ne s'écrivent pas de la même façon) : *Je viderai la poubelle demain, je souhaiterais ne plus en parler.*

Une petite astuce !

Un changement de personne fait apparaître la différence des formes : *Il videra la poubelle demain, il souhaiterait ne plus en parler.*

Distinguer le futur du conditionnel dans une principale

Dans une proposition principale, pour choisir entre le futur et le conditionnel, on fait intervenir le sens :

■ Le futur exprime une action future dont la réalisation est considérée comme quasi certaine : *Demain, je* ***viderai*** *la poubelle.*

■ Le conditionnel exprime une action plus ou moins future et plus ou moins probable : *Je* ***viderais*** *la poubelle si elle était pleine.*

Distinguer le futur du conditionnel dans une subordonnée

Dans une proposition subordonnée, pour choisir entre le futur et le conditionnel, il faut connaître les règles de concordance des temps :

■ Si la proposition principale est au présent, la subordonnée est au futur : *Mais puisque je te dis que je* ***viderai*** *la poubelle demain !*

■ Si la principale est à un temps du passé, la subordonnée est au conditionnel présent : *Je t'ai déjà dit que je* ***viderais*** *la poubelle demain.*

C'est là qu'on se trompe

Dans les subordonnées de condition, on n'emploie jamais le conditionnel après *si*.

Des petites astuces !

– Si, dans la subordonnée, on emploie *si* suivi du présent, la principale est au futur : *Si c'est indispensable, je* ***viderai*** *la poubelle.*

– Si, dans la subordonnée, on emploie *si* suivi de l'imparfait, la principale est au conditionnel : *Si c'était possible, je ne* ***viderais*** *pas la poubelle.*

LE GÉRONDIF

Comment reconnaître le gérondif ?

■ Le gérondif est un mode à part entière. Il ne connaît aucune variation en personne ou en temps, mais il peut marquer des variations aspectuelles : *en travaillant, en ayant travaillé* (la forme composée du gérondif est rare).

L'agent du gérondif

En tant que forme verbale, le gérondif exprime un procès qui suppose un agent, c'est-à-dire l'être ou la chose qui fait ou qui subit l'action. Le gérondif n'a jamais de sujet, mais son agent est obligatoirement le sujet du verbe principal : *En démolissant le mur, les ouvriers ont découvert un trésor* (ce sont les ouvriers qui démolissent et qui trouvent). La phrase : **En démolissant le mur, un trésor est apparu* est incorrecte.
Le gérondif est incompatible avec la construction impersonnelle, puisque dans ce type de construction, le pronom *il*, simple marque de la 3e personne, n'a pas de référent précis : **Il pleut en mouillant la route.*

Vous avez dit bizarre ?

En français classique, la construction était plus libre : *L'appétit vient en mangeant.*

La fonction du gérondif

■ Le gérondif est la forme adverbiale du verbe, il occupe la fonction de complément circonstanciel (le plus souvent de temps), mais il peut prendre plusieurs valeurs, selon le contexte : *Elle s'est cassé la voix en criant trop fort* (cause). *Tu as réussi ton examen en ayant à peine révisé* (concession). *Il a obéi en grommelant* (manière)...

■ Tout en fonctionnant comme un adverbe, le gérondif conserve cependant des propriétés verbales telles que la négation (sous la forme *en ne... pas*) : *Il s'est discrédité* ***en ne*** *répondant* ***pas*** *aux questions*, ou l'aptitude à régir des compléments verbaux : *En songeant au combat, il se recueille.*

La valeur aspectuelle du gérondif

■ Le gérondif n'inscrit pas l'action dans une chronologie, il n'a aucune valeur temporelle. Le gérondif a les mêmes valeurs aspectuelles que le participe présent, il présente le procès de l'intérieur, en cours de réalisation (aspect non borné).

■ La préposition *en* sert à exprimer la simultanéité temporelle : *Je siffle en travaillant.* Elle peut être renforcée par l'adverbe *tout* : *Je siffle tout en travaillant.* La durée de l'action principale *(siffler)* se trouve inscrite dans la durée de l'action exprimée par le gérondif *(travailler).*

LES GROUPES DE VERBES

Comment les verbes sont-ils classés ?

■ La tradition répartit les verbes en trois groupes, en se fondant sur les formes de leur infinitif.

Le 1er groupe : type *aimer*

■ Les verbes du premier groupe sont réguliers. La conjugaison de type *aimer* regroupe plus de 90 % des verbes français (environ 5 000 verbes).

■ Ce groupe est très productif. C'est sur ce modèle que se conjuguent les nouveaux verbes formés à partir de noms, en français : *faxer, scotcher, téléphoner*...

Le 2e groupe : type *finir*

■ La conjugaison de type *finir* est régulière, elle est caractérisée par son infinitif en *-ir* et son participe présent en *-issant*, elle compte environ 300 verbes.

■ Tous les verbes du deuxième groupe suivent le modèle de *finir*, sauf *haïr* et *s'entre-haïr*, seuls verbes irréguliers du 2e groupe.

■ Tous les verbes de ce type font leurs temps composés avec l'auxiliaire *avoir*.

■ Ce groupe produit essentiellement des verbes formés sur des adjectifs : *brunir, jaunir*... (exceptionnellement : *alunir*, sur le modèle de *atterrir*).

Le 3e groupe : les verbes irréguliers

■ Ce groupe se définit négativement, il réunit les verbes qui ne se conjuguent ni sur le type *aimer* ni sur le type *finir*.

■ On les répartit en trois séries :

– les verbes en *-ir* : *courir (courant)*

– les verbes en *-oir* : *pleuvoir*

– les verbes en *-re* : *rire*

\+ le verbe *aller*

\+ les auxiliaires *être* et *avoir*.

Attention !

La ressemblance des infinitifs masque les multiples irrégularités et les variations des radicaux.

Vous avez dit bizarre ?

– Le 3e groupe comporte les verbes les plus irréguliers qui sont aussi les plus fréquents (les verbes les plus employés sont, dans l'ordre décroissant : *être, avoir, faire, dire, aller, voir, savoir, pouvoir, falloir, vouloir, venir*).

– Le 3e groupe n'est plus productif, au contraire, il s'appauvrit lentement (*quérir, choir, gésir*... sont des verbes défectifs et archaïques).

L'IMPARFAIT

Dans quels cas employer l'imparfait ?

■ Comme son nom l'indique, l'imparfait exprime surtout un procès passé envisagé dans le cours de son déroulement. Il s'emploie aussi dans un système conditionnel.

Les valeurs temporelles et aspectuelles

Du point de vue du temps, l'imparfait indique seulement que le procès est antérieur au repère présent, il ne peut pas servir de repère passé. Du point de vue aspectuel, il a la particularité de ne pas enclore l'action passée dans les limites (initiale et finale) de sa réalisation, mais de l'envisager de l'intérieur, dans le cours de son déroulement (aspect non borné):

- il exprime la simultanéité de procès passés: *Pascal dormait dans le fauteuil, le chat sur ses genoux ronronnait tranquillement.*
- il peut, en fonction du contexte, s'accorder à une valeur itérative, c'est-à-dire à ce qui indique la répétition d'une action: *Tous les jours, vers six heures, il s'endormait.*
- dans le discours indirect, il transpose un présent de discours direct: *Je demandai à Brichot s'il savait ce que signifiait Balbec* (PROUST).
- dans le récit littéraire, l'imparfait descriptif s'oppose au passé simple. Les procès à l'imparfait sont de l'ordre de l'arrière-plan ou du commentaire, les procès au passé simple sont tirés au premier plan: *Il lutta de sa main que l'épée découpait peu à peu [...]. Alors il ne résista plus, il secouait seulement son bras droit [...]* (GIRAUDOUX).
- l'imparfait narratif exprime un événement ponctuel, c'est un tour littéraire (effet de dramatisation): *Ils se promirent de se revoir; le lendemain, il mourait dans un accident de voiture.*

Les valeurs modales

■ Dans les systèmes hypothétiques, l'imparfait exprime l'irréel du présent ou du futur (qu'on appelle potentiel): *Si j'avais trois oreilles, j'entendrais mieux. Si tu écrivais au journal, tu aurais les renseignements qui te manquent.* Derrière *si* + imparfait, la principale est au conditionnel.

■ En dehors de tout système de relation avec une autre proposition, l'imparfait peut prendre des valeurs modales:

- politesse: *Je venais vous demander un renseignement.*
- procès sur le point de se réaliser: *Il était temps, nous partions.*
- hypothèse: *Il faisait un pas de plus, c'était un homme mort.*
- imparfait hypocoristique (exprimant une intention affectueuse): *Il était joli le chien-chien à sa maman.*

L'IMPARFAIT

Quelles sont les marques de l'imparfait ?

■ À l'imparfait, tous les verbes ont les mêmes terminaisons. Généralement, on forme l'imparfait avec le radical de l'infinitif suivi des désinences en *-ais, -ais, -ait, -ions, -iez, -aient.*

avoir	*marcher*	*souffrir*
j'avais	je marchais	je souffrais
tu avais	tu marchais	tu souffrais
il avait	il marchait	il souffrait
nous avions	nous marchions	nous souffrions
vous aviez	vous marchiez	vous souffriez
ils avaient	ils marchaient	ils souffraient

Exceptions

Un certain nombre de verbes font leur imparfait sur un autre radical:

boire: je buvais
coudre: je cousais
craindre: je craignais
croire: je croyais
dire: je disais
écrire: j'écrivais
faire: je faisais
fleurir: je fleurissais
maudire: je maudissais
moudre: je moulais
résoudre: je résolvais
suffire: il suffisait

Attention !

Aux *i* ou *y* du radical et de la désinence qui se rencontrent et se cumulent:
Dans les verbes du premier groupe:
– verbes en *-ier*: *crier, nous cr**ii**ons; copier, vous cop**ii**ez...*
– verbes en *-yer*: *balayer, nous bala**yi**ons; payer, vous pa**yi**ez...*
– verbes en *-iller*: *conseiller, nous conse**illi**ons...*
Dans certains verbes du troisième groupe:
– verbes en *-ire*: *rire, nous r**ii**ons; dire, nous disions...*
– verbes en *-indre*: *craindre, nous crai**gni**ons; joindre, nous joi**gni**ons...*
– verbes qui ont *y* à l'imparfait: *fuir, je fuyais, nous fu**yi**ons; distraire, je distrayais, nous distra**yi**ons; croire, je croyais, nous cro**yi**ons...*

Attention !

*Nous nous asse**yi**ons.*
La règle de position s'applique:
– aux verbes qui se terminent en *-cer*: *rapiécer, je rapié**ç**ais...*
– aux verbes qui se terminent en *-ger*: *protéger, je proté**ge**ais...*
Les verbes qui se terminent en *-guer* conservent le *u* devant *a*: *naviguer, je navi**gu**ais; fatiguer, il fati**gu**ait.*

L'IMPÉRATIF

Dans quels cas employer l'impératif ?

■ L'impératif constitue un mode à part entière. L'effacement du pronom personnel sujet est une propriété syntaxique remarquable qui le caractérise. De plus, le système des personnes est réduit à trois: les personnes destinataires de l'énoncé, auxquelles on peut donner des ordres *(tu, nous, vous)*.

Les valeurs temporelles et aspectuelles

■ L'impératif est un mode non temporel. Les formes simples et les formes composées s'opposent du point de vue de l'aspect *(chante, aie chanté)*.

■ Comme l'impératif exprime l'ordre, la réalisation de l'action commandée ne peut être envisagée que dans le présent: *Écoute épervier qui tiens les clefs de l'orient [...] écoute squale qui veille sur l'occident, écoutez chien blanc du nord, serpent noir du midi* (A. CÉSAIRE), ou dans l'avenir:

- l'impératif présent situe le procès à un moment postérieur à l'énonciation: *Fais bien mes amitiés à ton mari, quand tu le verras.*
- l'impératif présent peut cependant exprimer un ordre valable dans tous les temps: *Ne tuez pas le fils dont vous aimez la mère.*
- l'impératif passé envisage un procès achevé à un moment futur: *Ayez fini avant mon arrivée.*

Les valeurs modales

■ L'impératif ne s'emploie qu'en proposition indépendante.

■ L'impératif sert essentiellement à exprimer tous les degrés de l'ordre (avec des nuances: exhortation, conseil, suggestion, prière, injonction brutale, etc.): *Fais ceci, fais cela, et je le fais. Je ne refuse jamais.* (BECKETT). *Donnez-nous aujourd'hui notre pain quotidien.*

■ Dans une phrase négative, l'impératif exprime la défense: *Ne soyez pas sévères.*

■ Dans des propositions coordonnées ou juxtaposées, la proposition à l'impératif prend des valeurs particulières:

- condition: *Recommence et je crie. Fais un pas, je t'assomme.*
- concession: *Continuez tant que vous voulez, vous ne me convaincrez pas.*
- hypothèse: *Demandez, et vous serez servi. Cherchez, vous trouverez.*

■ L'impératif narratif est riche de possibilités stylistiques: *Et puis je grimpe sur mon impériale, j'ouvre mon ombrelle et* **fouette** *cocher!* (MAUPASSANT).

L'IMPÉRATIF

Quelles sont les marques de l'impératif ?

■ L'impératif présent prend généralement la forme du présent de l'indicatif sans le pronom.

finir	
présent	**impératif**
tu finis	finis
nous finissons	finissons
vous finissez	finissez

■ Les verbes du troisième groupe en *-re* (*-dre, -pre, -cre, -tre*) qui gardent la consonne au présent de l'indicatif la gardent aussi à l'impératif :

prendre		*mettre*	
présent	**impératif**	**présent**	**impératif**
tu prends	prends	tu mets	mets
nous prenons	prenons	nous mettons	mettons
vous prenez	prenez	vous mettez	mettez

Attention !

Les verbes qui se terminent en *-indre* et *-soudre* perdent le *d* : *peins, crains, absous.*

■ À l'impératif, la deuxième personne du singulier ne prend pas de *s* après le son *e*, certains verbes du troisième groupe (dont *aller*) se conjuguent comme les verbes du premier groupe :

chanter	*cueillir*	*ouvrir*	*aller*
chante	cueille	ouvre	va
chantons	cueillons	ouvrons	allons
chantez	cueillez	ouvrez	allez

Attention !

Les verbes *avoir, être, savoir* et *vouloir* ont des formes irrégulières :

avoir	*être*	*savoir*	*vouloir*
aie	sois	sache	veux / veuille
ayons	soyons	sachons	voulons / veuillons
ayez	soyez	sachez	voulez / veuillez

Une petite astuce !

Le verbe à l'impératif doit être joint par un trait d'union au pronom personnel qui le suit : *Chante-lui une chanson, laissez-vous faire, allez-vous-en, donnez-le-moi.*

Vous avez dit bizarre ?

On rétablit le *s* (pour des raisons euphoniques) devant les pronoms compléments *en* et *y*, liés par un trait d'union : *Manges-en, achètes-en, vas-y, penses-y.*

L'IMPERSONNEL

Pourquoi certains verbes sont-ils à la 3e personne ?

■ Le terme *impersonnel* signifie «dépourvu des marques de personne». On lui préfère souvent le terme *unipersonnel* quand il s'applique à un verbe ou à une tournure verbale et *non-personnel* quand il s'applique à un mode.

Les verbes impersonnels

■ Certains verbes ne peuvent s'employer qu'à la 3e personne du singulier, toujours précédés de *il*, on les appelle les verbes impersonnels (ou unipersonnels pour éviter toute confusion). Les verbes météorologiques sont tous des verbes impersonnels : *Il neige, il pleut, il vente, il grêle...*

■ Les locutions impersonnelles empruntent des formes aux verbes conjugués : *Il y a un chat sur mon bureau. Il est 17 heures. Il fait beau. Il s'agit d'en profiter. Il faut sortir. Il vaut mieux prendre un pull.*

La tournure impersonnelle

■ La construction impersonnelle concerne de nombreux verbes intransitifs : *Il est arrivé un accident. Il reste à manger dans le réfrigérateur...*

■ La construction impersonnelle (qu'on peut considérer comme «voix impersonnelle») modifie la manière dont on exprime la participation du sujet à l'action. Comme la voix passive, elle retire l'agent de la position sujet pour en faire un complément : *Il manque des outils dans la boîte* (= des outils manquent dans la boîte).

■ *Il*, en position de sujet, n'est pas un véritable pronom (il n'a aucun antécédent) ; c'est seulement une marque de 3e personne, sans référent précis : *Il se passe quelque chose d'intéressant.* L'agent du procès n'est pas en position grammaticale de sujet.

■ La construction impersonnelle est utilisée pour éviter de placer une subordonnée en tête de phrase : *Il est nécessaire que tu lises ce livre* (= que tu lises ce livre est nécessaire).

Les modes impersonnels

Trois modes du verbe, l'infinitif, le participe et le gérondif, qui ne varient pas en personne sont appelés *impersonnels* (ou *non-personnels*, pour éviter toute confusion).

Voir l'infinitif, le participe, le gérondif.

Quelles sont les valeurs de l'indicatif ?

■ L'indicatif permet le plus souvent de décrire des états ou des faits réels, mais il peut également prendre des valeurs subjectives.

Les valeurs temporelles

■ Seul l'indicatif, avec ses dix temps, inscrit le procès dans une chronologie (on appelle *procès* l'action ou l'état exprimé par le verbe): par rapport à un repère, il situe le procès avant (antériorité), après (postériorité) ou pendant (simultanéité).

■ Si l'on figure le temps par une ligne orientée du passé vers l'avenir, on peut situer le procès par rapport à un repère présent ou un repère passé:

– le procès est situé par rapport à un repère présent «maintenant» (moment où je suis):

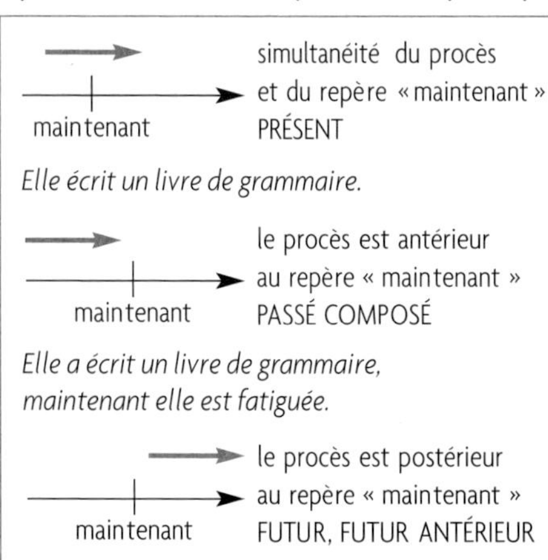

Elle écrit un livre de grammaire.

Elle a écrit un livre de grammaire,
maintenant elle est fatiguée.

Elle écrira un livre de grammaire,
on le lui a demandé.
Quand elle aura fini le livre,
elle recommencera à dessiner.

– le procès est situé par rapport à un repère passé «alors»:

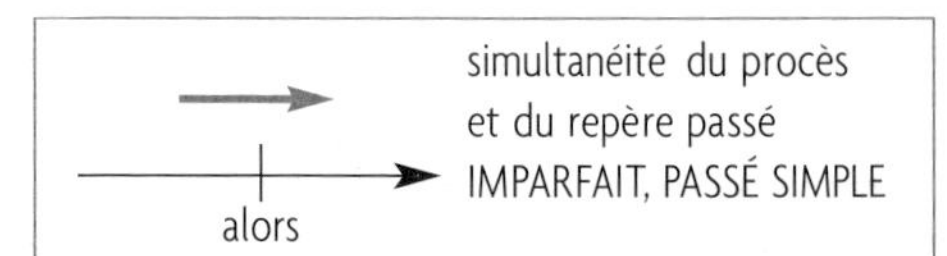

À cette époque, elle dessinait des chats.
Elle dessina beaucoup de chats
quand elle était jeune.

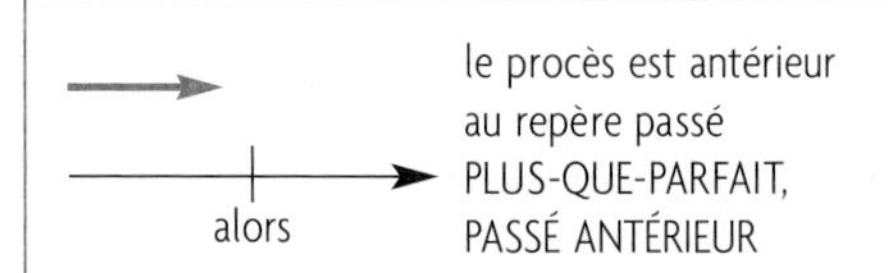

Quand elle avait travaillé
toute la matinée, elle sortait.
Quand elle eut écrit son livre de grammaire,
elle se mit à dessiner des chats.

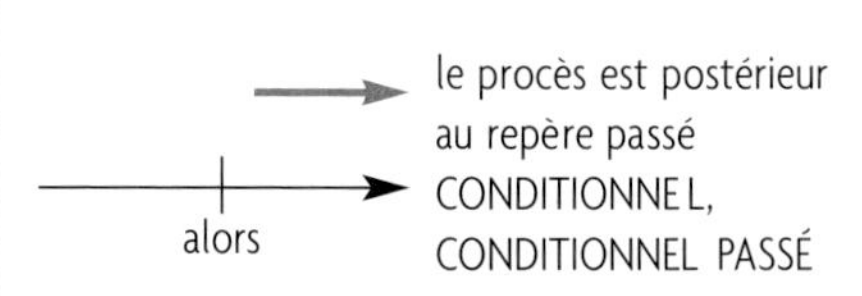

Elle pensait alors qu'elle passerait sa vie
à dessiner des chats.
J'espérais qu'il serait parti avant moi.

Les valeurs aspectuelles

Les temps de l'indicatif marquent des oppositions aspectuelles.

- L'aspect **accompli / non accompli** est marqué par l'opposition des temps simples et des temps composés.
- L'aspect **borné / non borné** s'exprime surtout dans l'opposition entre l'imparfait et le passé simple.

Les valeurs modales

On dit un peu trop vite que l'indicatif sert à exprimer des procès présentés comme réels ou certains. En fait, les temps de l'indicatif peuvent tous exprimer l'attitude du sujet devant l'événement et prendre des valeurs subjectives (qu'on appelle *valeurs modales*) et permettent d'énoncer des réserves sur le procès :

– le futur donne un fait présent comme probable : *L'appareil photo a été volé, ce sera un pickpocket.*

– le conditionnel (considéré comme temps de l'indicatif) accompagne des informations données comme peu sûres : *Il y aurait un million de manifestants.*

– l'imparfait donne un fait futur comme exclu de l'avenir du locuteur : *Il y avait une fête prévue pour dimanche prochain, mais je dois travailler.*

– le présent peut exprimer l'irréel : *Si je mange plus, j'éclate.*

Voir **l'aspect.**

L'INFINITIF

Dans quels cas employer l'infinitif ?

■ L'infinitif est la forme nominale du verbe. Il faut distinguer ses traits en emplois nominaux et ses traits en emplois verbaux.

L'infinitif substantivé

L'infinitif change facilement de catégorie grammaticale. Précédé ou non d'un article, il peut devenir un nom, perdant alors toute trace de son fonctionnement verbal : *Un éclat de rire. Un souvenir, de beaux souvenirs. En perdre le boire et le manger.*

L'infinitif dans un groupe nominal

L'infinitif centre d'un groupe nominal assume toutes les fonctions du nom, tout en conservant ses propriétés verbales :

– en tant que verbe, l'infinitif est invariable. Il peut avoir des compléments : *Je veux tirer un soleil de mon cœur.* Il peut être nié avec *ne... pas* : *Il importe de ne pas trop rêver.*

– comme un nom, l'infinitif peut être remplacé par un pronom : *J'espère coucher auprès du ciel ; je l'espère.*

L'infinitif dans une proposition subordonnée

■ L'infinitif est centre d'une proposition comme le serait un verbe conjugué, il ne peut plus alors être remplacé par un pronom : *Je cherche qui inviter pour les vacances.*

■ Derrière un verbe de perception *(voir, entendre, sentir...)*, on peut trouver une proposition infinitive : *J'entends les oiseaux chanter.*

L'infinitif dans une périphrase verbale

■ Combiné avec un semi-auxiliaire, l'infinitif forme une périphrase verbale : *Je vais partir, je viens d'arriver...*

■ Le verbe à l'infinitif apporte l'information et le semi-auxiliaire sert à préciser le procès du point de vue de l'aspect ou du temps : *L'orateur finit de parler* (l'action de *parler* est envisagée dans sa phase terminale). *Je vais partir* (futur proche).

L'infinitif dans une proposition indépendante

Le procès est toujours de l'ordre du virtuel et l'infinitif prend des valeurs modales (c'est-à-dire subjectives) :
Faire cuire à feu doux (ordre). *Moi, lui demander quelque chose ?* (indignation). *Être ou ne pas être ?* (interrogation).

L'INFINITIF

Quelles sont les formes de l'infinitif ?

- **Tous les verbes du deuxième groupe sans exception se terminent par *-ir (finir)*.**
- **L'écrasante majorité des verbes du troisième groupe se termine par *-re*.**

- On reconnaît les verbes du deuxième groupe au fait qu'ils forment leur participe présent en *-issant*: *finir / finissant; haïr / haïssant.*
- On reconnaît les verbes du troisième groupe au fait qu'ils forment leur participe présent en *-ant*: *dormir / dormant; prendre / prenant.*
- Les verbes dont l'infinitif se termine par ***-re***:

-aire	*faire*	*plaire*	*extraire*
-cre	*vaincre*	*convaincre*	
-dre	*prendre*	*répondre*	*peindre*
-ore	*clore*	*éclore*	
-pre	*rompre*	*interrompre*	
-tre	*mettre*	*connaître*	*battre*
-vre	*suivre*	*vivre* (et ses dérivés)	
-uire	*traduire*	*luire*	*nuire*
-ure	*conclure*	*exclure*	

Exceptions

Parmi les verbes qui se terminent en *-uir*: *fuir, s'enfuir.*

- Tous les verbes du troisième groupe en ***-oir*** s'écrivent sans *e*: *s'asseoir, déchoir, émouvoir, prévoir, recevoir, valoir, voir, vouloir.*

Exceptions

boire, croire.

Une petite astuce !

Comment distinguer les verbes en *-ir* et *-ire*?

– Quand, à la première personne du pluriel, au présent de l'indicatif, le *i* de la terminaison disparaît, comme dans *mourir, nous mourons*; *mentir, nous mentons*; *ouvrir, nous ouvrons*, l'infinitif s'écrit ***-ir***. Cette règle s'applique par exemple aux verbes suivants: *bouillir, courir, dormir, fuir, mourir, ouvrir, partir, revêtir.*

– Quand, à la première personne du pluriel, au présent de l'indicatif, le *i* s'entend toujours, comme dans *dire, nous disons*; *écrire, nous écrivons*; *rire, nous rions*, l'infinitif s'écrit ***-ire***. Cette règle s'applique par exemple aux verbes suivants: *circoncire, circonscrire, écrire, lire, médire, occire, suffire.*

Comment la conjugaison se comporte-t-elle à la forme interrogative?

■ L'interrogation ne change rien à la conjugaison des verbes, elle modifie les rapports de place entre le verbe et son sujet.

Si le sujet est un pronom

■ Dans la langue soignée, on marque l'interrogation par l'inversion du pronom personnel qui est relié au verbe par un trait d'union: *As-**tu** jamais eu un instant de bonheur?* (BECKETT)

■ À la 3e personne du singulier, un *-t-* euphonique est ajouté si la forme verbale se termine par une voyelle: *Reste-**t**-il du pain? Où va-**t**-on?*

■ Si le verbe est construit avec un auxiliaire, le pronom se met après l'auxiliaire: *A-t-**il** été heureux? Est-**il** blessé?*

■ Le pronom sujet qui suit le verbe ne peut pas être sous-entendu lorsque deux verbes sont coordonnés: *Regardera-t-**il** par ici et nous verra-t-**il**?*

Si le sujet est un groupe nominal

■ Quand le sujet est un groupe nominal, il ne peut être postposé que dans certaines interrogations, portant sur un élément de la phrase, et non sur la phrase entière:
*Où est **la bicyclette de Martin**?*

■ Quand l'interrogation porte sur toute la phrase, on recourt à une inversion complexe qui, laissant le sujet à la première place, le répète sous la forme d'un pronom postposé: *Un **homme** peut-**il** vraiment être heureux? L'**expérience** a-t-**elle** été tentée?*

Les inversions à la première personne

■ Quand la forme verbale ne se termine pas par *-e*, l'inversion est rare, elle est quelquefois impossible; pour éviter des effets comiques, on n'écrit pas: **Où cours-je? *Que sers-je? *Meurs-je?* On ne trouve l'inversion qu'avec des verbes très courants: *Vais-je? Puis-je? Que dis-je?*

■ Quand la forme verbale se termine par *-e*, on l'écrit *-e* accent aigu, malgré la prononciation [ɛ]: *Rest**é**-je? Me tromp**é**-je? Euss**é**-je?*

C'est permis!

La réforme de l'orthographe recommande d'accorder la graphie à la prononciation et d'écrire: *Restè-je? Me trompè-je? Eussè-je?*

LES MODES

Que désignent les modes en conjugaison ?

■ Les modes représentent un cadre de classement des temps hérité des langues anciennes.

Les modes traditionnels de la conjugaison

■ Les modes se différencient d'abord par leur capacité à présenter les personnes : on distingue les formes qui varient en personne (les modes personnels) des formes qui ne varient pas en personne (les modes impersonnels).

■ Les verbes aux **modes impersonnels** peuvent sortir de leur fonction strictement verbale et se comporter comme des mots non verbaux : l'infinitif remplit alors toutes les fonctions du nom ; le participe, celles de l'adjectif, et le gérondif, celles de l'adverbe.

■ Les **modes personnels** distinguent l'impératif, le subjonctif et l'indicatif :

– l'impératif ne connaît que trois personnes, il est le seul mode personnel à être employé sans pronom sujet : *Écris, écrivons, écrivez* (non : **Écrirons*).

– le subjonctif est caractérisé par la « béquille » *que*, il est le seul mode personnel à pouvoir être employé derrière *je veux que* : *Je veux que Sylvie écrive* (non : **Je veux que Sylvie écrirait*).

– l'indicatif peut être employé avec un sujet dans une proposition indépendante sans la conjonction *que* : *Sylvie écrit* (non : **Sylvie écrive*).

Modes et valeurs modales

■ Les temps du verbe peuvent manifester le sentiment du locuteur par rapport à ce qu'il dit, la manière dont il envisage le degré de réalisation de l'action. Par exemple, le futur et le conditionnel, tournés vers l'avenir, donnent le fait comme non encore réalisé, mais probable ou possible. On parle alors de « valeurs modales ».

Attention !

Il n'y a pas d'équivalence entre les modes traditionnels de la conjugaison et les valeurs modales que peuvent prendre les temps :

– un mode peut exprimer des valeurs modales différentes. Le subjonctif peut exprimer la volonté, le souhait, le doute, la crainte...

– une même valeur modale peut être rendue par des modes différents. L'irréel s'exprime aussi bien à l'indicatif *(si tu étais là ; j'aurais aimé le rencontrer ; il reviendra)* qu'à l'impératif (*revenez* indique également que l'événement n'est pas réalisé).

Voir l'indicatif, le conditionnel, l'infinitif, l'impératif, le subjonctif.

LA NÉGATION

Comment la conjugaison se comporte-t-elle à la forme négative?

■ La négation du verbe en français se fait au moyen d'une locution négative en deux parties: *ne... pas, ne... plus, ne... guère...* Elle ne change rien à la conjugaison des verbes, mais la place du deuxième élément peut varier.

La particule négative *ne*

■ La particule négative *ne* se place toujours à gauche du verbe, dont elle ne peut être séparée que par des pronoms atones: *Je* ***ne*** *le regarde pas.* **Ne** *me le dis plus.*

■ À la voix pronominale, *ne* se place avant le pronom réfléchi: *Il* ***ne*** *se rend jamais.*

■ *Ne* peut s'employer seul avec certains verbes: *Je* ***n'****ose, je* ***ne*** *peux, je* ***ne*** *cesse.*

L'élément adverbial *pas*

■ L'élément adverbial *pas* se place généralement à droite du verbe. Le verbe à un temps simple se trouve encadré par les deux éléments: *L'argent* ***n'****a* ***pas*** *d'odeur.* La négation encadre l'auxiliaire d'un verbe à un temps composé: *Il* ***ne*** *m'a* ***pas*** *vu.*

■ Quand la négation porte sur un verbe à l'infinitif, les deux éléments sont placés avant le verbe: *Il m'a demandé de* ***ne pas*** *le réveiller. Être ou* ***ne pas*** *être...*

C'est là qu'on se trompe

Le regroupement des deux éléments de la négation (*ne* et *pas*) est incorrect quand le verbe est conjugué. La faute est fréquente dans les propositions de but introduites par *pour que*. Il faut dire: *Soyez discret pour qu'il* ***ne*** *se réveille* ***pas*** (la construction fautive **pour ne pas que*, formée par analogie avec *pour ne pas* + infinitif, s'entend dans la langue populaire).

Vous avez dit bizarre ?

Certains verbes comme *falloir, aller, devoir, vouloir* portent quelquefois la négation par déplacement: *Il* ***ne*** *doit rien manger* (= il doit ne rien manger).

Le *ne* explétif

Ne, employé seul, perd sa valeur négative dans certaines subordonnées, après une principale marquant un désir négatif: *Je crains qu'il* ***ne*** *vienne* et après *avant que: Je partirai avant qu'il* ***n'****arrive.* La suppression du *ne* explétif est possible et ne change rien au sens de la phrase: *Je partirai avant qu'il arrive.* Le *ne* explétif est facultatif, il marque une langue soutenue.

LE PARTICIPE PASSÉ

Dans quels cas employer le participe passé ?

■ Le participe, comme son nom l'indique, participe de deux catégories distinctes, le verbe et l'adjectif. On appelle participe passé soit la forme composée du participe présent *(ayant fini)*, soit la forme qui suit l'auxiliaire *(fini, finie)*.

En proposition participiale

Le participe passé, centre d'une proposition, a un agent propre exprimé qui n'a aucune autre fonction dans la phrase : *L'averse passée, la fanfare recommença à jouer* (l'agent du participe passé est *l'averse*).

Dans les formes composées

■ Associé aux auxiliaires *être* ou *avoir*, le participe passé permet de construire les temps composés des verbes : *J'ai mangé. Les invités sont arrivés tôt.*

■ Associé à l'auxiliaire *être*, le participe passé permet de mettre un verbe transitif à la voix passive : *Voilà qui est fait. La voiture a été rayée par des voyous.*

Employé sans auxiliaire

Le participe passé employé sans auxiliaire occupe les fonctions d'un adjectif, mais il conserve des propriétés verbales. Il peut être épithète : *Il porte des chaussettes rayées*, ou attribut : *Ses chaussettes sont rayées.*

La séquence *être* + participe passé

■ Dans le cas des verbes transitifs :

- on reconnaît le passif quand on identifie un complément de type verbal (agent ou circonstanciel) : *La porte est ouverte par le gardien à huit heures.*
- en l'absence de complément de type verbal, le participe passé occupe la fonction attribut du sujet comme un adjectif : *Son visage est ouvert.* S'il peut varier en degré ou se coordonner avec un adjectif qualificatif, c'est qu'il est devenu un adjectif : *Son visage est ouvert et sympathique. Cette œuvre est très achevée.*

■ Dans le cas des verbes intransitifs qui se conjuguent avec *être* :

- on reconnaît le passé composé parce qu'il exprime une action passée dans un contexte passé : *Pierre s'est assis sur le lit, il a soupiré* (le passé composé *s'est assis* exprime l'action de *s'asseoir* au passé dans un contexte passé).
- on reconnaît le participe passé parce qu'il exprime un état présent dans un contexte présent : *Pierre est assis sur le lit, il soupire* (*est assis* est détaché de l'action de *s'asseoir*, ce n'est pas un passé composé mais un participe passé employé comme attribut).

LE PARTICIPE PASSÉ

Quelles sont les difficultés orthographiques du participe passé?

■ On peut faire des fautes sur la terminaison du participe passé au masculin singulier: la dernière voyelle prononcée est quelquefois suivie d'une consonne muette.

■ Les verbes du 1er et du 2e groupe ne prennent pas de *s*.

– Les verbes du 1er groupe ont leur participe passé en *-é*: *mangé*...

– Les verbes du 2e groupe ont leur participe passé en *-i*, ils ne prennent pas de *s*: *fleuri, grandi*...

■ Les verbes du 3e groupe sont irréguliers:

– **Avec *-u* final**, le participe passé ne prend pas d'*s*: *bu, lu, attendu, cousu*...

Exception

Inclure: inclus.

Attention !

Devoir, mouvoir et *croître* prennent un accent circonflexe au masculin singulier uniquement: *J'ai crû, j'ai dû, je suis mû. J'ai dû payer la somme* ***due****. Les arriérés* ***dus****.*

– **Avec *-i* final**, le participe passé est en ***-i*** / ***-is*** / ***-it***: *cueilli, lui, nui, dormi... /pris, mis, acquis, assis, circoncis, occis... / dit, écrit, cuit, frit, confit, déduit*...

Une petite astuce !

Pour faire apparaître la consonne muette, on met la forme au féminin en faisant précéder le participe passé de «la chose que j'ai»: *J'ai acquis. / La chose que j'ai acquise.*

C'est permis !

– *Absoudre* et *dissoudre* prennent un *s* au masculin et *-te* au féminin: *J'ai dissous l'assemblée. / L'assemblée est dissoute.*

– La réforme de 1990 autorise: *absout, absoute*; *dissout, dissoute.*

C'est là qu'on se trompe

– Le verbe *bénir* a eu jusqu'au XIXe siècle deux participes passés: *béni* et *bénit*. Aujourd'hui le participe passé de *bénir* est *béni, bénie*: *Le pape a béni la foule. C'est une région bénie des dieux.*

– *Bénit, bénite* est un adjectif, il s'emploie pour désigner une chose qui a reçu une bénédiction: *pain bénit, eau bénite, rameaux bénits.*

PARTICIPE PASSÉ / INFINITIF

Comment distinguer le participe en *-é* de l'infinitif en *-er* ?

■ Le participe passé épithète qui se termine en *-é* et l'infinitif des verbes en *-er* ont le même son *é*. Il ne faut pas les confondre.

■ La formule qui veut que « lorsque deux verbes se suivent, le second se met à l'infinitif » est simpliste et n'est pas toujours vraie : *Cette maison, je l'ai vu construire, ensuite, je l'ai vue construite. L'oiseau tomba foudroyé* (= l'oiseau est foudroyé). *Ces médicaments se prennent dilués* (attribut du sujet).

Des petites astuces !

Pour choisir entre *-é* et *-er*, on peut substituer au verbe du premier groupe le verbe *faire* ou n'importe quel verbe d'un autre groupe :

On peut ***chanter****. / On peut le* ***faire*** (infinitif).

Le livre ***acheté*** *hier. Le livre* ***vendu*** *hier* (participe).

La famille ***rassemblée*** *festoyait. La famille* ***réunie*** *festoyait* (participe).

– Derrière une préposition, on trouve toujours l'infinitif :

Il parvient à ***déchiffrer*** (= lire) *le texte.*

Il est chargé de ***garder*** (= réunir) *les chevaux.*

Il commence par ***refuser*** (= choisir) *d'y croire.*

– Derrière un auxiliaire *être* ou *avoir*, la forme en *-é* est un participe :

Le bateau a ***quitté*** *le port. La maison est* ***fermée****.*

– Derrière des verbes tels que *aller, venir, commencer, devoir*, la forme en *-er* est un infinitif : *Le bateau va* ***quitter*** *le port. Le bateau doit* ***quitter*** *le port.* ■

Une petite astuce !

On reconnaît le participe passé lorsqu'il a valeur d'adjectif, car il s'accorde, alors que le verbe à l'infinitif est invariable :

– **épithète** : *Il habite une maison* ***adossée*** *à la colline* (= **construite**).

– **attribut** : *Cette maison, je la crois* ***hantée*** (= **détruite**). ■

Attention !

Après *paraître, sembler, rester* : *L'histoire m'a paru* ***inventée*** (= l'histoire est inventée). / *L'enfant m'a paru* ***inventer*** *l'histoire* (= l'enfant invente l'histoire).

PARTICIPE PASSÉ / VERBE

Comment distinguer un participe passé d'un verbe conjugué?

■ Des verbes ont des participes passés qui se prononcent comme certaines de leurs formes conjuguées, il faut donc savoir distinguer les temps composés (avec participe) des temps simples.

- Le verbe conjugué à un temps simple porte la marque de la personne (désinence).
- Dans les temps composés, c'est l'auxiliaire qui porte la marque de la personne.
- Le participe passé ne connaît pas la variation en personne, mais seulement en genre et en nombre (sous certaines conditions).

Des petites astuces !

– Si l'on peut mettre le verbe à l'imparfait, il s'agit d'une forme conjuguée qui varie en temps et en personne: *L'enfant* ***prit*** *la route. / L'enfant* ***prenait*** *la route.*
– Si l'on peut transposer la forme au féminin, il s'agit du participe: *Les murs* ***détruits*** *ne protégeaient pas la ville. / Les murailles* ***détruites****...*

verbe en *-is / -it*

je ***sortis****, il* ***sortit*** */ il* ***sortait****, nous* ***sortions***

La forme conjuguée varie en temps et en personne.

participe passé en *-i*

il est ***sorti*** */ je suis* ***sorti****, il était* ***sorti***

L'auxiliaire varie en temps et en personne.

Attention !

Tu réussis (*s* = marque de deuxième personne) / *Les concours que tu as réussis* (*s* = marque du pluriel d'un participe passé accordé).

verbe en *-is / -it*

Le chasseur ***prit*** *l'oiseau.* (passé simple)

participe passé en *-is*

L'oiseau ***pris*** *dans le filet s'arrachait les plumes. / La colombe* ***prise*** *dans les filets s'arrachait les plumes.*
La variation en genre fait apparaître l'accord du participe.

verbe en *-us / -ut*

je ***courus****, il* ***courut*** */ je* ***courais****, nous* ***courions***

participe passé en *-u*

j'ai ***couru****, j'avais* ***couru****, nous avions* ***couru****.*

verbe en *-re*

Le maçon ***construit*** *une maison.* (présent) / *Les maçons* ***construisent*** *une maison.*
La forme conjuguée est susceptible de varier en personne.

participe passé en *-t*

C'est un magasin ***construit*** *trop vite. / C'est une maison* ***construite*** *trop vite.*
Le participe varie en genre mais pas en personne.

LE PARTICIPE PRÉSENT

Dans quels cas employer le participe présent ?

■ **Le participe présent peut jouer le rôle d'un verbe ou occuper les fonctions de l'adjectif. Il est toujours invariable.**

En proposition participiale

Le participe présent, centre d'une proposition jouant un rôle de complément circonstanciel, a un agent propre exprimé qui n'a aucune autre fonction dans la phrase: *Le temps me manquant, je n'ai pas encore terminé mon livre.*

En périphrase verbale

Dans un usage littéraire, en combinaison avec le verbe *aller*, la périphrase marque l'aspect progressif (duratif) du procès: *Il va cherchant sa voie à travers ses erreurs. Les ennuis vont croissant.*

En fonction adjectivale

■ Le participe présent occupe les fonctions de l'adjectif, sans pouvoir toutefois les occuper toutes:

– il n'est jamais attribut du sujet derrière le verbe *être*: **Un homme est marchant sur la route* est une construction incorrecte.

– il peut être attribut du COD: *Je revois mon père ouvrant la porte.*

– il est épithète: *Les albatros suivent le navire glissant sur les gouffres amers* (BAUDELAIRE).

– il est aussi épithète détachée: *Le grillon, les regardant passer, redouble sa chanson* (BAUDELAIRE).

■ Tout en occupant les fonctions de l'adjectif, le participe présent garde certaines propriétés verbales.

La valeur aspectuelle du participe présent

■ Le participe présent indique que le procès est déjà commencé et en cours de déroulement, il n'en précise pas les limites (aspect non borné): *Il vit alors les enfants jouant dans le ruisseau* (= les enfants sont en train de jouer quand il les voit).

■ Le participe présent ne situe pas le procès dans le temps, c'est le contexte et le temps du verbe principal qui lui donnent un ancrage temporel: *Tu l'imagines faisant un cours de grammaire?* (futur). *J'ai connu Pierre habitant cette maison* (passé).

■ Le participe présent (non accompli) s'oppose au participe passé (accompli): *L'homme, rejetant ses couvertures, se leva. / L'homme, ayant cassé la porte, partit.*

Voir les formes en *-ant*.

LE PASSÉ ANTÉRIEUR

Dans quels cas employer le passé antérieur ?

■ Au temps passé de forme simple, le passé simple, correspond un passé de forme composée, le passé antérieur, qui appartient aussi à la langue écrite et dont l'emploi est plus restreint.

La valeur temporelle

■ Le passé antérieur situe l'action dans un temps antérieur à un procès exprimé au passé simple. C'est la valeur qu'il prend en proposition subordonnée, où le passé antérieur ne se rencontre que dans des subordonnées exprimant l'antériorité (avec: *après que, dès que, quand, lorsque*...) et dépend d'un verbe principal au passé simple ou à l'imparfait: *Longtemps après que nous eûmes quitté la salle de concert, Gertrude restait encore silencieuse* (GIDE). *Quand il eut écrit son roman, il fréquenta les salons.*
Le passé antérieur exprime l'antériorité de l'action de *quitter* par rapport à l'état qui suit, exprimé à l'imparfait.

■ Le passé antérieur intervient surtout dans les propositions subordonnées circonstancielles de temps et en particulier dans une construction de la langue soutenue qu'on appelle «subordination inverse», parce que la proposition qui est la principale représente les circonstances, tandis que la circonstancielle exprime le fait essentiel. Le passé antérieur apporte une valeur d'antériorité aux «fausses principales» qui entrent dans des relations de succession temporelle: *À peine eut-il tourné les talons* (fausse principale) *que tout le monde éclata de rire.*

La valeur aspectuelle

La valeur aspectuelle fondamentale du passé antérieur est l'accompli (achèvement du procès à un certain moment du temps): on l'emploie à la place du passé simple quand on veut mettre l'accent non sur l'action elle-même, mais sur son achèvement. C'est la valeur qu'il prend toujours en proposition indépendante, où il est apte à exprimer des procès rapidement survenus dans le passé: *Et le drôle eut lapé le tout en un moment* (LA FONTAINE).

Vous avez dit bizarre ?

La langue parlée remplace le passé simple par le passé composé et le futur antérieur par un passé surcomposé: *Dès qu'il a eu terminé son roman, il l'a apporté à l'éditeur.*

Voir le passé simple.

LE PASSÉ COMPOSÉ

Dans quels cas employer le passé composé ?

■ Le passé composé est toujours lié au moment de l'énonciation : il présente une action vue depuis le «maintenant» de l'énonciateur. Le passé composé est le temps de la première personne et de la mémoire.

La valeur temporelle

■ Le passé composé a une valeur d'antériorité par rapport aux procès exprimés au présent : *Pierre a rencontré la femme de sa vie, il l'épouse demain.*

■ Il est apte à exprimer la répétition dans le passé : *On m'a souvent dit de me tenir droite* (l'aspect itératif est indiqué par le contexte).

■ Il n'est pas incompatible avec l'expression d'une vérité générale : *De tous temps, les hommes ont raconté des histoires.*

■ Il se substitue au passé simple dans l'usage oral : *Il a ouvert la porte, il est sorti, les gendarmes se sont élancés derrière lui.*

■ Dans *l'Étranger* d'Albert Camus, le passé composé est le temps dominant, ce qui est rare dans un récit écrit :
J'ai pris l'autobus à deux heures. Il faisait très chaud. J'ai mangé au restaurant, chez Céleste, comme d'habitude. Contrairement au passé simple qui enchaîne successivement les actions et semble établir une chronologie, le passé composé ne construit pas de chronologie et laisse les événements dans le flou temporel.

La valeur aspectuelle

■ L'aspect accompli du passé composé exprime depuis le présent un procès qui n'est envisagé que par son résultat dans le présent :
J'ai pris ma retraite. J'ai arrêté de fumer. L'action d'*arrêter* est envisagée dans ses conséquences sur mon comportement présent : Je *suis retraité. Je suis non-fumeur.*

■ Pur «accompli du présent», il présente l'action comme déjà accomplie :
Attends-moi, j'ai fini (ce que ne ferait pas le présent : *Attends-moi, je finis* [= je suis en train de finir]).

La valeur modale

Dans la subordonnée hypothétique, le passé composé peut exprimer le procès à venir envisagé dans l'accompli : *Si tu as réussi ton examen, téléphone-moi tout de suite.*

LE PASSÉ SIMPLE

Dans quels cas employer le passé simple ?

■ **Ce temps est aujourd'hui absent de la langue parlée, il ne se trouve qu'à l'écrit où il est bien vivant dans tous les registres. Situant l'action dans un temps antérieur au « maintenant » du locuteur, il est coupé du présent du locuteur.**

La valeur aspectuelle

Le passé simple prend en compte les limites du procès (aspect borné). Il cerne le procès, il en exprime le déroulement complet. On l'appelle « passé objectif » parce qu'il offre une vision différenciée de l'action passée.

La valeur temporelle

Lorsque des verbes se suivent au passé simple, les procès sont interprétés comme successifs : *Enfin il* [un perroquet] ***se perdit****. Elle* [sa propriétaire] *l'avait posé sur l'herbe,* ***s'absenta*** *une minute, et quand elle* ***revint****, plus de perroquet ! D'abord elle le* ***chercha*** *dans les buissons [...]. Ensuite elle* ***inspecta*** *tous les jardins [...] Enfin elle* ***rentra****, épuisée, les savates en lambeaux, la mort dans l'âme* (FLAUBERT).

■ Le contexte peut présenter deux procès au passé simple comme simultanés : *Tout le temps qu'il fut dans la pièce, elle ne cessa de le suivre des yeux.*

Le passé simple / l'imparfait

Dans le récit, le passé simple se combine avec l'imparfait. Le passé simple est le temps des verbes d'action et du premier plan, c'est lui qui fait progresser le texte, tandis que l'imparfait (qui n'envisage pas les limites temporelles du procès et le présente dans son déroulement) est le temps de l'arrière-plan :
Elle battait un méchant tapis à sa fenêtre, comme cela se faisait dans les maisons bourgeoises où l'aspirateur n'avait pas encore droit de cité. Nous adressa un geste amitieux auquel je répondis par un autre. La présence de Blanc à mon côté l'incertitudina (SAN-ANTONIO).

Le passé simple / le passé composé

■ Le passé simple est concurrencé dans la langue parlée par le passé composé. On dira spontanément : *Le facteur est passé.* La formulation : *Le facteur passa* est moins fréquente à l'oral.

■ Le passé simple apparaît comme marqué d'une connotation littéraire. C'est le temps du récit écrit par excellence : *La marquise demanda son carrosse et sortit à cinq heures* ne peut s'écrire qu'au passé simple.

LE PASSÉ SIMPLE

Quelles sont les marques du passé simple ?

■ Le passé simple exprime une action passée dont on connaît les limites précises.

Une petite astuce !

Il ne faut pas oublier l'accent circonflexe avec *nous* et *vous* uniquement.

■ **Le passé simple des verbes du premier groupe**

je fermai	*nous fermâmes*
tu fermas	*vous fermâtes*
il ferma	*ils fermèrent*

Attention !

Les verbes en *-cer* prennent une cédille devant *a* : *je plaçai.* Les verbes en *-ger* prennent un *e* devant le *a* : *je mangeai.*

■ **Le passé simple des verbes du deuxième groupe**

je remplis	*nous remplîmes*
tu remplis	*vous remplîtes*
il remplit	*ils remplirent*

Une petite astuce !

Les formes du singulier sont identiques à celles du présent.

■ **Le passé simple des verbes du troisième groupe**

De nombreux verbes se conjuguent sur le modèle du deuxième groupe :

je dormis	*nous dormîmes*
tu dormis	*vous dormîtes*
il dormit	*ils dormirent*

– Se conjuguent comme *dormir* : *je sentis, je mentis, je partis...*

– Se conjuguent comme *dormir* de nombreux verbes en *-dre* et *-tre* : *je rendis, je battis, je cousis...*

– Se conjuguent comme *dormir* des verbes en *-ire* : *je dis, je ris, j'écrivis, je cuisis...*

Attention !

Les verbes en *-ndre* font : *j'atteignis, je craignis.*

– Les autres verbes se conjuguent en *u* :

je voulus	*nous voulûmes*
tu voulus	*vous voulûtes*
il voulut	*ils voulurent*

Attention !

Aux terminaisons particulières des verbes *venir* et *tenir* :

je vins	*nous vînmes*
tu vins	*vous vîntes*
il vint	*ils vinrent*

LE PASSIF

Comment reconnaître le passif ?

▪ Il n'existe pas en français de désinences passives. La voix passive se construit exclusivement à l'aide de l'auxiliaire *être*, dans une structure semblable à la construction de l'attribut : *Il est mangé. Le jouet a été cassé.*

L'actif / le passif

On définit le passif par opposition à l'actif : la transformation passive inverse les rôles du sujet (celui qui fait l'action) et de l'objet (celui qui subit l'action) : ***L'enfant** casse les jouets* (voix active) / *Les jouets sont cassés par **l'enfant*** (voix passive). À la voix active, *l'enfant* est sujet du verbe *casser*. À la voix passive, l'agent *(l'enfant)* ne coïncide plus avec la fonction sujet, il est complément d'agent.

Permettre le passif

▪ La voix passive suppose que le verbe a un complément d'objet direct. Tous les verbes transitifs directs peuvent être mis au passif : *J'aime / Je suis aimé. Je regarde / Je suis regardé...*

▪ Le verbe *avoir* ne peut pas être mis au passif.

▪ Les verbes pronominaux n'ont pas de passif.

▪ Les verbes *obéir (à)* et *pardonner (à)*, qui sont suivis d'un COI à la voix active, peuvent néanmoins être mis au passif : *Pierre a été obéi, Lucie est pardonnée.*

▪ Il existe une construction passive impersonnelle : *Il est reproché à cet homme d'avoir volé un pain.*

Reconnaître le passif

▪ On reconnaîtra un véritable passif si la forme avec le verbe *être* est la transformation du procès correspondant actif : *L'orateur entra, il fut applaudi par la foule* (= la foule applaudit l'orateur).

▪ Au passé simple passif correspond un passé simple actif ; au présent passif correspond un présent actif : *Il est furieux, la serrure résiste, en deux secondes la porte est fendue* (= il fend la porte).

Attention !

Quand le complément d'agent est effacé, la construction avec *être* peut exprimer l'état résultant d'une action antérieure. Le verbe *être* n'est pas alors un véritable auxiliaire : *La porte est fendue* n'est pas la transformation du procès correspondant actif : *On fend la porte*, mais de : *Quelque chose a fendu la porte*. Les temps ne sont plus les mêmes : *fendue* sera analysé comme un participe passé adjectivé en fonction d'attribut du sujet.

LES PÉRIPHRASES VERBALES

Quelles sont les différentes périphrases verbales ?

■ Un verbe à l'infinitif peut se combiner avec un semi-auxiliaire pour former une périphrase verbale.

La construction d'une périphrase

■ Dans une périphrase verbale, l'infinitif garde tout son sens, tandis que le verbe qui sert de semi-auxiliaire perd son sens fort : *Il peut le faire* (= il est capable de le faire) / *Il peut être 10 heures* (= il est possible qu'il soit 10 heures).

■ La périphrase verbale représente un fait de composition où les deux mots sont indissociables et réunis en une seule unité de sens. Les périphrases verbales concurrencent les temps de la conjugaison (en anglais *may, should, would, might*).

■ De nombreux verbes peuvent former des périphrases verbales.

Les périphrases temporelles

Les périphrases temporelles permettent d'exprimer le passé immédiat (*il vient de manger*) et le futur proche (*il va manger*) :

- le futur périphrastique est plus utilisé dans la langue parlée que le futur simple : *Il va partir* (plutôt que : *Il partira*).
- le futur périphrastique peut également être employé dans un contexte passé : *Ils se quittèrent, ils ne devaient plus se revoir.*

Les périphrases aspectuelles

Les périphrases aspectuelles envisagent l'action dans l'un des moments de sa durée interne, à différents stades de sa réalisation :

- aspect inchoatif (commencement) : *L'orateur se mit à parler.*
- aspect progressif (déroulement) : *L'orateur est en train de parler.*
- aspect terminatif (fin) : *L'orateur finissait de parler.*

Les périphrases modales

Les périphrases modales manifestent la manière dont le locuteur envisage l'action :

- probabilité : *Il peut avoir 20 ans. Il doit être 8 heures.*
- presque accompli : *Il a failli nous échapper. J'ai manqué tomber.*

Les périphrases de voix

La voix dépend de la manière dont on envisage la participation du sujet à l'action. Les semi-auxiliaires de voix placent en position sujet la cause de l'action et non l'agent : *Le professeur fait travailler les enfants* (le sujet ne fait pas l'action, mais il est présenté comme la faisant faire : ce sont les enfants, COD, qui travaillent).

LE PRÉSENT DE L'INDICATIF

Dans quels cas employer le présent de l'indicatif ?

■ Le présent est le temps le moins marqué de l'indicatif (privé de désinence temporelle, il ne marque que les personnes). Il s'oppose au futur marqué par l'élément *-r* et à l'imparfait marqué par l'élément *-ai*. C'est pourquoi il est apte à des emplois très variés et capable de figurer dans tout énoncé, quelle que soit l'époque.

Les valeurs temporelles

■ Incluant l'actuel :

– Incluant l'actuel, le présent peut occuper un espace minimal sur la ligne du temps et coïncider avec le repère « maintenant » :

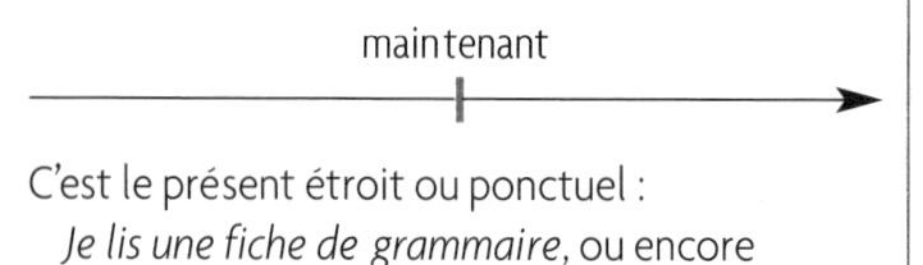

C'est le présent étroit ou ponctuel :
Je lis une fiche de grammaire, ou encore plus étroit, le présent de reportage :
Zidane prend le ballon, il tire, but !

– Il peut occuper un espace intermédiaire autour de l'actuel :

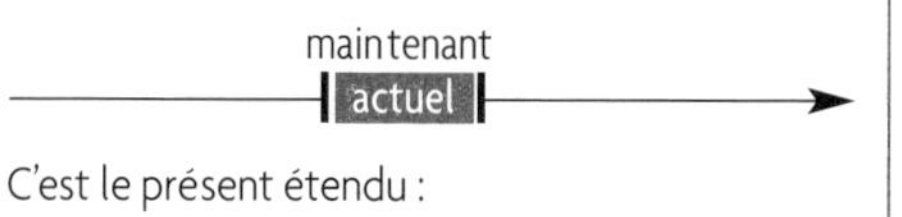

C'est le présent étendu :
J'aime les voyages.
- Il s'accorde avec l'expression de la répétition :
Tous les matins je pars de chez moi à 8 heures (l'aspect itératif est donné par le contexte).
- Il s'accorde avec la description :
La petite ville de Verrières peut passer pour l'une des plus jolies de Franche-Comté (STENDHAL).

– Il peut occuper tout l'espace temporel autour de l'actuel :

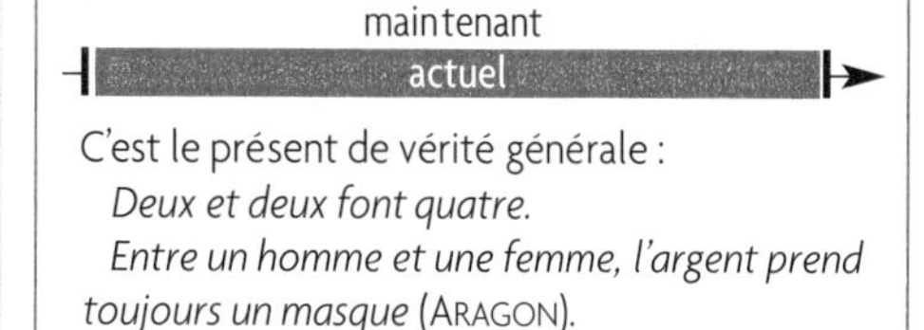

C'est le présent de vérité générale :
Deux et deux font quatre.
Entre un homme et une femme, l'argent prend toujours un masque (ARAGON).

– Du présent très étroit au présent très large, tous les emplois courants du présent se situent entre les deux extrêmes, en fonction de leur plus ou moins grande extension.

■ Le futur imminent ou le passé immédiat :

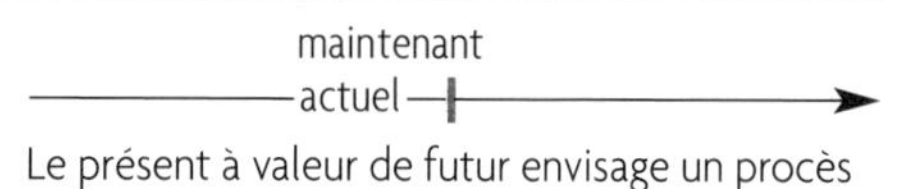

Le présent à valeur de futur envisage un procès tout entier à venir comme déjà en train de se réaliser :

Voyons ! Dans une heure je suis à Douvres. De là, nous prenons le train jusqu'a Puddlecombe, où nous n'arrivons qu'à 5h10
(*L'Île noire*, HERGÉ).
Puisque c'est comme ça, je pars
(= *je* menace de partir)

Le présent à valeur de passé immédiat actualise un procès tout entier dans le passé comme s'il était encore en train de se dérouler :

Je rentre à l'instant d'Italie.

■ **Le présent de narration :**

Nous, on riait. Mais voilà un type à bécane, avec un message pour le colon. Rassemblement. On met les bouts. Une fois sur la route, on se croyait à des milles et des cents... Puis tout d'un, tatatatac, tatatatac... Les mitrailleuses. On se couche par terre. On était en plein bousin, avec des uhlans qui se baladaient à cheval (ARAGON).

– Le présent de narration est détaché de l'actuel : c'est un temps du passé qui peut commuter avec le passé simple. Dans un contexte de temps du passé, il produit un fort effet de rupture dans la cohérence des temps. Il est porteur de la tension dramatique et tire les procès qu'il actualise au premier plan. C'est un temps narratif (comme son nom l'indique) qui concerne principalement les verbes d'action et les verbes déclaratifs qui se mettraient au passé simple dans le récit.

– Le présent de narration est une forme qui se réfère à un procès passé et ne produit aucun effet d'hésitation dans le positionnement temporel.

Les valeurs aspectuelles

Le présent montre le procès en partie accompli et, pour le reste, en accomplissement. L'effet de l'aspect non borné du présent est accru par sa valeur aspectuelle d'inaccompli.

LE PRÉSENT DE L'INDICATIF

Quelles sont les marques du présent de l'indicatif ?

- Les terminaisons du présent de l'indicatif dépendent de l'infinitif et du groupe du verbe.

Les verbes du premier groupe

- *-e, -es, -e* au singulier : *j'habite, tu habites, il habite.*
- *-ons, -ez, -ent* au pluriel : *nous habitons, vous habitez, ils habitent.*

Attention !

Sont concernés tous les verbes du premier groupe sans exception et quelques verbes du troisième groupe en *-ir* comme *cueillir, offrir, ouvrir, couvrir* : *je cueille, tu cueilles, il cueille, nous cueillons, vous cueillez, ils cueillent.*

Une petite astuce !

Les verbes en *-yer* changent le *y* en *i* devant *e* muet : *j'appuie, je nettoie...*

Attention !

Le verbe *aller* n'est pas un verbe du premier groupe.

Les verbes du deuxième groupe

- *-s, -s, -t* au singulier : *je finis, tu finis, il finit.*
- *-issons, -issez, -issent* au pluriel : *nous finissons, vous finissez, ils finissent.*

Une petite astuce !

-issons est le « symptôme » du deuxième groupe.

Les verbes du troisième groupe

- *-s, -s, -t* au singulier
- *-ons, -ez, -ent* au pluriel

– Les verbes en *-ir* perdent le *-i* et prennent *-s, -s, -t* : *venir (je viens).*

– certains verbes conservent leur consonne finale : les verbes en *-pre (je romps)*, en *-cre (il vainc)*, certains verbes en *-dre (je vends, je tords, je mouds).*

– certains verbes perdent leur consonne finale : les verbes en *-tir (je sens)*, en *-tre (je parais)*, certains verbes en *-dre (je peins, je résous, j'absous).*

Les homophones homographes

Les verbes du premier groupe et les verbes du troisième groupe qui ont une désinence *e* à la première personne ont quatre formes homophones entre le présent de l'indicatif et le présent du subjonctif:

présent du subjonctif	présent de l'indicatif
que j'ouvre	j'ouvre
que tu ouvres	tu ouvres
qu'il ouvre	il ouvre
qu'ils ouvrent	ils ouvrent

présent du subjonctif	présent de l'indicatif
que je cueille	je cueille
que tu cueilles	tu cueilles
qu'il cueille	il cueille
qu'ils cueillent	ils cueillent

Des petites astuces !

– On peut distinguer un subjonctif d'un indicatif en changeant les personnes (les variations de temps sont moins naturelles): *Il ne veut pas que je* ***mange****. / Il ne veut pas que nous* ***mangions****. / Il ne voulait pas que je* ***mangeasse****.*

– On peut aussi remplacer le verbe par un autre verbe du 2e ou du 3e groupe: *Il ne veut pas que je* ***vienne****.*

Les homophones hétérographes

- À la troisième personne du singulier, le présent de l'indicatif et le présent du subjonctif se prononcent souvent de la même façon, mais ne s'écrivent pas de la même façon. L'erreur sur les temps produit une faute d'orthographe:

présent du subjonctif	présent de l'indicatif
qu'il voie	il voit
qu'il fuie	il fuit
qu'il coure	il court
qu'il meure	il meurt

- Aux deux premières personnes du pluriel pour les verbes en *-yer, -ier, -iller* et *-gner*, le présent de l'indicatif et le présent du subjonctif se prononcent souvent de la même façon, mais ne s'écrivent pas de la même façon:

présent du subjonctif	présent de l'indicatif
que nous bala**yions**	nous bala**yons**
que nous emplo**yions**	nous emplo**yons**
que nous bril**lions**	nous bril**lons**
que nous étudi**ions**	nous étud**ions**
que nous saign**ions**	nous saign**ons**

À quoi sert la forme pronominale ?

■ Les verbes pronominaux se conjuguent avec un pronom personnel réfléchi *(me, te, se, nous, vous, se)* de la même personne que le sujet *(je, tu, il/elle/[on], nous, vous, ils/elles).*

Le pronom appartient au sens du verbe

■ Les verbes «essentiellement pronominaux» ne s'emploient qu'à la forme pronominale. Dans la plupart des cas, le pronom *se* n'a aucune autonomie et ne joue aucun rôle; il fait corps avec le verbe: *s'abstenir, s'arroger, s'évanouir, s'enfuir, se souvenir, s'envoler...*

■ Les verbes «pronominaux lexicalisés» existent aux deux formes, pronominale et non pronominale, avec des sens différents et parfois aussi des constructions particulières au pronominal: *adresser, s'adresser à ; faire, se faire à ; apercevoir, s'apercevoir de ; douter, se douter de; plaindre, se plaindre de ; déchaîner, se déchaîner... Il se trompe* ne représente pas une action du sujet sur lui-même (*il trompe lui-même), mais un sens nouveau (= il commet une erreur).

■ On parle de «construction pronominale neutre»: le pronom n'est pas analysable, il n'a aucun sens et fait partie de la forme verbale. La substitution d'une forme non pronominale est impossible: *Pierre écoute se déchaîner la tempête. *Pierre écoute déchaîner la tempête.*

Les constructions pronominales

Des verbes non pronominaux peuvent connaître une construction pronominale, dans laquelle le pronom réfléchi reste analysable:

– dans les formes «pronominales réfléchies» (ou réflexives), le sujet-agent agit sur lui-même: *Elle se regarde dans la glace* (= elle regarde elle dans la glace).

– dans les formes «pronominales réciproques», le sujet est toujours pluriel car les agents agissent les uns sur les autres: *Les garnements se poursuivent* (= les garnements se poursuivent les uns les autres).

Ces verbes représentent une synthèse de l'actif et du passif.

Le tour pronominal à valeur passive

Le tour pronominal à valeur passive permet de ne pas nommer l'agent du procès. Il se construit avec un sujet à la troisième personne, non animé: *Les livres se vendent bien. Le festin se prépare.* On peut tourner la phrase au passif et restituer un complément d'agent: *Les livres sont vendus par les libraires. Le festin est préparé par les cuisiniers.*

LE SUBJONCTIF

Quelles sont les valeurs du subjonctif ?

■ Le subjonctif est le mode du virtuel qui présente le procès comme pensé plutôt que comme réalisé. C'est par excellence le mode de la subjectivité et de la subordination.

Les valeurs du subjonctif

■ Les quatre temps du subjonctif ne marquent pas le temps, mais l'aspect :

– les formes simples (présent *que je sois* et imparfait *que je fusse*) présentent le procès sous l'aspect non accompli.

– les formes composées (passé *que j'aie été* et plus-que-parfait *que j'eusse été)* présentent le procès sous l'aspect accompli.

– l'imparfait et le plus-que-parfait ne se rencontrent plus que dans l'usage écrit très soutenu.

■ Sauf dans des expressions figées *(Vive les vacances !)*, le verbe au subjonctif, même en construction libre, est toujours précédé d'un *que* qui n'introduit aucune subordonnée. Mais le subjonctif apparaît surtout dans les propositions subordonnées derrière la conjonction *que* ou une conjonction composée avec *que* (d'où le *que* dans la conjugaison).

En construction libre

Dans les propositions indépendantes, les valeurs modales (souhait, ordre) sont fondamentales : *Qu'il parte ! Que Dieu nous vienne en aide !* (phrases impératives ou exclamatives).

Dans une proposition subordonnée

■ Le subjonctif est obligatoire :

– dans les complétives introduites par *que* après un verbe qui suspend le jugement ou marque une appréciation subjective (doute, souhait, incertitude, opinion...), chaque fois que l'interprétation l'emporte : *Je regrette qu'il pleuve* (car la phrase ne porte pas sur la pluie mais sur ce qu'on en pense).

– dans certaines circonstancielles qui expriment un jugement (réserve, hypothèse, anticipation, intention) : *Je t'ai appelé pour que tu viennes. J'aurai fini avant que tu partes.*

■ Le choix existe entre l'indicatif et le subjonctif :

– dans certaines complétives introduites par *que* : *Je ne crois pas qu'il pleuvra demain / qu'il pleuve demain.*

– dans les relatives, si l'antécédent est présenté comme virtuel : *Je cherche un mouton qui ait cinq pattes / qui a cinq pattes.*

Quelles sont les marques du subjonctif ?

■ Nous ne nous poserons pas la question grammaticale de l'emploi de ce mode, nous pointerons ici quelques particularités de conjugaison qui rendent l'orthographe difficile.

Le subjonctif présent

■ Tous les verbes ont la même désinence au subjonctif présent.

Exceptions

Avoir et être.

croire	*avoir*	*être*
que je croi**e**	que j'aie	que je sois
que tu croi**es**	que tu aies	que tu sois
qu'il croi**e**	qu'il ai**t**	qu'il soi**t**
que nous croy**ions**	que nous ay**ons**	que nous soy**ons**
que vous croy**iez**	que vous ay**ez**	que vous soy**ez**
qu'ils croi**ent**	qu'ils aient	qu'ils soient

■ Tous les verbes du 2e groupe font leur subjonctif en *-isse.*

Des petites astuces !

Les terminaisons des 2e et 3e personnes du pluriel sont les mêmes qu'à l'imparfait de l'indicatif.

– On retrouve la forme du subjonctif présent à partir de la 3e personne du pluriel du présent de l'indicatif :

prendre *:*
ils prennent / que je prenne

tordre *:*
ils tordent / que je torde

bouillir *:*
ils bouillent / que je bouille

fleurir *:*
ils fleurissent / que je fleurisse

– Quelques verbes forment leur subjonctif sur une base particulière :

aller *:*
que j'aille

faire *:*
que je fasse

savoir *:*
que je sache

pouvoir *:*
que je puisse

vouloir *:*
que je veuille

valoir *:*
que je vaille

C'est là qu'on se trompe

– Dans les verbes en *-ier*, les 1re et 2e personnes du pluriel ont deux *i*: *que nous criions, que vous criiez.*
– Dans les verbes en *-yer*, *-oir* et *-oire*, la 1re et la 2e personne du pluriel s'écrivent avec un *i* que l'on n'entend pas toujours: *que nous payions, que nous nous asseyions, que vous voyiez, que vous croyiez.*

Le subjonctif imparfait

- Les terminaisons sont les mêmes pour tous les verbes sans exception:

crier
que je criasse
que tu criasses
qu'il criât
que nous criassions
que vous criassiez
qu'ils criassent

- La 3e personne du singulier ne fait pas entendre le son *s*. Elle s'écrit toujours avec un accent circonflexe pour la distinguer de la 3e personne du passé simple avec laquelle elle est homophone: *il aima / qu'il aimât; il vint / qu'il vînt.*

Exceptions

Qu'il haït, qu'il ouït.

Une petite astuce !

On retrouve la forme du subjonctif imparfait à partir de la 2e personne du passé simple:

***chanter**: tu chantas / que je chantasse*
***prendre**: tu pris / que je prisse*
***tordre**: tu tordis / que je tordisse*
***bouillir**: tu bouillis / que je bouillisse*
***fleurir**: tu fleuris / que je fleurisse*

Vous avez dit bizarre ?

tenir, venir prennent deux *s* derrière une consonne. Ici, l'orthographe est en contradiction avec la loi de position qui veut qu'on ne rencontre deux *s* qu'entre deux voyelles: *que je tinsse, que je vinsse.*

Le subjonctif imparfait des verbes *avoir* et *être*

avoir	*être*
que j'eusse	que je fusse
que tu eusses	que tu fusses
qu'il eût	qu'il fût
que nous eussions	que nous fussions
que vous eussiez	que vous fussiez
qu'ils eussent	qu'ils fussent

Récapitulons !

- La terminaison des trois personnes du singulier d'un verbe est une marque écrite qui ne s'entend pas à l'oral : *je veux, tu veux, il veut ; j'aime, tu aimes, il aime...*
- On rajoute un *s* à l'impératif de certains verbes devant *en* et *y* : *prends-en, vas-y* ; on rajoute un *t* devant *il, elle* et *on* : *dit-il, va-t-on.*

La terminaison des verbes à la première personne

Le *s* est la terminaison la plus fréquente. Lorsqu'un verbe conjugué est à la 1re personne, sa dernière lettre ne peut être que *s* (et sa variante *x*), *e*, *i* ou *ai*.

- **Au présent du subjonctif**, tous les verbes se terminent par ***e***.

Exception

Le verbe *être* : *que je sois.*

- **Au présent de l'indicatif** :

– Les verbes du 1er groupe ainsi que certains verbes du 3e groupe se terminent par *e* : *je mange ; je cueille.*

– Tous les autres verbes prennent *s* : *je prends, je dis, je finis...*

Exceptions

J'ai, je veux, je peux, je vaux, j'équivaux, je prévaux.

Attention !

Aller est un verbe irrégulier : *je vai**s**.*

- Au passé simple :

– Les verbes du 1er groupe se terminent par *ai* : je *chantai.*

– Tous les autres verbes se terminent par *s* : je *finis, je lus, je cueillis...*

- **Au futur**, la première personne se termine par *ai* : *j'irai.*

Attention !

Il ne faut pas la confondre avec la forme presque homophone du conditionnel : *j'irais.*
Pour différencier les deux formes, on passe à la 2e personne : *tu iras* n'est pas homophone de *tu irais*. Aucun verbe ne prend *s* au futur.

La terminaison des verbes à la deuxième personne

La terminaison la plus fréquente est *s* et sa variante *x* : *tu veux, tu pouvais, tu vaudras, tu équivalais, tu prévaudrais...*

Attention !

Aux cas de l'impératif :
- La 2e personne du singulier ne prend pas de *s* dans les verbes du 1er groupe et dans certains verbes du 3e groupe : *Sache tenir ta langue. Mange ta soupe. Ouvre la porte.*
- La 2e personne du singulier du verbe *avoir* ne prend pas de *s* : *aie confiance.*
- La 2e personne du singulier du verbe *aller* ne prend pas de *s* : *Va chez la voisine.*

Exception

On met un *s* euphonique si la forme est suivie de *y* ou de *en* : *Vas-y.*

Une petite astuce !

Tous les autres verbes prennent *s* : *Prends ta douche. Dis-moi à quoi tu penses...*

La terminaison des verbes à la troisième personne

La terminaison la plus fréquente est le *t*, mais ce n'est pas la seule : *il finit, elle penserait, il s'assit...*

- Au présent du subjonctif, tous les verbes se terminent par *e* : *qu'elle pense, qu'il agisse, qu'elle cueille...*

Exceptions

Le verbe *être* : *qu'il soit* et le verbe *avoir* : *qu'il ait.*

- À l'imparfait du subjonctif, c'est toujours *t* : *qu'il chantât, qu'il mentît, qu'il mourût, qu'il vînt.*
- Au présent de l'indicatif :

– Les verbes du 1er groupe et certains verbes du 3e groupe se terminent par *e* : *il mange ; il cueille.*

– Le verbe *avoir* : *il a.*

Attention !

Certains verbes du 3e groupe se terminent par un *c* : *il vainc, il convainc* ou un *d* : *il rend, il prend, il pond...*

- Le verbe *asseoir* a deux formes : *il s'assoi***t***, il s'assie***d***.*
- Au futur, c'est toujours *a* : *il viendra, il sera.*
- À l'imparfait et au conditionnel, c'est toujours *ait* : *il venait, il viendrait...*

C'est là qu'on se trompe

– Au passé simple, les verbes du 1er groupe se terminent par *a* : *il acheta, il mangea.* Ils ne prennent jamais de *t*. Tous les autres verbes se terminent par *t* : *il vint, il fuit, il finit...*
– Au passé simple, les verbes du 2e groupe se terminent par *it* : *il finit, il fleurit.*
– Au passé simple, les verbes du 3e groupe n'ont pas cette régularité : *fendre / il fen***dit***; paraître / il par***ut***; mourir / il mour***ut***.*

LE VERBE

Peut-on définir le verbe ?

■ Le verbe est un mot qui ajoute à sa propre signification celle du temps, il situe un procès par rapport au «maintenant» du locuteur. Il permet la représentation des époques (temps) et l'expression de la durée (aspect).

Du point de vue de la forme

La forme permet, en français, de distinguer le verbe des noms. Le verbe est le seul mot qui se conjugue. C'est-à-dire qu'il présente une série de variations de sa forme par lesquelles sont exprimés la personne, le temps, l'aspect, la voix et le mode. On appelle **conjugaison** l'ensemble des formes que peut prendre un verbe.

Du point de vue du sens

Le verbe exprime soit une action, soit un état, soit un changement d'état, rapportés à un sujet: *Le train entre en gare. Le chef de gare est très vieux.* Pour synthétiser ces trois notions, on emploie le mot de sens plus général de **procès** (du latin *processus*, «ce qui s'avance, ce qui se passe»).

Du point de vue logique

On peut analyser la proposition en **sujet** et **prédicat** selon le modèle de la logique classique. Derrière le sujet qui sert de point d'ancrage, le verbe remplit la fonction prédicative dans l'énoncé (il apporte l'élément nouveau de l'information), il affirme quelque chose de son sujet: *Ta fille pleure. La poubelle n'a pas été descendue.*

Du point de vue de la syntaxe

■ Le verbe a la vocation d'être le noyau de l'énoncé. Établissant des relations entre les éléments de l'énoncé, il est la base de l'unité syntaxique qu'on appelle la **proposition**. Les verbes commandent le nombre et la disposition des **compléments** (aucun: *dormir, souffrir*; un: *écrire quelque chose*; deux: *donner quelque chose à quelqu'un*).

■ Un verbe est transitif s'il accepte un complément d'objet: *Il mange une banane* (il est alors le terme qui met en relation le COD avec le sujet: sans le verbe, **Il, une banane* n'a aucun sens).

■ Un verbe est attributif lorsqu'il exprime l'attribution d'une propriété au sujet ou au COD: *La banane est mûre. Je trouve cette banane trop mûre.* Le verbe joue alors le rôle de **copule** (c'est-à-dire qu'il lie l'attribut à son support).

LA VOIX

Comment définir la voix en conjugaison ?

- La voix est une construction syntaxique qui permet d'indiquer quelle relation grammaticale existe entre le sujet, le verbe et l'éventuel complément d'objet.

La voix active

La voix active est non marquée, c'est celle qu'on emploie le plus couramment (sauf dans une intention particulière, on ne dira pas *ce verre a été bu par mon père*, mais *mon père a bu ce verre*). C'est pourquoi les tableaux de conjugaison sont présentés à la voix active: *L'enfant casse ses jouets*. Le sujet est le point de départ du procès exprimé par le verbe.

La voix passive

- Le passif concerne les verbes transitifs, il se caractérise par l'inversion des rôles du sujet et de l'objet.
- Le verbe prend une forme composée formée avec le verbe *être*: *Les jouets sont cassés par l'enfant*. L'agent *(l'enfant)* ne coïncide plus avec la fonction sujet, il est devenu complément d'agent.

La forme pronominale

- La forme pronominale est caractérisée par le redoublement de l'expression du sujet sous la forme d'un pronom réfléchi COD.
- Les pronominaux réfléchis et réciproques réalisent une sorte de synthèse entre l'actif et le passif, pour laquelle on parle parfois d'une «voix moyenne». Le sujet est à la fois l'agent et l'objet du procès: *Il se lave*.

La construction impersonnelle

La construction impersonnelle, plaçant le verbe en tête de phrase, l'accompagne d'un simple marqueur de 3e personne qui joue le rôle de sujet «postiche»: *Il passe un train tous les jours* (= un train passe tous les jours).

Les périphrases de voix

La construction *faire* + infinitif introduit un sujet qui ne fait pas l'action mais la fait faire par un agent qui occupe la position de complément: Le *professeur fait travailler les enfants*.

Voir le passif, les pronominaux, l'impersonnel, les périphrases verbales.

MODE D'EMPLOI DU RÉPERTOIRE DES VERBES

Ce répertoire permet de retrouver comment se conjuguent et se construisent tous les verbes courants de la langue.

Les numéros renvoient aux tableaux de conjugaison.

Pour chaque verbe, sont indiqués :

- le ou les modes de construction (transitive directe ou indirecte, intransitive) ;
- les prépositions généralement utilisées pour introduire le complément (C.O.I., C.O.S. ou C.C.), mentionnées entre parenthèses ;
- l'emploi pronominal éventuel (à cette voix, l'auxiliaire de conjugaison est toujours « être ») ;
- l'auxiliaire qui permet de former les temps composés à la voix active quand ce n'est pas « avoir » qui est obligatoire ;
- les particularités orthographiques ;
- les particularités d'emploi, quand elles ne sont pas indiquées au verbe modèle.

Les verbes essentiellement pronominaux (qui n'existent pas à la voix active) sont suivis de **-se-** ou **-s'-**.

Les verbes propres à la francophonie sont signalés par l'indication du pays ou de la région où ils sont employés : Afrique, Belgique, Québec, Suisse.

Abréviations utilisées

T	emploi transitif direct (avec un C.O.D.)
TI	emploi transitif indirect (avec un C.O.I.)
I	emploi intransitif (avec un C.C. ou sans complément)
Pr	verbe souvent conjugué à la voix pronominale (à cette voix, toujours avec « être » aux temps composés)
U	verbe unipersonnel (= impersonnel), n'existe qu'à la 3e personne du singulier
Déf	verbe défectif (= dont certaines formes sont inusitées)
p.p inv.	verbe dont le participe passé est toujours invariable
p.p. inv.	participe passé invariable dans l'emploi indiqué
+ être	verbe actif qui forme ses temps composés avec l'auxiliaire « être »
+ être ou avoir	verbe actif qui peut former ses temps composés avec l'auxiliaire « être » ou avec l'auxiliaire « avoir », selon la nuance de sens.

Le répertoire des verbes

A	1er, 2e, 3e groupe	
abaisser **T / Pr** (à)	1	12
abandonner **T / Pr** (à)	1	12
abasourdir **T**	2	35
abâtardir **T**	2	35
abattre **T / I,** p.p.inv. / **Pr**	3	74
abcéder **I / p.p.inv.**	1	20
abdiquer **T / I,** p.p.inv.	1	16
abêtir **T / Pr**	2	35
abhorrer **T**	1	12
abîmer **T / Pr**	1	12
abjurer **T**	1	12
ablater **T / Pr**	1	12
abolir **T**	2	35
abominer **T**	1	12
abonder **I / p.p.inv.**	1	12
abonner **T / Pr** (à)	1	12
abonnir **T / Pr**	2	35
aborder **I,** p.p.inv. / **T**	1	12
aboucher **T / Pr** (avec)	1	12
abouler **T / Pr**	1	12
abouter **T**	1	12
aboutir **Ti** (à) / **I / p.p.inv.**	2	35
aboyer **I / Ti** (à, après, contre) / **p.p.inv.**	1	31
abraser **T**	1	12
abréagir **I / p.p.inv.**	2	35
abréger **T**	1	21
abreuver **T / Pr** (à, de)	1	12
abriter **T / Pr**	1	12
abroger **T**	1	17
abrutir **T**	2	35
absenter **-s'-** (de) **+être**	1	12
absorber **T / Pr** (dans)	1	12
absoudre **T**	3	95
abstenir **-s'-** (de) **+être**	3	4
abstraire **T / Pr** (de) / **Déf:** pas de passé simple, pas de subj. imparf.	3	90
abuser **Ti** (de), p.p.inv. / **T / Pr**	1	12
accabler **T**	1	12
accaparer **T / Pr** (de), Belgique	1	12
accastiller **T**	1	12
accéder **Ti** (à) / **p.p.inv.**	1	20
accélérer **T / I,** p.p.inv. / **Pr**	1	20
accentuer **T / Pr**	1	13
accepter **T**	1	12
accessoiriser **T**	1	12
accidenter **T**	1	12
acclamer **T**	1	12
acclimater **T / Pr** (à)	1	12
accointer **-s'-** (avec) **+être**	1	12
accoler **T**	1	12
accommoder **T / I,** p.p.inv. / **Pr** (à, avec, de)	1	12
accompagner **T**	1	12
accomplir **T / Pr**	2	35
accorder **T / Pr**	1	12
accoster **T**	1	12
accoter **T / Pr**	1	12
accoucher **I,** p.p.inv. / **Ti** (de), p.p.inv. / **T**	1	12
accouder **-s'- +être**	1	12
accouer **T**	1	13
accoupler **T / Pr**	1	12
accourcir **T**	2	35
accourir **I / + être ou avoir**	3	42
accoutrer **T / Pr**	1	12
accoutumer **T / Pr** (à)	1	12
accréditer **T / Pr**	1	12
accrocher **T / Pr**	1	12
accroire **T / Déf:** usité seulement à l'inf., après *faire* et *laisser (en faire accroire à quelqu'un)*	3	88
accroître **T / Pr**	3	**93**
accroupir **-s'- +être**	2	35
accueillir **T**	3	46
acculer **T**	1	12
acculturer **T**	1	12
accumuler **T / Pr**	1	12
accuser **T**	1	12
acérer **T**	1	20
acétifier **T**	1	15
achalander **T**	1	12
acharner **-s'-** (sur, contre) **+être**	1	12
acheminer **T / Pr** (vers)	1	12
acheter **T**	1	**28**
achever **T**	1	25
achopper **I / p.p.inv.**	1	12
achromatiser **T**	1	12
acidifier **T**	1	15
aciduler **T**	1	12
aciérer **T**	1	20
acoquiner **-s'-** (avec, à) **+être**	1	12
acquérir **T**	3	**44**
acquiescer **I / Ti** (à) / **p.p.inv.**	1	**19**
acquitter **T / Pr** (de)	1	12
actionner **T**	1	12
activer **T / Pr**	1	12
actualiser **T**	1	12
adapter **T / Pr** (à)	1	12
additionner **T**	1	12
adhérer **Ti** (à) / **p.p.inv.**	1	20
adjectiver **T**	1	12
adjectiviser **T**	1	12
adjoindre **T / Pr**	3	71
adjuger **T / Pr**	1	17
adjurer **T**	1	12
admettre **T**	3	6
administrer **T**	1	12
admirer **T**	1	12
admonester **T**	1	12
adonner **-s'-** (à) **+être**	1	12
adopter **T**	1	12
adorer **T / Pr**	1	12
adosser **T / Pr** (à, contre)	1	12
adouber **T**	1	12
adoucir **T / Pr**	2	35
adresser **T / Pr** (à)	1	12
adsorber **T**	1	12
aduler **T**	1	12
adultérer **T**	1	20
advenir **I / + être / Déf:** usité seulement à l'inf., aux 3es pers. et au part. passé.	3	4
aérer **T / Pr**	1	20
affabuler **I / p.p.inv.**	1	12
affadir **T**	2	35
affaiblir **T / Pr**	2	35
affairer **-s'-** (auprès de) **+être**	1	12
affaisser **T / Pr**	1	12
affaler **T / Pr** (sur)	1	12
affamer **T**	1	12
afféager **T**	1	17
affecter **T / Pr** (de)	1	12
affectionner **T**	1	12
affermer **T**	1	12
affermir **T**	2	35
afficher **T / Pr**	1	12
affiler **T**	1	12
affilier **T / Pr** (à)	1	15
affiner **T / Pr**	1	12
affirmer **T / Pr**	1	12

Verbe	Groupe	Modèle
affleurer **T / I**, p.p.inv.	1	12
affliger **T / Pr** (de)	1	17
afflouer **T**	1	13
affluer **I / p.p.inv.**	1	13
affoler **T / Pr**	1	12
affouager **T**	1	17
affouiller **T**	1	12
affourager **T**	1	17
affourcher **T**	1	12
affourrager **T**	1	17
affranchir **T / Pr** (de)	2	35
affréter **T**	1	20
affriander **T**	1	12
affrioler **T**	1	12
affronter **T / Pr**	1	12
affruiter **I**, p.p.inv. / **T**	1	12
affubler **T / Pr** (de)	1	12
affûter **T**	1	12
africaniser **T / Pr**	1	12
agacer **T**	1	18
agencer **T**	1	18
agenouiller **-s'- + être**	1	12
agglomérer **T / Pr**	1	20
agglutiner **T / Pr** (à)	1	12
aggraver **T / Pr**	1	12
agir **I**, p.p.inv. / **T**	2	35
agir **-s'-** (de) **+ être U / p.p.inv.**	2	35
agiter **T / Pr**	1	12
agneler **I / p.p.inv.**	1	25
agonir **T**	2	35
agoniser **I / p.p.inv.**	1	12
agrafer **T**	1	12
agrainer **T**	1	12
agrandir **T / Pr**	2	35
agréer **T / Ti** (à), p.p.inv. / -é- partout	1	14
agréger **T / Pr** (à)	1	21
agrémenter **T**	1	12
agresser **T**	1	12
agriffer **-s'- + être**	1	12
agripper **T / Pr** (à)	1	12
aguerrir **T / Pr**	2	35
aguicher **T**	1	12
ahaner **I / p.p.inv.**	1	12
ahurir **T**	2	35
aicher **T**	1	12
aider **T / Ti** (à), p.p.inv. / **Pr** (de)	1	12
aigrir **T / I**, p.p.inv. / **Pr**	2	35
aiguiller **T**	1	12
aiguilleter **T**	1	27
aiguillonner **T**	1	12
aiguiser **T**	1	12
ailler **T**	1	12
aimanter **T**	1	12
aimer T / Pr	1	**12**
airer **I / p.p.inv.**	1	12
ajointer **T**	1	12
ajourer **T**	1	12
ajourner **T**	1	12
ajouter **T / Pr** (à)	1	12
ajuster **T**	1	12
alanguir **T / Pr**	2	35
alarmer **T / Pr** (de)	1	12
alcaliniser **T**	1	12
alcooliser **T / Pr**	1	12
alerter **T**	1	12
aléser **T**	1	20
aleviner **T**	1	12
aliéner **T**	1	20
aligner **T / Pr**	1	12
alimenter **T**	1	12
aliter **T / Pr**	1	12
allaiter **T**	1	12
allécher **T**	1	20
alléger **T**	1	21
alléguer **T** / -gu- partout	1	20
aller I / + être / Pr	3	**3**
allier **T / Pr** (à, avec)	1	15
allonger **T / I**, p.p.inv. / **Pr**	1	17
allotir **T**	2	35
allouer **T**	1	13
allumer **T / Pr**	1	12
alluvionner **I / p.p.inv.**	1	12
alourdir **T**	2	35
alpaguer **T** / -gu- partout	1	16
alphabétiser **T**	1	12
altérer **T**	1	20
alterner **I**, p.p.inv. / **T**	1	12
aluminer **T**	1	12
aluner **T**	1	12
alunir **I / p.p.inv.**	2	35
amadouer **T / Pr**	1	13
amaigrir **T / Pr**	2	35
amalgamer **T / Pr**	1	12
amariner **T**	1	12
amarrer **T**	1	12
amasser **T / Pr**	1	12
amatir **T**	2	35
ambiancer **I / p.p.inv.** / Afrique	1	18
ambitionner **T**	1	12
ambler **I / p.p.inv.**	1	12
ambrer **T**	1	12
améliorer **T / Pr**	1	12
aménager **T**	1	17
amender **T / Pr**	1	12
amener **T / Pr**	1	25
amenuiser **T / Pr**	1	12
américaniser **T / Pr**	1	12
amerrir **I / p.p.inv.**	2	35
ameublir **T**	2	35
ameuter **T**	1	12
amidonner **T**	1	12
amincir **T / Pr**	2	35
amnistier **T**	1	15
amocher **T**	1	12
amodier **T**	1	15
amoindrir **T / Pr**	2	35
amollir **T / Pr**	2	35
amonceler **T / Pr**	1	23
amorcer **T / Pr**	1	18
amortir **T / Pr**	2	35
amouracher **-s'-** (de) **+ être**	1	12
amplifier **T**	1	15
amputer **T**	1	12
amuïr **-s'- + être** / -ï- partout	2	35
amurer **T**	1	12
amuser **T / Pr**	1	12
analyser **T / Pr**	1	12
anastomoser **T / Pr**	1	12
anathématiser **T**	1	12
anatomiser **T**	1	12
ancrer **T / Pr**	1	12
anéantir **T / Pr**	2	35
anémier **T**	1	15
anesthésier **T**	1	15
anglaiser **T**	1	12
angliciser **T / Pr**	1	12
angoisser **T**	1	12
anhéler **I / p.p.inv.**	1	20
animaliser **T**	1	12
animer **T / Pr**	1	12
aniser **T**	1	12
ankyloser **T / Pr**	1	12
anneler **T**	1	23
annexer **T / Pr**	1	12
annihiler **T**	1	12
annoncer **T**	1	18

Verbe	Groupe	Tableau
annoter **T**	1	12
annualiser **T**	1	12
annuler **T**	1	12
anoblir **T**	2	35
anodiser **T**	1	12
ânonner **I,** p.p.inv. / **T**	1	12
anordir **I / p.p.inv.**	2	35
antéposer **T**	1	12
anticiper **T / I,** p.p.inv. / **Ti** (sur), p.p.inv.	1	12
antidater **T**	1	12
antiparasiter **T**	1	12
apaiser **T / Pr**	1	12
apercevoir **T / Pr** (de)	3	51
apeurer **T**	1	12
apiquer **T**	1	16
apitoyer **T / Pr** (sur)	1	31
aplanir **T**	2	35
aplatir **T / I,** p.p.inv. / **Pr**	2	35
aplomber **T / Pr** / Québec	1	12
apostasier **T / I,** p.p.inv.	1	15
aposter **T**	1	12
apostiller **T**	1	12
apostropher **T**	1	12
appairer **T**	1	12
apparaître **I / + être**	3	75
appareiller **T / I,** p.p.inv.	1	12
apparenter **-s'-** (à) **+ être**	1	12
apparier **T / Pr**	1	15
apparoir **I / Déf :** usité seulement à l'inf. prés. et à la 3e pers. du sing. de l'ind. prés. *(il appert que...)* / Langage juridique		–
appartenir **Ti** (à) / **U / Pr / p.p.inv.**	3	4
appâter **T**	1	12
appauvrir **T / Pr**	2	35
appeler **T / Ti** (de, à), p.p. inv. / **Pr**	1	**23**
appendre **T**	3	66
appesantir **T / Pr** (sur)	2	35
applaudir **T / Ti** (à), p.p.inv. / **Pr** (de)	2	35
appliquer **T / Pr** (à)	1	16
appointer **T**	1	12
appondre **T** / Suisse	3	66
apponter **I / p.p.inv.**	1	12
apporter **T**	1	12
apposer **T**	1	12
apprécier **T / Pr**	1	15
appréhender **T**	1	12
apprendre **T**	3	68
apprêter **T / Pr** (à)	1	12
apprivoiser **T / Pr**	1	12
approcher **T / I,** p.p.inv. / **Ti** (de), p.p. inv. / **Pr** (de)	1	12
approfondir **T**	2	35
approprier **T / Pr**	1	15
approuver **T**	1	12
approvisionner **T**	1	12
appuyer **T / I,** p.p.inv. / **Pr** (à, sur)	1	32
apurer **T**	1	12
arabiser **T / Pr**	1	12
araser **T**	1	12
arbitrer **T**	1	12
arborer **T**	1	12
arc-bouter **T / Pr** (à, contre, sur)	1	12
architecturer **T**	1	12
archiver **T**	1	12
arçonner **T**	1	12
argenter **T**	1	12
arguer **T / Ti** (de), p.p.inv.	1	**34**
argumenter **I,** p.p.inv. / **T**	1	12
ariser **T**	1	12
armer **T / Pr** (de)	1	12
armorier **T**	1	15
arnaquer **T**	1	16
aromatiser **T**	1	12
arpéger **T**	1	21
arpenter **T**	1	12
arquer **T**	1	16
arracher **T / Pr** (de, à)	1	12
arraisonner **T**	1	12
arranger **T / Pr**	1	17
arrenter **T**	1	12
arrérager **I,** p.p.inv. / **Pr**	1	17
arrêter **T / I,** p.p.inv. / **Pr** (de + inf.)	1	12
arriérer **T**	1	20
arrimer **T**	1	12
arriser **T**	1	12
arriver **I / U / + être**	1	12
arroger **-s'- + être**	1	17
arrondir **T / Pr**	2	35
arroser **T**	1	12
articuler **T / Pr** (sur)	1	12
ascensionner **T**	1	12
aseptiser **T**	1	12
asperger **T**	1	17
asphalter **T**	1	12
asphyxier **T / Pr**	1	15
aspirer **T / Ti** (à), p.p.inv.	1	12
assagir **T / Pr**	2	35
assaillir **T**	3	47
assainir **T**	2	35
assaisonner **T**	1	12
assassiner **T**	1	12
assécher **T / Pr**	1	20
assembler **T / Pr**	1	12
assener **T**	1	25
asséner **T**	1	20
asseoir **T / Pr**	3	**58** ou **59**
assermenter **T**	1	12
asservir **T**	2	35
assiéger **T**	1	21
assigner **T**	1	12
assimiler **T / Pr** (à)	1	12
assister **T / Ti** (à), p.p.inv.	1	12
associer **T / Pr** (à, avec)	1	15
assoiffer **T**	1	12
assoler **T**	1	12
assombrir **T / Pr**	2	35
assommer **T**	1	12
assortir **T / Pr** (à, avec, de)	2	35
assoupir **T / Pr**	2	35
assouplir **T / Pr**	2	35
assourdir **T**	2	35
assouvir **T**	2	35
assujettir **T**	2	35
assumer **T / Pr**	1	12
assurer **T / I,** p.p.inv. / **Pr**	1	12
asticoter **T**	1	12
astiquer **T**	1	16
astreindre **T / Pr** (à)	3	70
atermoyer **I / p.p. inv.**	1	31
atomiser **T**	1	12
atrophier **-s'- + être**	1	15
attabler **-s'- + être**	1	12
attacher **T / I,** p.p.inv. / **Pr** (à)	1	12
attaquer **T / Pr** (à)	1	16
attarder **-s'- + être**	1	12
atteindre **T / Ti** (à), p.p.inv.	3	70
atteler **T / Pr** (à)	1	23
attendre **T / I,** p.p.inv. / **Ti,** p.p.inv. / **Pr** (à)	3	66
attendrir **T / Pr**	2	35

Verbe	Groupe	Tableau
attenter **Ti** (à) / **p.p.inv.**	1	12
atténuer **T / Pr**	1	13
atterrer **T**	1	12
atterrir **I / p.p.inv.**	2	35
attester **T**	1	12
attiédir **T**	2	35
attifer **T / Pr**	1	12
attiger **I / p.p.inv.**	1	17
attirer **T**	1	12
attiser **T**	1	12
attraire **T**	3	90
attraper **T**	1	12
attremper **T**	1	12
attribuer **T / Pr**	1	13
attrister **T / Pr**	1	12
attrouper **T / Pr**	1	12
auditer **T**	1	12
auditionner **T / I,** p.p.inv.	1	12
augmenter **T / I,** p.p.inv.	1	12
augurer **T**	1	12
auréoler **T**	1	12
aurifier **T**	1	15
ausculter **T**	1	12
authentifier **T**	1	15
authentiquer **T**	1	16
autocensurer **-s'- +être**	1	12
autofinancer **-s'- +être**	1	18
autographier **T**	1	15
automatiser **T**	1	12
autoproclamer **-s'- +être**	1	12
autopsier **T**	1	15
autoriser **T / Pr** (de)	1	12
avachir **-s'- +être**	2	35
avaler **T**	1	12
avaliser **T**	1	12
avancer **T / I,** p.p.inv. / **Pr**	1	18
avantager **T**	1	17
avarier **T**	1	15
aventurer **T / Pr**	1	12
avérer **-s'- +être**	1	20
avertir **T**	2	35
aveugler **T / Pr**	1	12
aveulir **T / Pr**	2	35
avilir **T / Pr**	2	35
aviner **T**	1	12
aviser **T / I,** p.p.inv. / **Pr** (de)	1	12
avitailler **T**	1	12
aviver **T**	1	12
avoir T	3	**2**
avoisiner **T**	1	12
avorter **I,** p.p.inv. / **T**	1	12
avouer **T / Pr**	1	13
axer **T**	1	12
axiomatiser **T**	1	12
azurer **T**	1	12

B — 1er, 2e, 3e groupe

Verbe	Groupe	Tableau
babiller **I / p.p.inv.**	1	12
bâcher **T**	1	12
bachoter **I / p.p.inv.**	1	12
bâcler **T**	1	12
badigeonner **T**	1	12
badiner **I / Ti** (avec, sur) / **p.p.inv.**	1	12
bafouer **T**	1	13
bafouiller **T / I,** p.p.inv.	1	12
bâfrer **T / I,** p.p.inv.	1	12
bagarrer **I,** p.p.inv. / **Pr**	1	12
baguenauder **I,** p.p.inv. / **Pr**	1	12
baguer **T** / -gu- partout	1	16
baigner **T / I,** p.p. inv. / **Pr**	1	12
bailler **T** / Usité surtout dans: *vous me la baillez belle*	1	12
bâiller **I / p.p.inv.**	1	12
bâillonner **T**	1	12
baiser **T**	1	12
baisoter **T**	1	12
baisser **T / I,** p.p.inv. / **Pr**	1	12
balader **T / I,** p.p.inv. / **Pr**	1	12
balafrer **T**	1	12
balancer **T / I,** p.p.inv. / **Pr**	1	18
balayer **T**	1	29 ou 30
balbutier **I,** p.p.inv. / **T**	1	15
baliser **T / I,** p.p.inv.	1	12
balkaniser **T / Pr**	1	12
ballaster **T**	1	12
baller **I / p.p.inv.**	1	12
ballonner **T / Pr**	1	12
ballotter **T / I,** p.p.inv.	1	12
bambocher **I / p.p.inv.**	1	12
banaliser **T**	1	12
bancher **T**	1	12
bander **T / I,** p.p.inv.	1	12
bannir **T**	2	35
banquer **I / p.p.inv.**	1	16
banqueter **I / p.p.inv.**	1	27
baptiser **T**	1	12
baragouiner **T / I,** p.p.inv.	1	12
baraquer **I / p.p.inv.**	1	16
baratiner **I /** p.p.inv. / **T**	1	12
baratter **T**	1	12
barber **T**	1	12
barbifier **T**	1	15
barboter **I,** p.p.inv. / **T**	1	12
barbouiller **T**	1	12
barder **T / U,** p.p.inv.: *ça va barder*	1	12
baréter **I / p.p.inv.**	1	20
barguigner **I / p.p.inv.**: *sans barguigner*	1	12
barioler **T**	1	12
barrer **T / Pr**	1	12
barricader **T / Pr**	1	12
barrir **I / p.p.inv.**	2	35
basaner **T**	1	12
basculer **I,** p.p.inv. / **T**	1	12
baser **T / Pr** (sur)	1	12
bassiner **T**	1	12
bastonner **-se- +être**	1	12
batailler **I / p.p.inv.**	1	12
bateler **I / p.p.inv.**	1	23
bâter **T**	1	12
batifoler **I / p.p.inv.**	1	12
bâtir **T**	2	35
bâtonner **T**	1	12
battre T / I, p.p.inv. / **Pr** (contre)	3	**74**
bavarder **I / p.p.inv.**	1	12
bavasser **I / p.p.inv.**	1	12
baver **I / p.p.inv.**	1	12
bavocher **I / p.p.inv.**	1	12
bayer **I / p.p.inv.**: *bayer aux corneilles*	1	12
bazarder **T**	1	12
béatifier **T**	1	15
bêcher **T / I,** p.p.inv.	1	12
bêcheveter **T**	1	27
bécoter **T / Pr**	1	12
becqueter **T**	1	27
becter **T / I,** p.p.inv.	1	12
bedonner **I / p.p.inv.**	1	12
béer **I / p.p.inv. / Déf**: usité seulement à l'inf. prés. et au part. prés. *(béant)*; souvent remplacé par *être béant/te* aux autres temps	1	14
bégayer **I,** p.p.inv. / **T**	1	29 ou 30
bégueter **I / p.p.inv.**	1	28
bêler **I / p.p.inv.**	1	12
bémoliser **T**	1	12

Verbe	Groupe	Modèle
bénéficier **Ti** (de) / **I**, Afrique / **p.p.inv.**	1	15
bénir **T**	2	35
béqueter **T**	1	28
béquiller **T**	1	12
bercer **T / Pr** (de)	1	18
berner **T**	1	12
besogner **I / p.p.inv.**	1	12
bêtifier **I / p.p.inv.**	1	15
bétonner **T / I,** p.p.inv.	1	12
beugler **I,** p.p.inv. / **T**	1	12
beurrer **T**	1	12
biaiser **I,** p.p.inv. / **T**	1	12
biberonner **I,** p.p.inv. / **T**	1	12
bicher **I / p.p.inv.**	1	12
bichonner **T / Pr**	1	12
bidonner **T / Pr**	1	12
bidouiller **T**	1	12
bienvenir **I / Déf:** usité seulement à l'inf. prés. (*se faire bienvenir* = être bien accueilli)		–
biffer **T**	1	12
bifurquer **I / Ti** (sur, vers) / **p.p.inv.**	1	16
bigarrer **T**	1	12
bigler **I,** p.p.inv. / **T**	1	12
bigorner **T / Pr**	1	12
biler **-se- + être**	1	12
biller **T**	1	12
biloquer **T**	1	16
biner **T / I,** p.p.inv.	1	12
biper **T**	1	12
biscuiter **T**	1	12
biseauter **T**	1	12
biser **I,** p.p.inv. / **T**	1	12
bisquer **I / p.p.inv.**	1	16
bisser **T**	1	12
bistourner **T**	1	12
bistrer **T**	1	12
bitturer **-se- + être**	1	12
bitumer **T**	1	12
biturer **-se- + être**	1	12
bivouaquer **I / p.p.inv.**	1	16
bizuter **T**	1	12
blackbouler **T**	1	12
blaguer **I,** p.p.inv. / **T** / -gu- partout	1	16
blairer **T**	1	12
blâmer **T**	1	12
blanchir **T / I,** p.p.inv.	2	35
blaser **T**	1	12
blasonner **T**	1	12
blasphémer **T / I,** p.p.inv.	1	20
blatérer **I / p.p.inv.**	1	20
blêmir **I / p.p.inv.**	2	35
bléser **I / p.p.inv.**	1	20
blesser **T / Pr**	1	12
blettir **I / p.p.inv.**	2	35
bleuir **T / I,** p.p.inv.	2	35
bleuter **T**	1	12
blinder **T**	1	12
blinquer **I / p.p.inv.** / Belgique	1	16
blondir **I,** p.p.inv. / **T**	2	35
bloquer **T**	1	16
blottir **-se- + être**	2	35
blouser **T / I,** p.p.inv.	1	12
bluffer **T / I,** p.p.inv.	1	12
bluter **T**	1	12
bobiner **T**	1	12
bocarder **T**	1	12
boire T	3	**89**
boiser **T**	1	12
boiter **I / p.p.inv.**	1	12
boitiller **I / p.p.inv.**	1	12
bombarder **T**	1	12
bomber **T / I,** p.p.inv.	1	12
bondir **I / p.p.inv.**	2	35
bonifier **T / Pr**	1	15
bonimenter **I / p.p.inv.**	1	12
border **T**	1	12
borner **T / Pr** (à)	1	12
bornoyer **I,** p.p.inv. / **T**	1	31
bosseler **T**	1	23
bosser **T / I,** p.p.inv.	1	12
bossuer **T**	1	13
bostonner **I / p.p.inv.**	1	12
botteler **T**	1	23
botter **T**	1	12
boubouler **I / p.p.inv.**	1	12
boucaner **T**	1	12
boucharder **T**	1	12
boucher **T**	1	12
bouchonner **T / I,** p.p.inv.	1	12
boucler **T / I,** p.p.inv.	1	12
bouder **I,** p.p.inv. / **T**	1	12
boudiner **T**	1	12
bouffer **I,** p.p.inv. / **T / Pr**	1	12
bouffir **T / I,** p.p.inv.	2	35
bouffonner **I / p.p.inv.**	1	12
bouger **I,** p.p.inv. / **T**	1	17
bougonner **T / I,** p.p.inv.	1	12
bouillir I, p.p.inv. / **T**	3	**39**
bouillonner **I,** p.p.inv. / **T**	1	12
bouillotter **I / p.p.inv.**	1	12
boulanger **I,** p.p.inv. / **T**	1	17
bouler **I / p.p.inv.**	1	12
bouleverser **T**	1	12
boulocher **I / p.p.inv.**	1	12
boulonner **T / I,** p.p.inv.	1	12
boulotter **T / I,** p.p.inv.	1	12
boumer **I / U / p.p.inv.**	1	12
bouquiner **I,** p.p.inv. / **T**	1	12
bourdonner **I / p.p.inv.**	1	12
bourgeonner **I / p.p.inv.**	1	12
bourlinguer **I / p.p.inv.** / -gu- partout	1	16
bourrer **T / I,** p.p.inv. / **Pr**	1	12
boursicoter **I / p.p.inv.**	1	12
boursoufler **T / Pr**	1	12
bousculer **T / Pr**	1	12
bousiller **T**	1	12
bouter **T**	1	12
boutonner **T / I,** p.p.inv. / **Pr**	1	12
bouturer **I,** p.p.inv. / **T**	1	12
boxer **I,** p.p.inv. / **T**	1	12
boyauter **-se- + être**	1	12
boycotter **T**	1	12
braconner **I / p.p.inv.**	1	12
brader **T**	1	12
brailler **T / I,** p.p.inv.	1	12
braire **I / Déf:** usité seulement à l'inf. prés. et aux 3es pers. de l'ind. prés. et futur, ainsi qu'au conditionnel prés.	3	90
braiser **T**	1	12
bramer **I / p.p.inv.**	1	12
brancarder **T**	1	12
brancher **T / I,** p.p.inv. / **Pr** (sur)	1	12
brandir **T**	2	35
branler **I,** p.p.inv. / **T / Pr**	1	12
braquer **T / I,** p.p.inv. / **Pr** (contre)	1	16
braser **T**	1	12
brasiller **I / p.p.inv.**	1	12
brasser **T / Pr**	1	12
braver **T**	1	12
bredouiller **I,** p.p.inv. / **T**	1	12
brêler **T**	1	12
brésiller **T / I,** p.p.inv. / **Pr**	1	12

Verbe	Groupe	Modèle
bretteler **T**	1	23
bretter **T**	1	12
breveter **T**	1	27
bricoler **I**, p.p.inv. / **T**	1	12
brider **T**	1	12
bridger **I / p.p.inv.**	1	17
briefer **T**	1	12
briffer **I**, p.p.inv. / **T**	1	12
briguer **T** / -gu- partout	1	16
brillanter **T**	1	12
brillantiner **T**	1	12
briller **I / p.p.inv.**	1	12
brimbaler **T / I**, p.p.inv.	1	12
brimer **T**	1	12
bringuebaler **T / I**, p.p.inv.	1	12
bringuer **I**, p.p.inv. / **Pr** / Suisse / -gu- partout	1	16
brinquebaler **T / I**, p.p.inv.	1	12
briquer **T**	1	16
briqueter **T**	1	27
briser **T / I**, p.p.inv. / **Pr**	1	12
brocanter **I / p.p.inv.**	1	12
brocarder **T**	1	12
brocher **T**	1	12
broder **T**	1	12
broncher **I / p.p.inv.**	1	12
bronzer **T / I**, p.p.inv.	1	12
brosser **T / Pr**	1	12
brouetter **T**	1	12
brouillasser **U / p.p.inv.**	1	12
brouiller **T / Pr**	1	12
brouillonner **T**	1	12
brouter **T / I**, p.p.inv.	1	12
broyer **T**	1	31
bruiner **U / p.p.inv.**	1	12
bruir **T**	2	35
bruire I / p.p.inv. / Déf	3	**80**
bruisser **I / p.p.inv.**	1	12
bruiter **T**	1	12
brûler **T / I**, p.p.inv. / **Pr**	1	12
brumasser **U / p.p.inv.**	1	12
brumer **U / p.p.inv.**	1	12
brunir **T / I**, p.p.inv.	2	35
brusquer **T**	1	16
brutaliser **T**	1	12
bûcher **T / I**, p.p.inv.	1	12
budgéter **T**	1	20
budgétiser **T**	1	12
buffler **T**	1	12
buller **I / p.p.inv.**	1	12
bureaucratiser **T**	1	12
buriner **T**	1	12
buser **T** / Belgique	1	12
busquer **T**	1	16
buter **Ti** (sur, contre), p.p.inv. / **T / Pr**	1	12
butiner **I**, p.p.inv. / **T**	1	12
butter **T**	1	12

C — 1er, 2e, 3e groupe

Verbe	Groupe	Modèle
cabaler **I / p.p.inv.**	1	12
cabaner **T / I**, p.p.inv.	1	12
câbler **T**	1	12
cabosser **T**	1	12
caboter **I / p.p.inv.**	1	12
cabotiner **I / p.p.inv.**	1	12
cabrer **T / Pr**	1	12
cabrioler **I / p.p.inv.**	1	12
cacaber **I / p.p.inv.**	1	12
cacarder **I / p.p.inv.**	1	12
cacher **T / Pr**	1	12
cacheter **T**	1	27
cadastrer **T**	1	12
cadenasser **T**	1	12
cadencer **T**	1	18
cadmier **T**	1	15
cadrer **I** (avec), p.p.inv. / **T**	1	12
cafarder **I**, p.p.inv. / **T**	1	12
cafouiller **I / p.p.inv.**	1	12
cafter **I**, p.p.inv. / **T**	1	12
cahoter **T / I**, p.p.inv.	1	12
cailler **T / I**, p.p.inv. / **Pr**	1	12
caillouter **T**	1	12
cajoler **T / I**, p.p.inv.	1	12
calaminer **-se- +être**	1	12
calancher **I / p.p.inv.**	1	12
calandrer **T**	1	12
calciner **T / Pr**	1	12
calculer **T / I**, p.p.inv.	1	12
caler **T / I**, p.p.inv.	1	12
caleter **I**, p.p.inv. / **Pr**	1	12
calfater **T**	1	12
calfeutrer **T / Pr**	1	12
calibrer **T**	1	12
câliner **T**	1	12
calligraphier **T / I**, p.p.inv.	1	15
calmer **T / Pr**	1	12
calmir **I / p.p.inv.**	2	35
calomnier **T**	1	15
calorifuger **T**	1	17
calotter **T**	1	12
calquer **T**	1	16
calter **I**, p.p.inv. / **Pr**	1	12
cambrer **T / Pr**	1	12
cambrioler **T**	1	12
camer **-se- +être**	1	12
camionner **T**	1	12
camoufler **T / Pr**	1	12
camper **I**, p.p.inv. / **T / Pr**	1	12
canaliser **T**	1	12
canarder **T / I**, p.p.inv.	1	12
cancaner **I / p.p.inv.**	1	12
cancériser **-se- +être**	1	12
candir **T / Pr**	2	35
caner **I / p.p.inv.**	1	12
canner **I**, p.p.inv. / **T**	1	12
cannibaliser **T**	1	12
canoniser **T**	1	12
canonner **T**	1	12
canoter **I / p.p.inv.**	1	12
cantiner **I / p.p.inv.**	1	12
cantonner **T / I**, p.p.inv. / **Pr**	1	12
canuler **T**	1	12
caoutchouter **T**	1	12
caparaçonner **T**	1	12
capéer **I / p.p.inv.** / -é- partout	1	14
capeler **T**	1	23
caper **T**	1	12
capeyer **I / p.p.inv.** / -y- partout	1	30
capitaliser **T / I**, p.p.inv.	1	12
capitonner **T**	1	12
capituler **I / p.p.inv.**	1	12
caporaliser **T**	1	12
capoter **T / I**, p.p.inv.	1	12
capsuler **T**	1	12
capter **T**	1	12
captiver **T**	1	12
capturer **T**	1	12
caquer **T**	1	16
caqueter **I / p.p.inv.**	1	27
caracoler **I / p.p.inv.**	1	12
caractériser **T / Pr** (par)	1	12
caramboler **I**, p.p.inv. / **T**	1	12
caraméliser **I**, p.p.inv. / **T**	1	12
carapater **-se- +être**	1	12
carbonater **T**	1	12
carboniser **T**	1	12
carbonitrurer **T**	1	12

Verbe	Groupe	Modèle
carburer **T / I,** p.p.inv.	1	12
carcailler **I / p.p.inv.**	1	12
carder **T**	1	12
carencer **T**	1	18
caréner **T**	1	20
caresser **T**	1	12
carguer **T /** -gu- partout	1	16
caricaturer **T**	1	12
carier **T / Pr**	1	15
carillonner **I,** p.p.inv. / **T**	1	12
carotter **T**	1	12
carreler **T**	1	23
carrer **T / Pr**	1	12
carrosser **T**	1	12
carroyer **T**	1	31
cartelliser **T**	1	12
carter **T**	1	12
cartographier **T**	1	15
cartonner **T / I**	1	12
cascader **I / p.p.inv.**	1	12
casemater **T**	1	12
caser **T / Pr**	1	12
caserner **T**	1	12
casquer **I,** p.p.inv. / **T**	1	16
casser **T / I,** p.p.inv. / **Pr**	1	12
castrer **T**	1	12
cataloguer **T /** -gu- partout	1	16
catalyser **T**	1	12
catapulter **T**	1	12
catastropher **T**	1	12
catcher **I / p.p.inv.**	1	12
catéchiser **T**	1	12
catégoriser **T**	1	12
catir **T**	2	35
cauchemarder **I / p.p.inv.**	1	12
causer **T / Ti** (de, sur), p.p.inv.	1	12
cautériser **T**	1	12
cautionner **T**	1	12
cavalcader **I / p.p.inv.**	1	12
cavaler **I,** p.p.inv. / **T / Pr**	1	12
caver **T / I,** p.p.inv.	1	12
caviarder **T**	1	12
céder T / I, p.p.inv. / **Ti** (à), p.p.inv.	1	**20**
ceindre **T**	3	70
ceinturer **T**	1	12
célébrer **T**	1	20
celer **T**	1	25
cémenter **T**	1	12
cendrer **T**	1	12
censurer **T**	1	12
centraliser **T**	1	12
centrer **T**	1	12
centrifuger **T**	1	17
centupler **T / I,** p.p.inv.	1	12
cercler **T**	1	12
cerner **T**	1	12
certifier **T**	1	15
césariser **T**	1	12
cesser **T / I,** p.p.inv.	1	12
chabler **T**	1	12
chagriner **T**	1	12
chahuter **T / I,** p.p.inv.	1	12
chaîner **T**	1	12
chaloir **U / Déf:** usité seulement dans l'expression *peu me (te, lui...) chaut*		–
chalouper **I / p.p.inv.**	1	12
chamailler **-se- +être**	1	12
chamarrer **T**	1	12
chambarder **T**	1	12
chambouler **T**	1	12
chambrer **T**	1	12
chamoiser **T**	1	12
champagniser **T**	1	12
champlever **T**	1	25
chanceler **I / p.p.inv.**	1	23
chancir **I / p.p.inv.**	2	35
chanfreiner **T**	1	12
changer **T / I,** p.p.inv. / **Ti** (de), p.p.inv. / **Pr**	1	17
chansonner **T**	1	12
chanter **I,** p.p.inv. / **T**	1	12
chantonner **T / I,** p.p.inv.	1	12
chantourner **T**	1	12
chaparder **T**	1	12
chapeauter **T**	1	12
chaperonner **T**	1	12
chapitrer **T**	1	12
chaponner **T**	1	12
chaptaliser **T**	1	12
charbonner **T / I,** p.p.inv.	1	12
charcuter **T**	1	12
charger **T / Pr** (de)	1	17
charioter **I / p.p.inv.**	1	12
charmer **T**	1	12
charpenter **T**	1	12
charrier **T / I,** p.p.inv.	1	15
charroyer **T**	1	31
chasser **T / I,** p.p.inv.	1	12
châtier **T**	1	15
chatonner **I / p.p.inv.**	1	12
chatouiller **T**	1	12
chatoyer **I / p.p.inv.**	1	31
châtrer **T**	1	12
chauffer **T / I,** p.p.inv. / **Pr**	1	12
chauler **T**	1	12
chaumer **T / I,** p.p.inv.	1	12
chausser **T / I,** p.p.inv. / **Pr**	1	12
chauvir **I / p.p.inv. /** Suit le modèle de *aimer* (12) au plur. du prés. de l'ind. et de l'impér., à l'ind. imparf., au subj. prés. et au part. prés.	2	35
chavirer **I,** p.p.inv. / **T**	1	12
cheminer **I / p.p.inv.**	1	12
chemiser **T**	1	12
chercher **T**	1	12
chérir **T**	2	35
chevaler **T**	1	12
chevaucher **T / I,** p.p.inv. / **Pr**	1	12
cheviller **T**	1	12
chevreter **I / p.p.inv.**	1	27
chevretter **I / p.p.inv.**	1	12
chevroter **I / p.p.inv.**	1	12
chiader **I,** p.p.inv. / **T**	1	12
chialer **I / p.p.inv.**	1	12
chicaner **I,** p.p.inv. / **T**	1	12
chicoter **I / p.p.inv.**	1	12
chier **I,** p.p.inv. / **T**	1	15
chiffonner **T**	1	12
chiffrer **T / I,** p.p.inv. / **Pr**	1	12
chiner **T / I,** p.p.inv.	1	12
chinoiser **I / p.p.inv.**	1	12
chiper **T**	1	12
chipoter **I / p.p.inv.**	1	12
chiquer **T / I,** p.p.inv.	1	16
chlinguer **I / p.p.inv.** / -gu- partout	1	16
chloroformer **T**	1	12
chlorurer **T**	1	12
choir I / + être / Déf	3	**63**
choisir **T**	2	35
chômer **I,** p.p.inv. / **T**	1	12
choper **T**	1	12
choquer **T**	1	16
chorégraphier **T**	1	15
chosifier **T**	1	15
chouchouter **T**	1	12
chouriner **T**	1	12

Verbe	Gr.	Modèle
choyer **T**	1	31
christianiser **T**	1	12
chromer **T**	1	12
chromiser **T**	1	12
chroniciser **-se- + être**	1	12
chronométrer **T**	1	20
chuchoter **I**, p.p.inv. / **T**	1	12
chuinter **I / p.p.inv.**	1	12
chuter **I / p.p.inv.**	1	12
cibler **T**	1	12
cicatriser **T / I**, p.p.inv. / **Pr**	1	12
ciller **I / p.p.inv.**	1	12
cimenter **T**	1	12
cingler **I**, p.p.inv. / **T**	1	12
cintrer **T**	1	12
circoncire **T**	3	100
circonscrire **T**	3	81
circonvenir **T**	3	4
circulariser **T**	1	12
circuler **I / p.p.inv.**	1	12
cirer **T**	1	12
cisailler **T**	1	12
ciseler **T**	1	25
citer **T**	1	12
civiliser **T**	1	12
clabauder **I / p.p.inv.**	1	12
claboter **I**, p.p.inv. / **T**	1	12
claironner **I**, p.p.inv. / **T**	1	12
clamecer **I / p.p.inv.**	1	18
clamer **T**	1	12
clamser **I / p.p.inv.**	1	12
clapir **I / p.p.inv.**	2	35
clapoter **I / p.p.inv.**	1	12
clapper **I / p.p.inv.**	1	12
claquemurer **T / Pr**	1	12
claquer **I**, p.p.inv. / **T / Pr**	1	16
claqueter **I / p.p.inv.**	1	27
clarifier **T**	1	15
classer **T / Pr**	1	12
classifier **T**	1	15
claudiquer **I / p.p.inv.**	1	16
claustrer **T / Pr**	1	12
claver **T**	1	12
claveter **T**	1	27
clayonner **T**	1	12
clicher **T**	1	12
cligner **T / I**, p.p.inv.	1	12
clignoter **I / p.p.inv.**	1	12
climatiser **T**	1	12
cliquer **I / p.p.inv.**	1	16
cliqueter **I / p.p.inv.**	1	27
clisser **T**	1	12
cliver **T / Pr**	1	12
clochardiser **T / Pr**	1	12
clocher **I / p.p.inv.**	1	12
cloisonner **T**	1	12
cloîtrer **T / Pr**	1	12
cloner **T**	1	12
clopiner **I / p.p.inv.**	1	12
cloquer **I / p.p.inv.**	1	16
clore T / Déf	3	**98**
clôturer **T / I**, p.p.inv.	1	12
clouer **T**	1	13
clouter **T**	1	12
coaguler **T / I**, p.p.inv. / **Pr**	1	12
coalescer **T**	1	19
coaliser **T / Pr** (contre)	1	12
coasser **I / p.p.inv.**	1	12
cocher **T**	1	12
côcher **T**	1	12
cochonner **I**, p.p.inv. / **T**	1	12
cocoler **T** / Suisse	1	12
cocoter **I / p.p.inv.**	1	12
cocotter **I / p.p.inv.**	1	12
cocufier **T**	1	15
coder **T**	1	12
codifier **T**	1	15
coéditer **T**	1	12
coexister **I / p.p.inv.**	1	12
coffrer **T**	1	12
cofinancer **T**	1	18
cogérer **T**	1	20
cogiter **I**, p.p.inv. / **T**	1	12
cogner **I**, p.p.inv. / **Ti** (à, contre, sur, dans), p.p.inv. / **T / Pr**	1	12
cohabiter **I / p.p.inv.**	1	12
cohériter **I / p.p.inv.**	1	12
coiffer **T / Pr**	1	12
coincer **T / Pr**	1	18
coïncider **I / p.p.inv.**	1	12
coïter **I / p.p.inv.**	1	12
cokéfier **T**	1	15
collaborer **I / Ti** (à) / **p.p.inv.**	1	12
collationner **T**	1	12
collecter **T**	1	12
collectionner **T**	1	12
collectiviser **T**	1	12
coller **T / I**, p.p.inv. / **Ti** (à), p.p.inv.	1	12
colleter **-se- + être**	1	27
colliger **T**	1	17
colloquer **T**	1	16
colmater **T**	1	12
coloniser **T**	1	12
colorer **T**	1	12
colorier **T**	1	15
coloriser **T**	1	12
colporter **T**	1	12
coltiner **T / Pr**	1	12
combattre **T / I**, p.p.inv.	3	74
combiner **T / Pr**	1	12
combler **T**	1	12
commander **T / I**, p.p.inv. / **Ti** (à), p.p.inv. / **Pr**	1	12
commanditer **T**	1	12
commémorer **T**	1	12
commencer **T / Ti** (à + inf., par), p.p.inv. / **I**, p.p.inv.	1	18
commenter **T**	1	12
commercer **Ti** (avec) / **p.p.inv.**	1	18
commercialiser **T**	1	12
commérer **I / p.p.inv.**	1	20
commettre **T / Pr**	3	6
commissionner **T**	1	12
commotionner **T**	1	12
commuer **T**	1	13
communaliser **T**	1	12
communier **I**, p.p.inv. / **T**	1	15
communiquer **T / Ti** (avec, sur), p.p.inv.	1	16
commuter **T**	1	12
compacter **T**	1	12
comparaître . **I / p.p.inv.**	3	75
comparer **T**	1	12
comparoir **I / Déf**: usité seulement à l'inf. prés. et au part. prés. *(comparant)*; on emploie *comparaître* pour les autres formes		–
compartimenter **T**	1	12
compasser **T**	1	12
compatir **Ti** (à) / **p.p.inv.**	2	35
compenser **T**	1	12
compiler **T**	1	12
compisser **T**	1	12
complaire **Ti** (à) / **Pr** (dans) / **p.p.inv.** même à la voix pronominale	3	91
complanter **T**	1	12

converser **I / p.p.inv.**	1	12
convertir **T**	2	35
convier **T**	1	15
convoiter **T**	1	12
convoler **I / p.p.inv.**	1	12
convoquer **T**	1	16
convoyer **T**	1	31
convulser **T**	1	12
convulsionner **T**	1	12
coopérer **Ti** (à) / **p.p.inv.**	1	20
coopter **T**	1	12
coordonner **T**	1	12
copartager **T**	1	17
copermuter **T**	1	12
copier **T / Ti** (sur), p.p.inv.	1	15
copiner **I / p.p.inv.**	1	12
coposséder **T**	1	20
coproduire **T**	3	85
copuler **I / p.p.inv.**	1	12
coqueter **I / p.p.inv.**	1	27
coquiller **I / p.p.inv.**	1	12
cordeler **T**	1	23
corder **T**	1	12
cordonner **T**	1	12
cornaquer **T**	1	16
corner **I**, p.p.inv. / **T**	1	12
correctionnaliser **T**	1	12
corréler **T**	1	20
correspondre **I / Ti** (à) / **p.p.inv.**	3	66
corriger **T / Pr**	1	17
corroborer **T**	1	12
corroder **T**	1	12
corrompre **T**	3	72
corroyer **T**	1	31
corser **T / Pr**	1	12
corseter **T**	1	28
cosigner **T**	1	12
cosser **I / p.p.inv.**	1	12
costumer **T**	1	12
coter **T / I**, p.p.inv.	1	12
cotir **T**	2	35
cotiser **I**, p.p.inv. / **Pr**	1	12
cotonner **-se- +être**	1	12
côtoyer **T**	1	31
couchailler **I / p.p.inv.**	1	12
coucher **T / I**, p.p.inv. / **Pr**	1	12
couder **T**	1	12
coudoyer **T**	1	31
coudre T	3	**97**
couillonner **T**	1	12
couiner **I / p.p.inv.**	1	12
couler **I**, p.p.inv. / **T / Pr**	1	12
coulisser **T / I**, p.p.inv.	1	12
coupailler **T**	1	12
couper **T / Ti** (à), p.p.inv. / **I**, p.p.inv. / **Pr**	1	12
coupler **T**	1	12
courailler **I / p.p.inv.**	1	12
courbaturer **T**	1	12
courber **T / I**, p.p.inv. / **Pr**	1	12
courcailler **I / p.p.inv.**	1	12
courir I, p.p.inv. / **T**	3	**42**
couronner **T / Pr**	1	12
courroucer **T**	1	18
courser **T**	1	12
courtauder **T**	1	12
court-circuiter **T**	1	12
courtiser **T**	1	12
cousiner **I / p.p.inv.**	1	12
coûter **I**, p.p.inv. / **T**	1	12
couver **T / I**, p.p.inv.	1	12
couvrir **T / Pr**	3	45
craboter **T**	1	12
cracher **I**, p.p.inv. / **Ti** (sur), p.p.inv. / **T**	1	12
crachiner **U / p.p.inv.**	1	12
crachoter **I / p.p.inv.**	1	12
crachouiller **I / p.p.inv.**	1	12
crailler **I / p.p.inv.**	1	12
craindre T / I, p.p.inv.	3	**69**
cramer **I**, p.p.inv. / **T**	1	12
cramponner **T / Pr** (à)	1	12
crâner **I / p.p.inv.**	1	12
cranter **T**	1	12
crapahuter **I / p.p.inv.**	1	12
crapaüter **I / p.p.inv.**	1	12
craqueler **T / Pr**	1	23
craquer **I**, p.p.inv. / **T**	1	16
craqueter **I / p.p.inv.**	1	27
crasher **-se- +être**	1	12
cravacher **T / I**, p.p.inv.	1	12
cravater **T**	1	12
crawler **I / p.p.inv.**	1	12
crayonner **T**	1	12
crécher **I / p.p.inv.**	1	20
crédibiliser **T**	1	12
créditer **T**	1	12
créer T / -é- partout	1	**14**
crémer **I / p.p.inv.**	1	20
créneler **T**	1	23
créner **T**	1	20
créoliser **-se- +être**	1	12
créosoter **T**	1	12
crêper **T / Pr** dans l'expression familière *se crêper le chignon*	1	12
crépir **T**	2	35
crépiter **I / p.p.inv.**	1	12
crétiniser **T**	1	12
creuser **T / Pr**	1	12
crevasser **T / Pr**	1	12
crever **I**, p.p.inv. / **T / Pr** (à)	1	25
crevoter **I / p.p.inv.** / Suisse	1	12
criailler **I / p.p.inv.**	1	12
cribler **T**	1	12
crier **I**, p.p.inv. / **Ti** (après, contre), p.p.inv. / **T**	1	15
criminaliser **T**	1	12
crisper **T / Pr**	1	12
crisser **I / p.p.inv.**	1	12
cristalliser **T / I**, p.p.inv. / **Pr**	1	12
criticailler **T**	1	12
critiquer **T**	1	16
croasser **I / p.p.inv.**	1	12
crocher **T / I**, p.p.inv. / Suisse	1	12
crocheter **T**	1	28
croire T / Ti (à, en), p.p.inv. / **I**, p.p.inv. / **Pr**	3	**88**
croiser **T / I**, p.p.inv. / **Pr**	1	12
croître I / p.p.inv.	3	**92**
croquer **I**, p.p.inv. / **T**	1	16
crosser **T**	1	12
crotter **I / p.p.inv.**	1	12
crouler **I / p.p.inv.**	1	12
croupir **I / p.p.inv.**	2	35
croustiller **I / p.p.inv.**	1	12
croûter **I / p.p.inv.**	1	12
crucifier **T**	1	15
crypter **T**	1	12
cuber **T / I**, p.p.inv.	1	12
cueillir T	3	**46**
cuirasser **T / Pr**	1	12
cuire **T / I**, p.p.inv.	3	85
cuisiner **I**, p.p.inv. / **T**	1	12
cuiter **-se- +être**	1	12
cuivrer **T**	1	12
culbuter **T / I**, p.p.inv.	1	12
culer **I / p.p.inv.**	1	12

culminer **I / p.p.inv.** 1 12
culotter **T** 1 12
culpabiliser **T / I,** p.p.inv. 1 12
cultiver **T / Pr** 1 12
cumuler **T / I,** p.p.inv. 1 12
curer **T / Pr** 1 12
cureter **T** 1 27
cuveler **T** 1 23
cuver **I,** p.p.inv. / **T** 1 12
cyanoser **T** 1 12
cyanurer **T** 1 12
cycliser **T** 1 12
cylindrer **T** 1 12

D
1er, 2e, 3e groupe

dactylographier **T** 1 15
daigner **T** (+inf.) / **p.p.inv.** 1 12
daller **T** 1 12
damasquiner **T** 1 12
damasser **T** 1 12
damer **T** 1 12
damner **T / Pr** 1 12
dandiner **-se- +être** 1 12
danser **I,** p.p.inv. / **T** 1 12
dansoter **I / p.p.inv.** 1 12
dansotter **I / p.p.inv.** 1 12
darder **T** 1 12
dater **T / I,** p.p.inv. 1 12
dauber **T / I,** p.p.inv. 1 12
déambuler **I / p.p.inv.** 1 12
débâcher **T** 1 12
débâcler **T / I,** p.p.inv. 1 12
débagouler **I,** p.p.inv. / **T** 1 12
débâillonner **T** 1 12
déballer **T** 1 12
déballonner **-se- +être** 1 12
débalourder **T** 1 12
débander **T / Pr** 1 12
débaptiser **T** 1 12
débarbouiller **T / Pr** 1 12
débarder **T** 1 12
débarquer **T / I,** p.p.inv. 1 16
débarrasser **T / Pr** (de) 1 12
débarrer **T** 1 12
débâter **T** 1 12
débâtir **T** 2 35
débattre **T / Ti** (de), p.p.inv. / **Pr** 3 74
débaucher **T** 1 12
débecqueter **T** 1 27
débecter **T** 3 1
débenzoler **T** 1 12
débéqueter **T** 1 28
débiliter **T** 1 12
débillarder **T** 1 12
débiner **T / Pr** 1 12
débiter **T** 1 12
déblatérer **Ti** (contre) / **p.p.inv.** 1 20
déblayer **T** 1 29 ou 30
débloquer **T / I,** p.p.inv. 1 16
débobiner **T** 1 12
déboiser **T / Pr** 1 12
déboîter **T / I,** p.p.inv. / **Pr** 1 12
débonder **T / Pr** 1 12
déborder **I,** p.p.inv. / **T / Ti** (de), p.p.inv. / **Pr** 1 12
débosseler **T** 1 23
débotter **T** 1 12
déboucher **T / I,** p.p.inv. 1 12
déboucler **T** 1 12
débouillir **T** 3 39
débouler **I,** p.p.inv. / **T** 1 12
déboulonner **T** 1 12
débouquer **I / p.p.inv.** 1 16
débourber **T** 1 12
débourrer **T / I,** p.p.inv. 1 12
débourser **T** 1 12
déboussoler **T** 1 12
débouter **T** 1 12
déboutonner **T / Pr** 1 12
débrailler **-se- +être** 1 12
débrancher **T** 1 12
débraser **T** 1 12
débrayer **T / I,** p.p.inv. 1 29 ou 30
débrider **T** 1 12
débrocher **T** 1 12
débrouiller **T / Pr** 1 12
débroussailler **T** 1 12
débrousser **T** / Afrique 1 12
débucher **I,** p.p.inv. / **T** 1 12
débudgétiser **T** 1 12
débureaucratiser **T** 1 12
débusquer **T** 1 16
débuter **I,** p.p.inv. / **T** 1 12
décacheter **T** 1 27
décadenasser **T** 1 12
décadrer **T** 1 12
décaisser **T** 1 12
décalaminer **T** 1 12
décalcifier **T / Pr** 1 15
décaler **T / Pr** 1 12
décalotter **T** 1 12
décalquer **T** 1 16
décamper **I / p.p.inv.** 1 12
décaniller **I / p.p.inv.** 1 12
décanter **T / Pr** 1 12
décapeler **T** 1 23
décaper **T** 1 12
décapitaliser **I / p.p.inv.** 1 12
décapiter **T** 1 12
décapoter **T** 1 12
décapsuler **T** 1 12
décapuchonner **T** 1 12
décarbonater **T** 1 12
décarburer **T** 1 12
décarcasser **-se- +être** 1 12
décarreler **T** 1 23
décatir **T / Pr** 2 35
décauser **I / p.p.inv.** / Belgique 1 12
décavaillonner **T** 1 12
décaver **T** 1 12
décéder **I / +être** 1 20
déceler **T** 1 25
décélérer **I / p.p.inv.** 1 20
décentraliser **T** 1 12
décentrer **T** 1 12
décercler **T** 1 12
décérébrer **T** 1 20
décerner **T** 1 12
décerveler **T** 1 23
décevoir **T** 3 51
déchaîner **T / Pr** 1 12
déchanter **I / p.p.inv.** 1 12
déchaperonner **T** 1 12
décharger **T / I,** p.p.inv. / **Pr** (de) 1 17
décharner **T** 1 12
déchaumer **T** 1 12
déchausser **T / Pr** 1 12
déchiffonner **T** 1 12
déchiffrer **T** 1 12
déchiqueter **T** 1 27
déchirer **T / Pr** 1 12
déchlorurer **T** 1 12
déchoir I / T / + être ou avoir / Déf 3 **65**
déchristianiser **T** 1 12
décider **T / I,** p.p.inv. / **Ti** (de), p.p.inv. / **Pr** (à) 1 12

Verbe	Groupe	Tableau
décimaliser **T**	1	12
décimer **T**	1	12
décintrer **T**	1	12
déclamer **T / I**, p.p.inv.	1	12
déclarer **T / Pr**	1	12
déclasser **T**	1	12
déclaveter **T**	1	27
déclencher **T / Pr**	1	12
décliner **I**, p.p.inv. / **T**	1	12
décliqueter **T**	1	27
décloisonner **T**	1	12
déclore **T / Déf:** usité seulement à l'inf. et au part. passé *(déclos, déclose/ses)*	3	98
déclouer **T**	1	13
décocher **T**	1	12
décoder **T**	1	12
décoffrer **T**	1	12
décoiffer **T**	1	12
décoincer **T / Pr**	1	18
décolérer **I / p.p.inv.**	1	20
décollectiviser **T**	1	12
décoller **T / I**, p.p.inv.	1	12
décolleter **T**	1	27
décoloniser **T**	1	12
décolorer **T**	1	12
décommander **T**	1	12
décompenser **I / p.p.inv.**	1	12
décomplexer **T**	1	12
décomposer **T / Pr**	1	12
décompresser **I / p.p.inv.**	1	12
décomprimer **T**	1	12
décompter **T / I**, p.p.inv.	1	12
déconcentrer **T / Pr**	1	12
déconcerter **T**	1	12
déconditionner **T**	1	12
déconfire **T**	3	100
décongeler **T**	1	25
décongestionner **T**	1	12
déconnecter **T / I**, p.p.inv.	1	12
déconner **I / p.p.inv.**	1	12
déconseiller **T**	1	12
déconsidérer **T / Pr**	1	20
déconsigner **T**	1	12
déconstruire **T**	3	85
décontaminer **T**	1	12
décontenancer **T / Pr**	1	18
décontracter **T / Pr**	1	12
déconventionner **T**	1	12
décorder **-se- +être**	1	12
décorer **T**	1	12
décorner **T**	1	12
décortiquer **T**	1	16
découcher **I / p.p.inv.**	1	12
découdre **T / I** dans l'expression familière *en découdre avec quelqu'un* (usitée à l'infinitif)	3	97
découler **Ti** (de) / **p.p.inv.**	1	12
découper **T / Pr**	1	12
découpler **T**	1	12
décourager **T / Pr**	1	17
découronner **T**	1	12
découvrir **T / I**, p.p.inv. / **Pr**	3	45
décrasser **T**	1	12
décrédibiliser **T**	1	12
décrêper **T**	1	12
décrépir **T / Pr**	2	35
décrépiter **T**	1	12
décréter **T**	1	20
décreuser **T**	1	12
décrier **T**	1	15
décriminaliser **T**	1	12
décrire **T**	3	81
décrisper **T**	1	12
décrocher **T / I**, p.p.inv.	1	12
décroiser **T**	1	12
décroître **I / p.p.inv.** *(décru)*	3	93
décrotter **T**	1	12
décruer **T**	1	13
décruser **T**	1	12
décrypter **T**	1	12
décuivrer **T**	1	12
déculasser **T**	1	12
déculotter **T / Pr**	1	12
déculpabiliser **T**	1	12
décupler **T / I**, p.p.inv.	1	12
décuver **T**	1	12
dédaigner **T / Ti** (de + inf.), p.p.inv.	1	12
dédicacer **T**	1	18
dédier **T**	1	15
dédifférencier **-se- +être**	1	15
dédire **-se- +être**	3	78
dédommager **T**	1	17
dédorer **T**	1	12
dédouaner **T / Pr**	1	12
dédoubler **T**	1	12
dédramatiser **T**	1	12
déduire **T**	3	85
défaillir I / p.p.inv.	3	**47**
défaire **T / Pr** (de)	3	5
défalquer **T**	1	16
défatiguer **T** / -gu- partout	1	16
défaufiler **T**	1	12
défausser **T / Pr** (de, sur)	1	12
défavoriser **T**	1	12
défendre **T / Pr**	3	66
défenestrer **T**	1	12
déféquer **I**, p.p.inv. / **T**	1	20
déférer **T / Ti** (à), p.p.inv.	1	20
déferler **T / I**, p.p.inv.	1	12
déferrer **T**	1	12
défeuiller **T**	1	12
défeutrer **T**	1	12
défibrer **T**	1	12
déficeler **T**	1	23
défier **T / Pr** (de)	1	15
défigurer **T**	1	12
défiler **I**, p.p.inv. / **T / Pr**	1	12
définir **T**	2	35
défiscaliser **T**	1	12
déflagrer **I / p.p.inv.**	1	12
défléchir **T**	2	35
défleurir **T / I**, p.p.inv.	2	35
déflorer **T**	1	12
défolier **T**	1	15
défoncer **T / Pr**	1	18
déforcer **T** / Belgique	1	18
déformer **T**	1	12
défouler **T / Pr**	1	12
défourner **T**	1	12
défraîchir **T**	2	35
défrayer **T**	1	29 ou 30
défricher **T**	1	12
défriper **T**	1	12
défriser **T**	1	12
défroisser **T**	1	12
défroncer **T**	1	18
défroquer **I**, p.p.inv. / **Pr**	1	16
défruiter **T**	1	12
dégager **T / Pr**	1	17
dégainer **T**	1	12
déganter **-se- +être**	1	12
dégarnir **T / Pr**	2	35
dégasoliner **T**	1	12
dégauchir **T**	2	35
dégazer **T / I**, p.p.inv.	1	12
dégazoliner **T**	1	12

Verbe	Groupe	Modèle
dégazonner **T**	1	12
dégeler **T / I**, p.p.inv. / **Pr**	1	25
dégénérer **I / p.p.inv.**	1	20
dégermer **T**	1	12
dégivrer **T**	1	12
déglacer **T**	1	18
déglinguer **T** / -gu- partout	1	16
dégluer **T**	1	13
déglutir **T / I**, p.p.inv.	2	35
dégobiller **T / I**, p.p.inv.	1	12
dégoiser **T / I**, p.p.inv.	1	12
dégommer **T**	1	12
dégonfler **T / Pr**	1	12
dégorger **T / I**, p.p.inv.	1	17
dégoter **T**	1	12
dégotter **T**	1	12
dégouliner **I / p.p.inv.**	1	12
dégoupiller **T**	1	12
dégourdir **T**	2	35
dégoûter **T**	1	12
dégoutter **I / p.p.inv.**	1	12
dégrader **T / Pr**	1	12
dégrafer **T**	1	12
dégraisser **T / I**, p.p.inv.	1	12
dégravoyer **T**	1	31
dégréer **T** / -é- partout	1	14
dégrever **T**	1	25
dégringoler **I**, p.p.inv. / **T**	1	12
dégripper **T**	1	12
dégriser **T / Pr**	1	12
dégrosser **T**	1	12
dégrossir **T**	2	35
dégrouiller **-se- +être**	1	12
dégrouper **T**	1	12
déguerpir **I / p.p.inv.**	2	35
dégueuler **T / I**, p.p.inv.	1	12
déguiller **T / I**, p.p.inv. / Suisse	1	12
déguiser **T / Pr**	1	12
dégurgiter **T**	1	12
déguster **T**	1	12
déhaler **T / Pr**	1	12
déhancher **-se- +être**	1	12
déharnacher **T**	1	12
déhouiller **T**	1	12
déifier **T**	1	15
déjanter **T**	1	12
déjauger **I**, p.p.inv. / **T**	1	17
déjeter **T**	1	27
déjeuner **I / p.p.inv.**	1	12
déjouer **T**	1	13
déjucher **I**, p.p.inv. / **T**	1	12
déjuger **-se- +être**	1	17
délabrer **T / Pr**	1	12
délacer **T**	1	18
délainer **T**	1	12
délaisser **T**	1	12
délaiter **T**	1	12
délarder **T**	1	12
délasser **T / Pr**	1	12
délaver **T**	1	12
délayer **T**	1	29 ou 30
délecter **-se-** (de) **+être**	1	12
délégitimer **T**	1	12
déléguer **T** / -gu- partout	1	20
délester **T**	1	12
délibérer **I / p.p.inv.**	1	20
délier **T**	1	15
délimiter **T**	1	12
délinéer **T** / -é- partout	1	14
délirer **I / p.p.inv.**	1	12
délisser **T**	1	12
déliter **T / Pr**	1	12
délivrer **T**	1	12
délocaliser **T**	1	12
déloger **I**, p.p.inv. / **T**, Belgique	1	17
délurer **T**	1	12
délustrer **T**	1	12
déluter **T**	1	12
démagnétiser **T**	1	12
démaigrir **T**	2	35
démailler **T**	1	12
démailloter **T**	1	12
démancher **T / I**, p.p.inv. / **Pr**	1	12
demander **T / Ti** (après), p.p.inv. / **Pr**	1	12
démanger **T**	1	17
démanteler **T**	1	25
démantibuler **T**	1	12
démaquiller **T**	1	12
démarcher **T**	1	12
démarier **T**	1	15
démarquer **T / I**, p.p.inv. / **Pr** (de)	1	16
démarrer **T / I**, p.p.inv.	1	12
démascler **T**	1	12
démasquer **T / Pr**	1	16
démastiquer **T**	1	16
démâter **T / I**, p.p.inv.	1	12
dématérialiser **T**	1	12
démazouter **T**	1	12
démédicaliser **T**	1	12
démêler **T**	1	12
démembrer **T**	1	12
déménager **T / I**, p.p.inv.	1	17
démener **-se- +être**	1	25
démentir **T / Pr**	3	38
démerder **-se- +être**	1	12
démériter **I / p.p.inv.**	1	12
démettre **T / Pr**	3	6
démeubler **T**	1	12
demeurer **I / + être ou avoir**	1	12
démieller **T**	1	12
démilitariser **T**	1	12
déminer **T**	1	12
déminéraliser **T**	1	12
démissionner **I**, p.p.inv. / **T**	1	12
démobiliser **T**	1	12
démocratiser **T**	1	12
démoder **-se- +être**	1	12
démoduler **T**	1	12
démolir **T**	2	35
démonétiser **T**	1	12
démonter **T / Pr**	1	12
démontrer **T**	1	12
démoraliser **T**	1	12
démordre **Ti** (de) / **p.p.inv.** / Usité à la tournure négative *(il n'en démord pas...)*	3	66
démotiver **T**	1	12
démoucheter **T**	1	27
démouler **T**	1	12
démoustiquer **T**	1	16
démultiplier **T / I**, p.p.inv.	1	15
démunir **T / Pr** (de)	2	35
démuseler **T**	1	23
démutiser **T**	1	12
démystifier **T**	1	15
démythifier **T**	1	15
dénantir **T**	2	35
dénasaliser **T**	1	12
dénationaliser **T**	1	12
dénatter **T**	1	12
dénaturaliser **T**	1	12
dénaturer **T**	1	12
dénazifier **T**	1	15
dénébuler **T**	1	12
dénébuliser **T**	1	12
déneiger **T**	1	17
déniaiser **T**	1	12
dénicher **T / I**, p.p.inv.	1	12

dénicotiniser **T**	1	12
dénier **T**	1	15
dénigrer **T**	1	12
dénitrer **T**	1	12
dénitrifier **T**	1	15
déniveler **T**	1	23
dénombrer **T**	1	12
dénommer **T**	1	12
dénoncer **T**	1	18
dénoter **T**	1	12
dénouer **T**	1	13
dénoyauter **T**	1	12
dénoyer **T**	1	31
densifier **T**	1	15
denteler **T**	1	23
dénucléariser **T**	1	12
dénuder **T / Pr**	1	12
dénuer **-se-** (de) **+être**	1	13
dépailler **T**	1	12
dépalisser **T**	1	12
dépanner **T**	1	12
dépaqueter **T**	1	27
déparasiter **T**	1	12
dépareiller **T**	1	12
déparer **T**	1	12
déparier **T**	1	15
déparler **I / p.p.inv.**	1	12
départager **T**	1	17
départementaliser **T**	1	12
départir **T / Pr** (de)	2 ou 3	35 ou 38
dépasser **T / I,** p.p.inv. / **Pr**	1	12
dépassionner **T**	1	12
dépatouiller **-se- +être**	1	12
dépatrier **T**	1	15
dépaver **T**	1	12
dépayser **T**	1	12
dépecer T	1	**26**
dépêcher **T / Pr**	1	12
dépeigner **T**	1	12
dépeindre **T**	3	70
dépénaliser **T**	1	12
dépendre **T / Ti** (de), p.p.inv. / **U,** p.p.inv. dans les expressions *cela dépend, il dépend de toi (lui, nous...) que...*	3	66
dépenser **T / Pr**	1	12
dépérir **I / p.p.inv.**	2	35
dépersonnaliser **T**	1	12
dépêtrer **T / Pr** (de)	1	12
dépeupler **T / Pr**	1	12
déphaser **T**	1	12
déphosphater **T**	1	12
déphosphorer **T**	1	12
dépiauter **T**	1	12
dépiler **T**	1	12
dépiquer **T**	1	16
dépister **T**	1	12
dépiter **T / Pr**	1	12
déplacer **T / Pr**	1	18
déplafonner **T**	1	12
déplaire **Ti** (à) / **Pr / p.p.inv.** même à la voix pronominale	3	91
déplanter **T**	1	12
déplâtrer **T**	1	12
déplier **T**	1	15
déplisser **T**	1	12
déplomber **T**	1	12
déplorer **T**	1	12
déployer **T**	1	31
déplumer **T / Pr**	1	12
dépoétiser **T**	1	12
dépointer **T**	1	12
dépolariser **T**	1	12
dépolir **T**	2	35
dépolitiser **T**	1	12
dépolluer **T**	1	13
déporter **T**	1	12
déposer **T**	1	12
déposséder **T**	1	20
dépoter **T / I,** p.p.inv. / **U,** p.p.inv. (avec le pronom démonstratif familier : *ça dépote*)	1	12
dépouiller **T / Pr**	1	12
dépourvoir **T / Pr** (de, en)	3	54
dépoussiérer **T**	1	20
dépraver **T**	1	12
déprécier **T / Pr**	1	15
déprendre **-se-** (de) **+être**	3	68
dépressuriser **T**	1	12
déprimer **T / I,** p.p.inv.	1	12
dépriser **T**	1	12
déprogrammer **T**	1	12
dépuceler **T**	1	23
dépulper **T**	1	12
dépurer **T**	1	12
députer **T**	1	12
déqualifier **T**	1	15
déraciner **T**	1	12
dérader **I / p.p.inv.**	1	12
dérager **I / p.p.inv.**	1	17
déraidir **T**	2	35
dérailler **I / p.p.inv.**	1	12
déraisonner **I / p.p.inv.**	1	12
déramer **I,** p.p.inv. / **T**	1	12
déranger **T / Pr**	1	17
déraper **I / p.p.inv.**	1	12
déraser **T**	1	12
dératiser **T**	1	12
dérayer **T**	1	30
déréaliser **T**	1	12
déréglementer **T**	1	12
dérégler **T / Pr**	1	20
déréguler **T**	1	12
déresponsabiliser **T**	1	12
dérider **T / Pr**	1	12
dériver **T / Ti** (de), p.p.inv. / **I,** p.p.inv.	1	12
dériveter **T**	1	27
dérober **T / Pr** (à, sous)	1	12
dérocher **T / I,** p.p.inv.	1	12
déroder **T**	1	12
déroger **Ti** (à) / **p.p.inv.**	1	17
dérougir **T / I,** p.p.inv.	2	35
dérouiller **T / I,** p.p.inv.	1	12
dérouler **T / Pr**	1	12
dérouter **T**	1	12
désabonner **T / Pr**	1	12
désabuser **T**	1	12
désaccorder **T**	1	12
désaccoupler **T**	1	12
désaccoutumer **T / Pr** (de)	1	12
désacraliser **T**	1	12
désactiver **T**	1	12
désadapter **T**	1	12
désaérer **T**	1	20
désaffecter **T**	1	12
désaffilier **T**	1	15
désagréger **T / Pr**	1	21
désaimanter **T**	1	12
désaisonnaliser **T**	1	12
désajuster **T**	1	12
désaliéner **T**	1	20
désaligner **T**	1	12
désalper **I / p.p.inv.** / Suisse	1	12
désaltérer **T / Pr**	1	20
désambiguïser **T**	1	12
désamidonner **T**	1	12

Verbe	Groupe	Modèle
désamorcer **T**	1	18
désapparier **T**	1	15
désappointer **T**	1	12
désapprendre **T**	3	68
désapprouver **T**	1	12
désapprovisionner **T**	1	12
désarçonner **T**	1	12
désargenter **T**	1	12
désarmer **T / I**, p.p.inv.	1	12
désarrimer **T**	1	12
désarticuler **T / Pr**	1	12
désassembler **T**	1	12
désassimiler **T**	1	12
désassortir **T**	2	35
désatelliser **T**	1	12
désavantager **T**	1	17
désavouer **T**	1	13
désaxer **T**	1	12
desceller **T**	1	12
descendre **I + être / T + avoir**	3	66
déscolariser **T**	1	12
déséchouer **T**	1	13
désectoriser **T**	1	12
désembourber **T**	1	12
désembourgeoiser **T**	1	12
désembouteiller **T**	1	12
désembuer **T**	1	13
désemparer **I / p.p.inv.** / Usité dans l'expression *sans désemparer* (= sans cesser)	1	12
désemplir **I**, p.p.inv. **/ Pr** / Usité surtout à la tournure négative: *ce magasin ne désemplit pas*	2	35
désencadrer **T**	1	12
désenchaîner **T**	1	12
désenchanter **T**	1	12
désenclaver **T**	1	12
désencoller **T**	1	12
désencombrer **T**	1	12
désencrasser **T**	1	12
désencrer **T**	1	12
désendetter **-se- + être**	1	12
désenflammer **T**	1	12
désenfler **T / I**, p.p.inv.	1	12
désenfumer **T**	1	12
désengager **T / Pr**	1	17
désengorger **T**	1	17
désengrener **T**	1	25
désenivrer **T / I**, p.p.inv.	1	12
désennuyer **T**	1	32
désenrayer **T**	1	30
désensabler **T**	1	12
désensibiliser **T / Pr**	1	12
désensimer **T**	1	12
désensorceler **T**	1	23
désentoiler **T**	1	12
désentortiller **T**	1	12
désentraver **T**	1	12
désenvaser **T**	1	12
désenvelopper **T**	1	12
désenvenimer **T**	1	12
désenverguer **T** / -gu- partout	1	16
désépaissir **T**	2	35
déséquilibrer **T**	1	12
déséquiper **T**	1	12
déserter **T / I**, p.p.inv.	1	12
désertifier **-se- + être**	1	15
désespérer **T / I**, p.p.inv. / **Ti** (de), p.p.inv. / **Pr**	1	20
désétatiser **T**	1	12
désexciter **T**	1	12
désexualiser **T**	1	12
déshabiller **T / Pr**	1	12
déshabituer **T / Pr** (de)	1	13
désherber **T**	1	12
déshériter **T**	1	12
déshonorer **T / Pr**	1	12
déshuiler **T**	1	12
déshumaniser **T**	1	12
déshumidifier **T**	1	15
déshydrater **T / Pr**	1	12
déshydrogéner **T**	1	20
désidéologiser **T**	1	12
désigner **T**	1	12
désiler **T**	1	12
désillusionner **T**	1	12
désincarcérer **T**	1	20
désincarner **-se- + être**	1	12
désincruster **T**	1	12
désindexer **T**	1	12
désindustrialiser **T**	1	12
désinfecter **T**	1	12
désinformer **T**	1	12
désinhiber **T**	1	12
désinsectiser **T**	1	12
désintégrer **T / Pr**	1	20
désintéresser **T / Pr** (de)	1	12
désintoxiquer **T**	1	16
désinvestir **T / I**, p.p.inv.	2	35
désirer **T**	1	12
désister **-se- + être**	1	12
désobéir **Ti** (à) / **p.p.inv.** sauf à la voix passive: *elle a été désobéie*	2	35
désobliger **T**	1	17
désobstruer **T**	1	13
désodoriser **T**	1	12
désoler **T / Pr** (de)	1	12
désolidariser **T / Pr** (de)	1	12
désoperculer **T**	1	12
désopiler **T**	1	12
désorganiser **T**	1	12
désorienter **T**	1	12
désosser **T**	1	12
désoxyder **T**	1	12
désoxygéner **T**	1	20
desquamer **I**, p.p.inv. / **Pr**	1	12
dessabler **T**	1	12
dessaisir **T / Pr** (de)	2	35
dessaler **T / I**, p.p.inv. / **Pr**	1	12
dessangler **T**	1	12
dessaouler **T / I**, p.p.inv.	1	12
dessécher **T / Pr**	1	20
desseller **T**	1	12
desserrer **T**	1	12
dessertir **T**	2	35
desservir **T**	3	37
dessiller **T**	1	12
dessiner **T / I**, p.p.inv. / **Pr**	1	12
dessoler **T**	1	12
dessouder **T**	1	12
dessoûler **T / I**, p.p.inv.	1	12
dessuinter **T**	1	12
déstabiliser **T**	1	12
déstaliniser **T**	1	12
destiner **T**	1	12
destituer **T**	1	13
déstocker **T**	1	12
déstructurer **T**	1	12
désulfiter **T**	1	12
désulfurer **T**	1	12
désunir **T / Pr**	2	35
désurchauffer **T**	1	12
désynchroniser **T**	1	12
désyndicaliser **T**	1	12
détacher **T / Pr** (de)	1	12
détailler **T**	1	12
détaler **I / p.p.inv.**	1	12

détalonner **T**	1	12
détartrer **T**	1	12
détaxer **T**	1	12
détecter **T**	1	12
déteindre **T / I,** p.p.inv.	3	70
dételer **T / I,** p.p.inv.	1	23
détendre **T / Pr**	3	66
détenir **T**	3	4
déterger **T**	1	17
détériorer **T / Pr**	1	12
déterminer **T / Pr** (à)	1	12
déterrer **T**	1	12
détester **T / Pr**	1	12
détirer **T**	1	12
détoner **I / p.p.inv.**	1	12
détonner **I / p.p.inv.**	1	12
détordre **T**	3	66
détortiller **T**	1	12
détourer **T**	1	12
détourner **T / Pr** (de)	1	12
détoxiquer **T**	1	16
détracter **T**	1	12
détraquer **T / Pr**	1	16
détremper **T**	1	12
détromper **T**	1	12
détrôner **T**	1	12
détroquer **T**	1	16
détrousser **T**	1	12
détruire **T**	3	85
dévaler **T / I,** p.p.inv.	1	12
dévaliser **T**	1	12
dévaloriser **T**	1	12
dévaluer **T**	1	13
devancer **T**	1	18
dévaster **T**	1	12
développer **T / Pr**	1	12
devenir **I / + être**	3	4
dévergonder **-se- + être**	1	12
déverguer **T /** -gu- partout	1	16
dévernir **T**	2	35
déverrouiller **T**	1	12
déverser **T**	1	12
dévêtir **T / Pr**	3	41
dévider **T**	1	12
dévier **I,** p.p.inv. **/ T**	1	15
deviner **T**	1	12
dévirer **T**	1	12
dévirginiser **T**	1	12
déviriliser **T**	1	12
dévisager **T**	1	17
deviser **I,** p.p.inv. **/ T,** Suisse	1	12
dévisser **T / I,** p.p.inv.	1	12
dévitaliser **T**	1	12
dévitrifier **T**	1	15
dévoiler **T / Pr**	1	12
devoir T / U + être / Pr	3	**10**
dévolter **T**	1	12
dévorer **T**	1	12
dévouer **-se-** (à) **+ être**	1	13
dévoyer **T**	1	31
diaboliser **T**	1	12
diagnostiquer **T**	1	16
dialectiser **T**	1	12
dialoguer **I / p.p.inv.** / -gu- partout	1	16
dialyser **T**	1	12
diamanter **T**	1	12
diaphragmer **T / I,** p.p.inv.	1	12
diaprer **T**	1	12
dicter **T**	1	12
diéséliser **T**	1	12
diéser **T**	1	20
diffamer **T**	1	12
différencier **T / Pr**	1	15
différentier **T**	1	15
différer **T / Ti** (de, sur), p.p.inv.	1	20
diffracter **T**	1	12
diffuser **T**	1	12
digérer **T**	1	20
digitaliser **T**	1	12
dilacérer **T**	1	20
dilapider **T**	1	12
dilater **T / Pr**	1	12
diligenter **T**	1	12
diluer **T / Pr**	1	13
dimensionner **T**	1	12
diminuer **T / I,** p.p.inv.	1	13
dindonner **T**	1	12
dîner **I / p.p.inv.**	1	12
dinguer **I / p.p.inv.** / -gu- partout	1	16
diphtonguer **T /** -gu- partout	1	16
diplômer **T**	1	12
dire T	3	**77**
diriger **T**	1	17
discerner **T**	1	12
discipliner **T**	1	12
discontinuer **I / Déf:** usité seulement à l'inf., dans l'expression *sans discontinuer*		–
disconvenir **Ti** (de) / **p.p.inv.**	3	4
discorder **I / p.p.inv.**	1	12
discounter **T / I,** p.p.inv.	1	12
discourir **I / p.p.inv.**	3	42
discréditer **T / Pr**	1	12
discriminer **T**	1	12
disculper **T / Pr**	1	12
discutailler **I / p.p.inv.**	1	12
discuter **T / Ti** (de), p.p.inv.	1	12
disgracier **T**	1	15
disjoindre **T**	3	71
disjoncter **I,** p.p.inv. **/ T**	1	12
disloquer **T**	1	16
disparaître **I / + être ou avoir**	3	75
dispatcher **T**	1	12
dispenser **T / Pr** (de)	1	12
disperser **T / Pr**	1	12
disposer **T / Ti** (de), p.p.inv. / **Pr** (à)	1	12
disputer **T / Pr**	1	12
disqualifier **T / Pr**	1	15
disséminer **T**	1	12
disséquer **T**	1	20
disserter **I / p.p.inv.**	1	12
dissimuler **T / Pr**	1	12
dissiper **T / Pr**	1	12
dissocier **T**	1	15
dissoner **I / p.p.inv.**	1	12
dissoudre **T / Déf:** pas de passé simple, pas de subj. imparf.	3	95
dissuader **T**	1	12
distancer **T**	1	18
distancier **T / Pr** (de)	1	15
distendre **T / Pr**	3	66
distiller **T / I,** p.p.inv.	1	12
distinguer T / Pr / -gu- partout	1	**16**
distordre **T**	3	66
distraire T / Pr / Déf	3	**90**
distribuer **T / Pr**	1	13
divaguer **I / p.p.inv.** / -gu- partout	1	16
diverger **I / p.p.inv.**	1	17
diversifier **T**	1	15
divertir **T / Pr** (de)	2	35
diviniser **T**	1	12
diviser **T / Pr**	1	12

Verbe	Groupe	Tableau
divorcer **I / p.p.inv.**	1	18
divulguer **T** / -gu- partout	1	16
documenter **T / Pr** (sur)	1	12
dodeliner **Ti** (de) / **p.p.inv.**	1	12
dodiner **Ti** (de) / **p.p.inv.**	1	12
dogmatiser **I / p.p.inv.**	1	12
doigter **T**	1	12
doler **T**	1	12
domestiquer **T**	1	16
domicilier **T**	1	15
dominer **I**, p.p.inv. / **T / Pr**	1	12
dompter **T**	1	12
donner **T / I**, p.p.inv. / **Ti** (de), p.p.inv. / **Pr**	1	12
doper **T / Pr**	1	12
dorer **T**	1	12
dorloter **T**	1	12
dormir I / p.p.inv.	3	**37**
doser **T**	1	12
doter **T**	1	12
doubler **T / I**, p.p.inv. / **Pr** (de)	1	12
doublonner **I / p.p.inv.**	1	12
doucher **T / Pr**	1	12
doucir **T**	2	35
douer **T / Déf:** usité à l'inf., au part. passé et aux temps composés	1	13
douter **Ti** (de), p.p.inv. / **Pr** (de)	1	12
dracher **U / p.p.inv.** / Belgique; Zaïre	1	12
dragéifier **T**	1	15
drageonner **I / p.p.inv.**	1	12
draguer **T** / -gu- partout	1	16
drainer **T**	1	12
dramatiser **T**	1	12
draper **T / Pr**	1	12
draver **T** / Québec	1	12
drayer **T**	1	29 ou 30
dresser **T / Pr**	1	12
dribbler **I**, p.p.inv. / **T**	1	12
driller **T**	1	12
driver **I**, p.p.inv. / **T**	1	12
droguer **T / I**, p.p.inv. / **Pr** / -gu- partout	1	16
droper **I**, p.p.inv. / **T**	1	12
dropper **I**, p.p.inv. / **T**	1	12
drosser **T**	1	12
dudgeonner **T**	1	12
dulcifier **T**	1	15
duper **T**	1	12
duplexer **T**	1	12
dupliquer **T / Pr**	1	16
durcir **T / I**, p.p.inv. / **Pr**	2	35
durer **I / p.p.inv.**	1	12
duveter **-se- +être**	1	27
dynamiser **T**	1	12
dynamiter **T**	1	12

E — 1er, 2e, 3e groupe

Verbe	Groupe	Tableau
ébahir **T / Pr**	2	35
ébarber **T**	1	12
ébattre **-s'- +être**	3	74
ébaucher **T**	1	12
ébaudir **-s'- +être**	2	35
ébavurer **T**	1	12
éberluer **T**	1	13
ébiseler **T**	1	23
éblouir **T**	2	35
éborgner **T**	1	12
ébouillanter **T / Pr**	1	12
ébouler **T / Pr**	1	12
ébourgeonner **T**	1	12
ébouriffer **T**	1	12
ébourrer **T**	1	12
ébouter **T**	1	12
ébrancher **T**	1	12
ébranler **T / Pr**	1	12
ébraser **T**	1	12
ébrécher **T**	1	20
ébrouer **-s'- +être**	1	13
ébruiter **T / Pr**	1	12
écacher **T**	1	12
écailler **T / Pr**	1	12
écaler **T**	1	12
écanguer **T** / -gu- partout	1	16
écarquiller **T**	1	12
écarteler **T**	1	25
écarter **T / Pr**	1	12
échafauder **T / I**, p.p.inv.	1	12
échalasser **T**	1	12
échancrer **T**	1	12
échanger **T**	1	17
échantillonner **T**	1	12
échapper **I**, p.p.inv. / **Ti** (à, de), p.p.inv. / **Pr / T** dans l'expression *l'échapper belle*	1	12
échardonner **T**	1	12
écharner **T**	1	12
écharper **T**	1	12
échauder **T**	1	12
échauffer **T / Pr**	1	12
échelonner **T**	1	12
écheniller **T**	1	12
écher **T**	1	20
écheveler **T**	1	23
échiner **-s'- +être**	1	12
échographier **T**	1	15
échoir Ti (à) **/ I / + être / Déf**	3	**64**
échopper **T**	1	12
échouer **T / I**, p.p.inv. / **Pr**	1	13
écimer **T**	1	12
éclabousser **T**	1	12
éclaircir **T / Pr**	2	35
éclairer **T / Pr**	1	12
éclater **I**, p.p.inv. / **Pr**	1	12
éclipser **T / Pr**	1	12
éclisser **T**	1	12
éclore **I / + être ou avoir / Déf:** usité seulement à l'inf., aux 3es pers. et au part. passé	3	98
écluser **T**	1	12
écobuer **T**	1	13
écœurer **T**	1	12
éconduire **T**	3	85
économiser **T**	1	12
écoper **T / Ti** (de), p.p.inv.	1	12
écorcer **T**	1	18
écorcher **T / Pr**	1	12
écorner **T**	1	12
écosser **T**	1	12
écouler **T / Pr**	1	12
écourter **T**	1	12
écouter **T / Pr**	1	12
écouvillonner **T**	1	12
écrabouiller **T**	1	12
écraser **T / I**, p.p.inv. / **Pr**	1	12
écrémer **T**	1	20
écrêter **T**	1	12
écrier **-s'- +être**	1	15
écrire T / I, p.p.inv.	3	**81**
écrivailler **I / p.p.inv.**	1	12
écrivasser **I / p.p.inv.**	1	12
écrouer **T**	1	13
écrouir **T**	2	35
écrouler **-s'- +être**	1	12
écroûter **T**	1	12

écuisser **T**	1	12
écumer **T / I,** p.p.inv.	1	12
écurer **T**	1	12
écussonner **T**	1	12
édenter **T**	1	12
édicter **T**	1	12
édifier **T**	1	15
éditer **T**	1	12
édulcorer **T**	1	12
éduquer **T**	1	16
éfaufiler **T**	1	12
effacer **T / Pr**	1	18
effaner **T**	1	12
effarer **T**	1	12
effaroucher **T**	1	12
effectuer **T**	1	13
efféminer **T**	1	12
effeuiller **T / Pr**	1	12
effiler **T**	1	12
effilocher **T / Pr**	1	12
effleurer **T**	1	12
effleurir **I / p.p.inv.**	2	35
effondrer **T / Pr**	1	12
efforcer **-s'-** (de) **+être**	1	18
effranger **T**	1	17
effrayer **T / Pr**	1	29 ou 30
effriter **T / Pr**	1	12
égailler **-s'- +être**	1	12
égaler **T**	1	12
égaliser **T / I,** p.p.inv.	1	12
égarer **T / Pr**	1	12
égayer **T / Pr**	1	29 ou 30
égermer **T**	1	12
égorger **T / Pr**	1	17
égosiller **-s'- +être**	1	12
égoutter **T / Pr**	1	12
égrainer **T / Pr**	1	12
égrapper **T**	1	12
égratigner **T / Pr**	1	12
égrener **T / Pr**	1	25
égriser **T**	1	12
égruger **T**	1	17
égueuler **T**	1	12
éjaculer **T / I,** p.p.inv.	1	12
éjecter **T**	1	12
éjointer **T**	1	12
élaborer **T**	1	12
élaguer **T** / -gu- partout	1	16
élancer **I,** p.p.inv. / **T / Pr**	1	18
élargir **T / Pr**	2	35
électrifier **T**	1	15
électriser **T**	1	12
électrocuter **T**	1	12
électrolyser **T**	1	12
élégir **T**	2	35
élever **T / Pr**	1	25
élider **T**	1	12
éliminer **T**	1	12
élinguer **T** / -gu- partout	1	16
élire **T**	3	82
éloigner **T / Pr**	1	12
élonger **T**	1	17
élucider **T**	1	12
élucubrer **T**	1	12
éluder **T**	1	12
émacier **T / Pr**	1	15
émailler **T**	1	12
émanciper **T / Pr**	1	12
émaner **Ti** (de) / **p.p.inv.**	1	12
émarger **T / Ti** (à), p.p.inv.	1	17
émasculer **T**	1	12
emballer **T / Pr**	1	12
embarbouiller **T / Pr**	1	12
embarquer **T / I,** p.p.inv. / **Pr**	1	16
embarrasser **T / Pr** (de)	1	12
embarrer **I,** p.p.inv. / **Pr**	1	12
embastiller **T**	1	12
embattre **T**	3	74
embaucher **T**	1	12
embaumer **T / I,** p.p.inv.	1	12
embecquer **T** / -cqu- partout	1	16
embéguiner **T / Pr**	1	12
embellir **T / I,** p.p.inv.	2	35
emberlificoter **T / Pr**	1	12
embêter **T**	1	12
emblaver **T**	1	12
embobeliner **T**	1	12
embobiner **T**	1	12
emboîter **T / Pr**	1	12
embosser **T**	1	12
emboucher **T**	1	12
embouer **T / p.p.inv.**	1	13
embouquer **I,** p.p.inv. / **T**	1	16
embourber **T / Pr**	1	12
embourgeoiser **T / Pr**	1	12
embourrer **T**	1	12
embouteiller **T**	1	12
emboutir **T**	2	35
embrancher **T / Pr**	1	12
embraquer **T**	1	16
embraser **T / Pr**	1	12
embrasser **T / Pr**	1	12
embrayer **T / Ti** (sur) / p.p.inv.	1	29 ou 30
embrever **T**	1	25
embrigader **T**	1	12
embringuer **T** / -gu- partout	1	16
embrocher **T**	1	12
embrouiller **T / Pr**	1	12
embroussailler **T / Pr**	1	12
embrumer **T**	1	12
embuer **T**	1	13
embusquer **T / Pr**	1	16
émécher **T**	1	20
émerger **I / p.p.inv.**	1	17
émeriser **T**	1	12
émerveiller **T / Pr** (de)	1	12
émettre **T / I,** p.p.inv.	3	6
émietter **T**	1	12
émigrer **I / p.p.inv.**	1	12
émincer **T**	1	18
emmagasiner **T**	1	12
emmailloter **T**	1	12
emmancher **T / Pr**	1	12
emmêler **T**	1	12
emménager **T / I,** p.p.inv.	1	17
emmener **T**	1	25
emmerder **T / Pr**	1	12
emmétrer **T**	1	20
emmieller **T**	1	12
emmitoufler **T / Pr**	1	12
emmouscailler **T**	1	12
emmurer **T**	1	12
émonder **T**	1	12
émorfiler **T**	1	12
émotionner **T**	1	12
émotter **T**	1	12
émoudre **T**	3	96
émousser **T**	1	12
émoustiller **T**	1	12
émouvoir **T / Pr** (de)	3	**55**
empailler **T**	1	12
empaler **T / Pr**	1	12
empalmer **T**	1	12
empanacher **T**	1	12
empanner **I / p.p.inv.**	1	12
empaqueter **T**	1	27
emparer **-s'-** (de) **+être**	1	12
empâter **T / Pr**	1	12
empatter **T**	1	12

empaumer **T**	1	12
empêcher **T / Pr** (de)	1	12
empenner **T**	1	12
emperler **T**	1	12
empeser **T**	1	25
empester **T / I,** p.p.inv.	1	12
empêtrer **T / Pr** (dans)	1	12
empierrer **T**	1	12
empiéter **Ti / p.p.inv.**	1	20
empiffrer **-s'-** (de) **+être**	1	12
empiler **T / Pr**	1	12
empirer **I / p.p.inv.**	1	12
emplir **T**	2	35
employer T / Pr	1	**31**
emplumer **T**	1	12
empocher **T**	1	12
empoigner **T / Pr**	1	12
empoisonner **T / Pr**	1	12
empoisser **T**	1	12
empoissonner **T**	1	12
emporter **T / Pr**	1	12
empoter **T**	1	12
empourprer **T / Pr**	1	12
empoussiérer **T**	1	20
empreindre **T**	3	70
empresser **-s'-** (de + inf.) **+être**	1	12
emprésurer **T**	1	12
emprisonner **T**	1	12
emprunter **T**	1	12
empuantir **T**	2	35
émuler **T**	1	12
émulsifier **T**	1	15
émulsionner **T**	1	12
enamourer **-s'- +être**	1	12
énamourer **-s'- +être**	1	12
encabaner **T**	1	12
encadrer **T**	1	12
encager **T**	1	17
encaisser **T**	1	12
encanailler **-s'- +être**	1	12
encapuchonner **T / Pr**	1	12
encaquer **T**	1	16
encarter **T**	1	12
encaserner **T**	1	12
encasteler **-s'- +être**	1	25
encastrer **T / Pr** (dans)	1	12
encaustiquer **T**	1	16
encaver **T**	1	12
enceindre **T**	3	70
enceinter **T /** Afrique	1	12
encenser **T / I,** p.p.inv.	1	12
encercler **T**	1	12
enchaîner **T / I,** p.p.inv. / **Pr**	1	12
enchanter **T**	1	12
enchâsser **T**	1	12
enchausser **T**	1	12
enchemiser **T**	1	12
enchérir **I / p.p.inv.**	2	35
enchevaucher **T**	1	12
enchevêtrer **T / Pr**	1	12
enclaver **T**	1	12
enclencher **T / Pr**	1	12
encliqueter **T**	1	27
enclore **T / Déf**: pas de part. prés., d'ind. imparf. et passé simple, de subj. imparf., d'impér. prés; pas de plur. à l'ind. prés.	3	98
enclouer **T**	1	13
encocher **T**	1	12
encoder **T**	1	12
encoller **T**	1	12
encombrer **T / Pr** (de)	1	12
encorder **-s'- +être**	1	12
encorner **T**	1	12
encoubler **-s'- +être /** Suisse	1	12
encourager **T**	1	17
encourir **T**	3	42
encrasser **T / Pr**	1	12
encrer **T**	1	12
encroûter **T / Pr**	1	12
encuver **T**	1	12
endenter **T**	1	12
endetter **T / Pr**	1	12
endeuiller **T**	1	12
endêver **I / p.p.inv. / Déf**: usité familièrement à l'inf. prés.: *faire endêver* (= faire enrager)	1	12
endiabler **I / p.p.inv.**	1	12
endiguer **T /** -gu- partout	1	16
endimancher **-s'- +être**	1	12
endivisionner **T**	1	12
endoctriner **T**	1	12
endolorir **T / Déf**: usité surtout au part. passé et aux 3es pers.	2	35
endommager **T**	1	17
endormir **T / Pr**	3	37
endosser **T**	1	12
enduire **T**	3	85
endurcir **T / Pr**	2	35
endurer **T**	1	12
énerver **T / Pr**	1	12
enfaîter **T**	1	12
enfanter **T**	1	12
enfariner **T**	1	12
enfermer **T / Pr**	1	12
enferrer **T / Pr**	1	12
enficher **T**	1	12
enfieller **T**	1	12
enfiévrer **T**	1	20
enfiler **T**	1	12
enflammer **T / Pr**	1	12
enfler **T / I,** p.p.inv.	1	12
enfleurer **T**	1	12
enfoncer **T / I,** p.p.inv. / **Pr**	1	18
enfouir **T / Pr**	2	35
enfourcher **T**	1	12
enfourner **T**	1	12
enfreindre **T**	3	70
enfuir **-s'- +être**	3	40
enfumer **T**	1	12
enfutailler **T**	1	12
enfûter **T**	1	12
engager **T / Pr**	1	17
engainer **T**	1	12
engamer **T**	1	12
engazonner **T**	1	12
engendrer **T**	1	12
engerber **T**	1	12
englober **T**	1	12
engloutir **T / Pr**	2	35
engluer **T / Pr**	1	13
engober **T**	1	12
engommer **T**	1	12
engoncer **T**	1	18
engorger **T / Pr**	1	17
engouer **-s'-** (de) **+être**	1	12
engouffrer **T / Pr**	1	12
engourdir **T**	2	35
engraisser **T / I,** p.p.inv.	1	12
engranger **T**	1	17
engraver **T**	1	12
engrener **T / I,** p.p.inv.	1	25
engrosser **T**	1	12
engueuler **T / Pr**	1	12
enguirlander **T**	1	12
enhardir **T / Pr**	2	35
enharnacher **T**	1	12

Verbe	Groupe	Tableau
enherber **T**	1	12
enivrer **T**	1	12
enjamber **T / I**, p.p.inv.	1	12
enjaveler **T**	1	23
enjoindre **T**	3	71
enjôler **T**	1	12
enjoliver **T**	1	12
enjuguer **T** / -gu- partout	1	16
enkyster **-s'- +être**	1	12
enlacer **T / Pr**	1	18
enlaidir **T / I**, p.p.inv.	2	35
enlever **T**	1	25
enliasser **T**	1	12
enlier **T**	1	15
enliser **T / Pr**	1	12
enluminer **T**	1	12
enneiger **T**	1	17
ennoblir **T**	2	35
ennoyer **T**	1	31
ennuager **T**	1	17
ennuyer **T / Pr**	1	32
énoncer **T**	1	18
enorgueillir **T / Pr** (de)	2	35
énouer **T**	1	13
enquérir **-s'-** (de) **+être**	3	44
enquêter **I / p.p.inv.**	1	12
enquiquiner **T**	1	12
enraciner **T / Pr**	1	12
enrager **I / p.p.inv.**	1	17
enrayer **T / Pr**	1	29 ou 30
enrégimenter **T**	1	12
enregistrer **T**	1	12
enrêner **T**	1	12
enrhumer **T / Pr**	1	12
enrichir **T / Pr**	2	35
enrober **T**	1	12
enrocher **T**	1	12
enrôler **T / Pr**	1	12
enrouer **T / Pr**	1	13
enrouler **T**	1	12
enrubanner **T**	1	12
ensabler **T / Pr**	1	12
ensacher **T**	1	12
ensaisiner **T**	1	12
ensanglanter **T**	1	12
enseigner **T**	1	12
ensemencer **T**	1	18
enserrer **T**	1	12
ensevelir **T / Pr**	2	35
ensiler **T**	1	12
ensoleiller **T**	1	12
ensorceler **T**	1	23
ensoufrer **T**	1	12
ensuivre **-s'- +être / Déf:** usité seulement à l'infinitif et aux 3es personnes	3	86
entabler **T**	1	12
entacher **T**	1	12
entailler **T**	1	12
entamer **T**	1	12
entartrer **T**	1	12
entasser **T**	1	12
entendre **T / Pr**	3	66
enténébrer **T**	1	20
enter **T**	1	12
entériner **T**	1	12
enterrer **T / Pr**	1	12
entêter **T / Pr** (à, dans)	1	12
enthousiasmer **T / Pr** (pour)	1	12
enticher **-s'-** (de) **+être**	1	12
entoiler **T**	1	12
entôler **T**	1	12
entonner **T**	1	12
entortiller **T / Pr**	1	12
entourer **T / Pr** (de)	1	12
entraider **-s'- +être**	1	12
entr'aimer **-s'- +être**	1	12
entraîner **T / Pr**	1	12
entr'apercevoir **T**	3	51
entrapercevoir **T**	3	51
entraver **T / I**, p.p.inv.	1	12
entrebâiller **T**	1	12
entrechoquer **T / Pr**	1	16
entrecouper **T**	1	12
entrecroiser **T / Pr**	1	12
entre-déchirer **-s'- +être**	1	12
entre-dévorer **-s'- +être**	1	12
entr'égorger **-s'- +être**	1	17
entre-haïr **-s'- +être**	2	36
entre-heurter **-s'- +être**	1	12
entrelacer **T / Pr**	1	18
entrelarder **T**	1	12
entremêler **T / Pr**	1	12
entremettre **-s'- +être**	3	6
entreposer **T**	1	12
entreprendre **T**	3	68
entrer **I +être / T +avoir**	1	12
entretailler **-s'- +être**	1	12
entretenir **T / Pr** (de)	3	4
entre-tisser **T**	1	12
entretoiser **T**	1	12
entre-tuer **-s'- +être**	1	13
entrevoir **T**	3	52
entrouvrir **T**	3	45
entuber **T**	1	12
énucléer **T** / -é- partout	1	14
énumérer **T**	1	20
énuquer **-s'- +être** / Suisse	1	16
envahir **T**	2	35
envaser **T**	1	12
envelopper **T**	1	12
envenimer **T / Pr**	1	12
enverguer **T** / -gu- partout	1	16
envider **T**	1	12
envier **T**	1	15
environner **T / Pr**	1	12
envisager **T**	1	17
envoiler **-s'- +être**	1	12
envoler **-s'- +être**	1	12
envoûter **T**	1	12
envoyer T / Pr	1	**33**
épaissir **T / I**, p.p.inv. / **Pr**	2	35
épamprer **T**	1	12
épancher **T / Pr**	1	12
épandre **T**	3	67
épanneler **T**	1	23
épanner **T**	1	12
épanouir **T / Pr**	2	35
épargner **T / Pr**	1	12
éparpiller **T / Pr**	1	12
épater **T**	1	12
épaufrer **T**	1	12
épauler **T / I**, p.p.inv.	1	12
épeler **T**	1	23
épépiner **T**	1	12
éperonner **T**	1	12
épeurer **T**	1	12
épicer **T**	1	18
épier **I**, p.p.inv. / **T**	1	15
épierrer **T**	1	12
épiler **T**	1	12
épiloguer **I** (sur) / **p.p.inv.** / -gu- partout	1	16
épincer **T**	1	18
épinceter **T**	1	27
épiner **T**	1	12
épingler **T**	1	12
épisser **T**	1	12
éployer **T**	1	31
éplucher **T**	1	12

Verbe	Groupe	Modèle
épointer **T**	1	12
éponger **T / Pr**	1	17
épouiller **T**	1	12
époumoner **-s'- +être**	1	12
épouser **T**	1	12
épousseter **T**	1	27
époustoufler **T**	1	12
époutir **T**	2	35
épouvanter **T**	1	12
épreindre **T**	3	70
éprendre **-s'-** (de) **+être**	3	68
éprouver **T**	1	12
épucer **T**	1	18
épuiser **T**	1	12
épurer **T**	1	12
équarrir **T**	2	35
équerrer **T**	1	12
équeuter **T**	1	12
équilibrer **T / Pr**	1	12
équiper **T / Pr**	1	12
équivaloir **Ti** (à) **/ p.p.inv.**	3	56
équivoquer **I / p.p.inv.**	1	16
éradiquer **T**	1	16
érafler **T**	1	12
érailler **T**	1	12
éreinter **T**	1	12
ergoter **I / p.p.inv.**	1	12
ériger **T / Pr**	1	17
éroder **T**	1	12
érotiser **T**	1	12
errer **I / p.p.inv.**	1	12
éructer **I,** p.p.inv. / **T**	1	12
esbigner **-s'- +être**	1	12
esbroufer **T**	1	12
escalader **T**	1	12
escaloper **T**	1	12
escamoter **T**	1	12
escarrifier **T**	1	15
escher **T**	1	12
esclaffer **-s'- +être**	1	12
escompter **T**	1	12
escorter **T**	1	12
escrimer **-s'-** (à) **+être**	1	12
escroquer **T**	1	16
espacer **T**	1	18
espérer **T / Ti** (en), p.p.inv.	1	20
espionner **T**	1	12
esquicher **T**	1	12
esquinter **T**	1	12
esquisser **T**	1	12
esquiver **T / Pr**	1	12
essaimer **I / p.p.inv.**	1	12
essanger **T**	1	17
essarter **T**	1	12
essayer **T / Pr** (à)	1	29 ou 30
essorer **T**	1	12
essoriller **T**	1	12
essoucher **T**	1	12
essouffler **T / Pr**	1	12
essuyer T	1	**32**
estamper **T**	1	12
estampiller **T**	1	12
ester **I / Déf:** usité seulement à l'inf. *(ester en justice)*		–
estérifier **T**	1	15
esthétiser **I,** p.p.inv. / **T**	1	12
estimer **T / Pr**	1	12
estiver **T / I,** p.p.inv.	1	12
estomaquer **T**	1	16
estomper **T / Pr**	1	12
estoquer **T**	1	16
estourbir **T**	2	35
estrapasser **T**	1	12
estropier **T**	1	15
établer **T**	1	12
établir **T / Pr**	2	35
étager **T / Pr**	1	17
étalager **T**	1	17
étaler **T / Pr**	1	12
étalinguer **T /** -gu- partout	1	16
étalonner **T**	1	12
étamer **T**	1	12
étamper **T**	1	12
étancher **T**	1	12
étançonner **T**	1	12
étarquer **T**	1	16
étatiser **T**	1	12
étayer **T**	1	29 ou 30
éteindre **T / Pr**	3	70
étendre **T / Pr**	3	66
éterniser **T / Pr**	1	12
éternuer **I / p.p.inv.**	1	13
étêter **T**	1	12
éthérifier **T**	1	15
éthériser **T**	1	12
étinceler **I / p.p.inv.**	1	23
étioler **T / Pr**	1	12
étiqueter **T**	1	27
étirer **T / Pr**	1	12
étoffer **T**	1	12
étoiler **T**	1	12
étonner **T / Pr** (de)	1	12
étouffer **T / I,** p.p.inv. / **Pr**	1	12
étouper **T**	1	12
étoupiller **T**	1	12
étourdir **T / Pr**	2	35
étrangler **T / Pr**	1	12
être I / p.p.inv.	3	**1**
étrécir **T**	2	35
étreindre **T**	3	70
étrenner **T / I,** p.p.inv.	1	12
étrésillonner **T**	1	12
étriller **T**	1	12
étriper **T**	1	12
étriquer **T**	1	16
étudier T / Pr	1	**15**
étuver **T**	1	12
euphoriser **T**	1	12
européaniser **T / Pr**	1	12
évacuer **T**	1	13
évader **-s'- +être**	1	12
évaluer **T**	1	13
évangéliser **T**	1	12
évanouir **-s'- +être**	2	35
évaporer **T / Pr**	1	12
évaser **T / Pr**	1	12
éveiller **T / Pr**	1	12
éventer **T / Pr**	1	12
éventrer **T**	1	12
évertuer **-s'-** (à) **+être**	1	13
évider **T**	1	12
évincer **T**	1	18
éviscérer **T**	1	20
éviter **T / I,** p.p.inv.	1	12
évoluer **I / p.p.inv.**	1	13
évoquer **T**	1	16
exacerber **T**	1	12
exagérer **T / I,** p.p.inv. / **Pr**	1	20
exalter **T / Pr**	1	12
examiner **T**	1	12
exaspérer **T**	1	20
exaucer **T**	1	18
excaver **T**	1	12
excéder **T**	1	20
exceller **I / p.p.inv.**	1	12
excentrer **T**	1	12
excepter **T**	1	12
exciper **Ti** (de) / **p.p.inv.**	1	12
exciser **T**	1	12

Verbe	Groupe	Modèle
exciter **T / Pr**	1	12
exclamer **-s'- +être**	1	12
exclure **T**	3	94
excommunier **T**	1	15
excorier **T**	1	15
excréter **T**	1	20
excursionner **I / p.p.inv.**	1	12
excuser **T / Pr**	1	12
exécrer **T**	1	20
exécuter **T / Pr**	1	12
exemplifier **T**	1	15
exempter **T**	1	12
exercer **T / Pr**	1	18
exfiltrer **T**	1	12
exfolier **T**	1	15
exhaler **T / Pr**	1	12
exhausser **T**	1	12
exhéréder **T**	1	20
exhiber **T / Pr**	1	12
exhorter **T**	1	12
exhumer **T**	1	12
exiger **T**	1	17
exiler **T / Pr**	1	12
exister **I / p.p.inv.**	1	12
exonder **-s'- +être**	1	12
exonérer **T**	1	20
exorciser **T**	1	12
expatrier **T / Pr**	1	15
expectorer **T**	1	12
expédier **T**	1	15
expérimenter **T**	1	12
expertiser **T**	1	12
expier **T**	1	15
expirer **T / I,** p.p.inv.	1	12
expliciter **T**	1	12
expliquer **T / Pr**	1	16
exploiter **T**	1	12
explorer **T**	1	12
exploser **I / p.p.inv.**	1	12
exporter **T**	1	12
exposer **T / Pr**	1	12
exprimer **T / Pr**	1	12
exproprier **T**	1	15
expulser **T**	1	12
expurger **T**	1	17
exsuder **I,** p.p.inv. **/ T**	1	12
extasier **-s'- +être**	1	15
exténuer **T / Pr**	1	13
extérioriser **T / Pr**	1	12
exterminer **T**	1	12
extirper **T / Pr**	1	12
extorquer **T**	1	16
extrader **T**	1	12
extraire **T / Pr** (de) / **Déf:** pas de passé simple, pas de subj. imparf.	3	90
extrapoler **T / I,** p.p.inv.	1	12
extravaguer **I / p.p.inv.** / -gu- partout	1	16
extravaser **-s'- +être**	1	12
extruder **T / I,** p.p.inv.	1	12
exulcérer **T**	1	20
exulter **I / p.p.inv.**	1	12

F (1er, 2e, 3e groupe)

Verbe	Groupe	Modèle
fabriquer **T**	1	16
fabuler **I / p.p.inv.**	1	12
facetter **T**	1	12
fâcher **T / Pr**	1	12
faciliter **T**	1	12
façonner **T / Pr**	1	12
factoriser **T**	1	12
facturer **T**	1	12
fagoter **T / Pr**	1	12
faiblir **I / p.p.inv.**	2	35
failler **-se- +être**	1	12
faillir **I / Ti** (à) **/ p.p.inv.** / **Déf:** usité surtout à l'inf. et aux temps composés *(j'ai failli...)*	3	47
fainéanter **I / p.p.inv.**	1	12
faire T / Pr	3	**5**
faisander **T / Pr**	1	12
falloir U / p.p.inv. / **Pr** uniquement dans certaines expressions	3	**11**
falsifier **T**	1	15
faluner **T**	1	12
familiariser **T / Pr** (avec)	1	12
fanatiser **T**	1	12
faner **T / Pr**	1	12
fanfaronner **I / p.p.inv.**	1	12
fantasmer **I / p.p.inv.**	1	12
farcir **T / Pr**	2	35
farder **T / Pr**	1	12
farfouiller **I / p.p.inv.**	1	12
fariner **T**	1	12
farter **T**	1	12
fasciner **T**	1	12
fasciser **T**	1	12
faseyer **I / p.p.inv.**	1	30
fatiguer **T / I,** p.p.inv. / **Pr** / -gu- partout	1	16
faucarder **T**	1	12
faucher **T**	1	12
faufiler **T / Pr**	1	12
fausser **T**	1	12
fauter **I / p.p.inv.**	1	12
favoriser **T**	1	12
faxer **T**	1	12
fayoter **I / p.p.inv.**	1	12
féconder **T**	1	12
féculer **T**	1	12
fédéraliser **T**	1	12
fédérer **T**	1	20
feindre **T / I,** p.p.inv.	3	70
feinter **T / I,** p.p.inv.	1	12
fêler **T / Pr**	1	12
féliciter **T / Pr** (de)	1	12
féminiser **T / Pr**	1	12
fendiller **T / Pr**	1	12
fendre **T / Pr**	3	66
fenêtrer **T**	1	12
férir **T / Déf:** usité seulement à l'inf. prés. *(sans coup férir)* et au part. passé *(féru/ue/us/ues)*		–
ferler **T**	1	12
fermenter **I / p.p.inv.**	1	12
fermer **T / I,** p.p.inv.	1	12
ferrailler **I,** p.p.inv. **/ T**	1	12
ferrer **T**	1	12
ferrouter **T**	1	12
fertiliser **T**	1	12
fesser **T**	1	12
festonner **T**	1	12
festoyer **I / p.p.inv.**	1	31
fêter **T**	1	12
feuiller **I / p.p.inv.**	1	12
feuilleter **T**	1	27
feuler **I / p.p.inv.**	1	12
feutrer **T / I,** p.p.inv. / **Pr**	1	12
fiabiliser **T**	1	12
fiancer **T / Pr**	1	18
ficeler **T**	1	23
fiche **Pr** (de) / Part. passé: *fichu/ue/us/ues*	1	12
ficher **T**	1	12
fidéliser **T**	1	12
fienter **I / p.p.inv.**	1	12

Verbe	Groupe	Tableau
fier **-se-** (à) **+être**	1	15
figer **T**	1	17
fignoler **T / I,** p.p.inv.	1	12
figurer **T / I,** p.p.inv. / **Pr**	1	12
filer **T / I,** p.p.inv.	1	12
fileter **T**	1	28
filialiser **T**	1	12
filigraner **T**	1	12
filmer **T**	1	12
filocher **I / p.p.inv.**	1	12
filouter **T**	1	12
filtrer **T / I,** p.p.inv.	1	12
finaliser **T**	1	12
financer **T**	1	18
finasser **I / p.p.inv.**	1	12
finir **T / I,** p.p.inv.	2	**35**
fiscaliser **T**	1	12
fissionner **T / I,** p.p.inv.	1	12
fissurer **T**	1	12
fixer **T / Pr**	1	12
flageller **T**	1	12
flageoler **I / p.p.inv.**	1	12
flagorner **T**	1	12
flairer **T**	1	12
flamber **I,** p.p.inv. / **T**	1	12
flamboyer **I / p.p.inv.**	1	31
flancher **I / p.p.inv.**	1	12
flâner **I / p.p.inv.**	1	12
flanquer **T**	1	16
flasher **Ti** (sur), p.p.inv. / **T**	1	12
flatter **T / Pr** (de)	1	12
flécher **T**	1	20
fléchir **T / I,** p.p.inv.	2	35
flemmarder **I / p.p.inv.**	1	12
flétrir **T / Pr**	2	35
fleurer **T / I,** p.p.inv.	1	12
fleureter **I / p.p.inv.**	1	27
fleurir **I,** p.p.inv. / **T**	2	35
flexibiliser **T**	1	12
flibuster **I / p.p.inv.**	1	12
flinguer **T / Pr** / -gu- partout	1	16
flipper **I / p.p.inv.**	1	12
flirter **I / p.p.inv.**	1	12
floconner **I / p.p.inv.**	1	12
floculer **I / p.p.inv.**	1	12
floquer **T**	1	16
flotter **I,** p.p.inv. / **T** / **U,** p.p.inv.	1	12
flouer **T**	1	13
fluctuer **I / p.p.inv.**	1	13
fluer **I / p.p.inv.**	1	13
fluidifier **T**	1	15
fluidiser **T**	1	12
flûter **I / p.p.inv.**	1	12
focaliser **T**	1	12
foirer **I / p.p.inv.**	1	12
foisonner **I / p.p.inv.**	1	12
folâtrer **I / p.p.inv.**	1	12
folioter **T**	1	12
fomenter **T**	1	12
foncer **T / I,** p.p.inv.	1	18
fonctionnaliser **T**	1	12
fonctionnariser **T**	1	12
fonctionner **I / p.p.inv.**	1	12
fonder **T / Pr** (sur)	1	12
fondre **T / I,** p.p.inv. / **Pr**	3	66
forcer **T / I,** p.p.inv. / **Pr**	1	18
forcir **I / p.p.inv.**	2	35
forclore **T / Déf:** usité seulement à l'inf. et au part. passé		–
forer **T**	1	12
forfaire **Ti** (à) / **p.p.inv.** / **Déf:** usité seulement à l'inf. prés., au sing. de l'ind. prés., au part. passé et aux temps composés	3	5
forger **T**	1	17
forjeter **T / I,** p.p.inv.	1	27
forlancer **T**	1	18
forligner **I / p.p.inv.**	1	12
forlonger **T**	1	17
formaliser **T / Pr**	1	12
formater **T**	1	12
former **T / Pr**	1	12
formoler **T**	1	12
formuler **T**	1	12
forniquer **I / p.p.inv.**	1	16
fortifier **T**	1	15
fossiliser **T / Pr**	1	12
fossoyer **T**	1	31
fouailler **T**	1	12
foudroyer **T**	1	31
fouetter **T / I,** p.p.inv.	1	12
fouger **T / I,** p.p.inv.	1	17
fouiller **T / I,** p.p.inv. / **Pr**	1	12
fouiner **I / p.p.inv.**	1	12
fouir **T**	2	35
fouler **T / Pr**	1	12
foulonner **T**	1	12
fourbir **T**	2	35
fourcher **I / p.p.inv.**	1	12
fourgonner **I / p.p.inv.**	1	12
fourguer **T** / -gu- partout	1	16
fourmiller **I / Ti** (de) / **p.p.inv.**	1	12
fournir **T / Ti** (à), p.p.inv. / **Pr**	2	35
fourrager **I / p.p.inv.**	1	17
fourrer **T / Pr**	1	12
fourvoyer **T / Pr**	1	31
foutre **T / Pr** (de) / **Déf:** inusité au passé simple et au subj. imparf.	3	66
fracasser **T**	1	12
fractionner **T**	1	12
fracturer **T**	1	12
fragiliser **T**	1	12
fragmenter **T**	1	12
fraîchir **I / p.p.inv.**	2	35
fraiser **T**	1	12
framboiser **T**	1	12
franchir **T**	2	35
franchiser **T**	1	12
franciser **T**	1	12
francophoniser **T** / Québec	1	12
franger **T**	1	17
fransquillonner **I / p.p.inv.** / Belgique	1	12
frapper **T / I,** p.p.inv. / **Pr**	1	12
fraser **T**	1	12
fraterniser **I / p.p.inv.**	1	12
frauder **T / I,** p.p.inv.	1	12
frayer **T / Ti** (avec), p.p.inv. / **I,** p.p.inv.	1	29 ou 30
fredonner **T / I,** p.p.inv.	1	12
frégater **T**	1	12
freiner **T / I,** p.p.inv.	1	12
frelater **T**	1	12
frémir **I / p.p.inv.**	2	35
fréquenter **T / I,** p.p.inv., Afrique	1	12
fréter **T**	1	20
frétiller **I / p.p.inv.**	1	12
fretter **T**	1	12
fricasser **T**	1	12
fricoter **T / Ti** (avec), p.p.inv.	1	12
frictionner **T**	1	12
frigorifier **T**	1	15
frimer **I / p.p.inv.**	1	12
fringuer **T / Pr** / -gu- partout	1	16
friper **T**	1	12
frire **T / I,** p.p.inv. / **Déf**	3	100

Verbe	Groupe	Modèle
friser **T / I**, p.p.inv.	1	12
frisotter **T / I**, p.p.inv.	1	12
frissonner **I / p.p.inv.**	1	12
fritter **T**	1	12
froisser **T / Pr**	1	12
frôler **T**	1	12
froncer **T**	1	18
fronder **T**	1	12
frotter **T / I**, p.p.inv. / **Pr** (à)	1	12
frouer **I / p.p.inv.**	1	13
froufrouter **I / p.p.inv.**	1	12
fructifier **I / p.p.inv.**	1	15
frustrer **T**	1	12
fuguer **I / p.p.inv.** / -gu- partout	1	16
fuir I, p.p.inv. / **T**	3	**40**
fulgurer **I / p.p.inv.**	1	12
fulminer **I**, p.p.inv. / **T**	1	12
fumer **I**, p.p.inv. / **T**	1	12
fumiger **T**	1	17
fureter **I / p.p.inv.**	1	28
fuseler **T**	1	23
fuser **I / p.p.inv.**	1	12
fusiller **T**	1	12
fusionner **T / I**, p.p.inv.	1	12
fustiger **T**	1	17

G — 1er, 2e, 3e groupe

Verbe	Groupe	Modèle
gabarier **T**	1	15
gabionner **T**	1	12
gâcher **T**	1	12
gadgétiser **T**	1	12
gaffer **T / I**, p.p.inv. / **Pr**, Suisse	1	12
gager **T**	1	17
gagner **T / I**, p.p.inv.	1	12
gainer **T**	1	12
galber **T**	1	12
galéjer **I / p.p.inv.**	1	20
galérer **I / p.p.inv.**	1	20
galeter **T**	1	27
galipoter **T**	1	12
galonner **T**	1	12
galoper **I / p.p.inv.**	1	12
galvaniser **T**	1	12
galvauder **T**	1	12
gambader **I / p.p.inv.**	1	12
gamberger **I**, p.p.inv. / **T**	1	12
gambiller **I / p.p.inv.**	1	12
gaminer **I / p.p.inv.**	1	12
gangrener **T / Pr**	1	25
ganser **T**	1	12
ganter **T / I**, p.p.inv.	1	12
garancer **T**	1	18
garantir **T**	2	35
garder **T / Pr** (de)	1	12
garer **T / Pr**	1	12
gargariser **-se-** (de) **+être**	1	12
gargouiller **I / p.p.inv.**	1	12
garnir **T / Pr**	2	35
garrotter **T**	1	12
gaspiller **T**	1	12
gâter **T / Pr**	1	12
gâtifier **I / p.p.inv.**	1	15
gatter **T** / Suisse	1	12
gauchir **I**, p.p.inv. / **T**	2	35
gaufrer **T**	1	12
gauler **T**	1	12
gausser **-se-** (de) **+être**	1	12
gaver **T / Pr** (de)	1	12
gazéifier **T**	1	15
gazer **T / I**, p.p.inv.	1	12
gazonner **T**	1	12
gazouiller **I / p.p.inv.**	1	12
geindre **I / p.p.inv.**	3	70
geler T / I, p.p.inv. / **U**, p.p.inv.	1	**25**
gélifier **T**	1	15
géminer **T**	1	12
gémir **I / p.p.inv.**	2	35
gemmer **T**	1	12
gendarmer **-se- +être**	1	12
gêner **T / Pr**	1	12
généraliser **T / Pr**	1	12
générer **T**	1	20
gerber **T / I**, p.p.inv.	1	12
gercer **T / Pr**	1	18
gérer **T**	1	20
germaniser **T**	1	12
germer **I / p.p.inv.**	1	12
gésir I / Déf	3	**49**
gesticuler **I / p.p.inv.**	1	12
gicler **I / p.p.inv.**	1	12
gifler **T**	1	12
gigoter **I / p.p.inv.**	1	12
gîter **I / p.p.inv.**	1	12
givrer **T**	1	12
glacer **T**	1	18
glairer **T**	1	12
glaiser **T**	1	12
glander **I / p.p.inv.**	1	12
glandouiller **I / p.p.inv.**	1	12
glaner **T**	1	12
glapir **I / p.p.inv.**	2	35
glatir **I / p.p.inv.**	2	35
gléner **T**	1	20
glisser **I**, p.p.inv. / **T / Pr**	1	12
globaliser **T**	1	12
glorifier **T / Pr** (de)	1	15
gloser **Ti** (sur), p.p.inv. / **T**	1	12
glouglouter **I / p.p.inv.**	1	12
glousser **I / p.p.inv.**	1	12
glycériner **T**	1	12
gober **T / Pr**	1	12
goberger **-se- +être**	1	17
godailler **I / p.p.inv.**	1	12
goder **I / p.p.inv.**	1	12
godiller **I / p.p.inv.**	1	12
goinfrer **-se- +être**	1	12
gominer **-se- +être**	1	12
gommer **T**	1	12
gondoler **T / I**, p.p.inv. / **Pr**	1	12
gonfler **T / I**, p.p.inv. / **Pr**	1	12
gorger **T**	1	17
gouacher **T**	1	12
gouailler **I / p.p.inv.**	1	12
goudronner **T**	1	12
goujonner **T**	1	12
goupiller **T / Pr**	1	12
gourer **-se- +être**	1	12
gourmander **T**	1	12
goûter **T / Ti** (à, de), p.p.inv. / **I**, p.p.inv.	1	12
goutter **I / p.p.inv.**	1	12
gouverner **T / I**, p.p.inv.	1	12
gracier **T**	1	15
graduer **T**	1	13
grafigner **T** / Québec	1	12
grailler **I**, p.p.inv. / **T**	1	12
graillonner **I / p.p.inv.**	1	12
grainer **I**, p.p.inv. / **T**	1	12
graisser **T / I**, p.p.inv.	1	12
grammaticaliser **T**	1	12
grandir **I**, p.p.inv. / **T**	2	35
graniter **T**	1	12
granuler **T**	1	12
graphiter **T**	1	12
grappiller **T / I**, p.p.inv.	1	12
grasseyer **I**, p.p.inv. / **T** / -y- partout	1	30

Verbe	Groupe	Tableau
gratifier **T**	1	15
gratiner **T**	1	12
gratter **T / I**, p.p.inv.	1	12
graver **T**	1	12
gravillonner **T**	1	12
gravir **T**	2	35
graviter **I / p.p.inv.**	1	12
gréciser **T**	1	12
grecquer **T**	1	16
gréer **T** / -é- partout	1	14
greffer **T / Pr**	1	12
grêler **T / U**, p.p.inv.	1	12
grelotter **I / p.p.inv.**	1	12
grenader **T**	1	12
grenailler **T**	1	12
greneler **T**	1	23
grener **I**, p.p.inv. / **T**	1	25
grenouiller **I / p.p.inv.**	1	12
gréser **T**	1	20
grésiller **I / U / p.p.inv.**	1	12
grever **T**	1	25
gribouiller **I**, p.p.inv. / **T**	1	12
griffer **T**	1	12
griffonner **T**	1	12
grigner **I / p.p.inv.**	1	12
grignoter **T**	1	12
grillager **T**	1	17
griller **T / I**, p.p.inv.	1	12
grimacer **I / p.p.inv.**	1	18
grimer **T**	1	12
grimper **I**, p.p.inv. / **T**	1	12
grincer **I / p.p.inv.**	1	18
gripper **I**, p.p.inv. / **Pr**	1	12
grisailler **T / I**, p.p.inv.	1	12
griser **T**	1	12
grisoller **I / p.p.inv.**	1	12
grisonner **I / p.p.inv.**	1	12
griveler **T / I**, p.p.inv.	1	23
grognasser **I / p.p.inv.**	1	12
grogner **I / p.p.inv.**	1	12
grognonner **I / p.p.inv.**	1	12
grommeler **T / I**, p.p.inv.	1	23
gronder **I**, p.p.inv. / **T**	1	12
grossir **T / I**, p.p.inv.	2	35
grossoyer **T**	1	31
grouiller **I** / p.p.inv. / **Pr**	1	12
grouper **T / I**, p.p.inv. / **Pr**	1	12
gruger **T**	1	17
grumeler **-se- + être**	1	23
gruter **T**	1	12
guéer **T** / -é- partout	1	14
guérir **T / I**, p.p.inv. / **Pr**	2	35
guerroyer **I / p.p.inv.**	1	31
guêtrer **T**	1	12
guetter **T**	1	12
gueuler **I**, p.p.inv. / **T**	1	12
gueuletonner **I / p.p.inv.**	1	12
gueuser **I / p.p.inv.**	1	12
guider **T**	1	12
guigner **T**	1	12
guillemeter **T**	1	27
guillocher **T**	1	12
guillotiner **T**	1	12
guincher **I / p.p.inv.**	1	12
guinder **T**	1	12
guiper **T**	1	12
guniter **T**	1	12

H — 1er, 2e, 3e groupe

Verbe	Groupe	Tableau
habiliter **T**	1	12
habiller **T / Pr**	1	12
habiter **T / I**, p.p.inv.	1	12
habituer **T / Pr** (à)	1	13
hacher **T**	1	12
hachurer **T**	1	12
haïr T / Pr	2	**36**
halener **T**	1	25
haler **T**	1	12
hâler **T**	1	12
haleter **I / p.p.inv.**	1	28
halluciner **T**	1	12
hancher **T / Pr**	1	12
handicaper **T**	1	12
hannetonner **T**	1	12
hanter **T**	1	12
happer **T**	1	12
haranguer **T** / -gu- partout	1	16
harasser **T**	1	12
harceler **T**	1	25
harder **T**	1	12
harmoniser **T / Pr**	1	12
harnacher **T**	1	12
harponner **T**	1	12
hasarder **T / Pr**	1	12
hâter **T / Pr**	1	12
haubaner **T**	1	12
hausser **T / I**, p.p.inv., Belgique	1	12
haver **T**	1	12
havir **T**	2	35
héberger **T**	1	17
hébéter **T**	1	20
hébraïser **T**	1	12
héler **T**	1	20
helléniser **T**	1	12
hennir **I / p.p.inv.**	2	35
herbager **T**	1	17
herber **T**	1	12
herboriser **I / p.p.inv.**	1	12
hercher **I / p.p.inv.**	1	12
hérisser **T / Pr**	1	12
hériter **I**, p.p.inv. / **T / Ti** (de), p.p.inv.	1	12
herscher **I / p.p.inv.**	1	12
herser **T**	1	12
hésiter **I / p.p.inv.**	1	12
heurter **T / I**, p.p.inv. / **Pr** (à)	1	12
hiberner **I / p.p.inv.**	1	12
hiérarchiser **T**	1	12
hisser **T / Pr**	1	12
historier **T**	1	15
hiverner **I**, p.p.inv. / **T**	1	12
hocher **T**	1	12
homogénéiser **T**	1	12
homologuer **T** / -gu- partout	1	16
hongrer **T**	1	12
hongroyer **T**	1	31
honnir **T**	2	35
honorer **T / Pr**	1	12
hoqueter **I / p.p.inv.**	1	27
horrifier **T**	1	15
horripiler **T**	1	12
hospitaliser **T**	1	12
hotter **T**	1	12
houblonner **T**	1	12
houer **T**	1	13
houpper **T**	1	12
hourder **T**	1	12
houspiller **T**	1	12
housser **T**	1	12
houssiner **T**	1	12
hucher **T**	1	12
huer **T / I**, p.p.inv.	1	13
huiler **T**	1	12
hululer **I / p.p.inv.**	1	12
humaniser **T / Pr**	1	12
humecter **T**	1	12
humer **T**	1	12
humidifier **T**	1	15
humilier **T / Pr**	1	15
hurler **I**, p.p.inv. / **T**	1	12

Verbe	Groupe	Tableau
hybrider **T**	1	12
hydrater **T**	1	12
hydrofuger **T**	1	17
hydrogéner **T**	1	20
hydrolyser **T**	1	12
hypertrophier **T / Pr**	1	15
hypnotiser **T / Pr**	1	12
hypostasier **T**	1	15
hypothéquer **T**	1	20
I	1er, 2e, 3e groupe	
idéaliser **T**	1	12
identifier **T / Pr** (à, avec)	1	15
idolâtrer **T**	1	12
ignifuger **T**	1	17
ignorer **T**	1	12
illuminer **T**	1	12
illusionner **T / Pr**	1	12
illustrer **T / Pr**	1	12
imaginer **T / Pr**	1	12
imbiber **T / Pr** (de)	1	12
imbriquer **T / Pr**	1	16
imiter **T**	1	12
immatriculer **T**	1	12
immerger **T / Pr**	1	17
immigrer **I / p.p.inv.**	1	12
immiscer **-s'-** (dans) **+être**	1	18
immobiliser **T**	1	12
immoler **T**	1	12
immortaliser **T**	1	12
immuniser **T**	1	12
impartir **T /** Usité surtout à l'inf., à l'ind. prés., au part. passé et aux temps composés	2	35
impatienter **T / Pr**	1	12
impatroniser **-s'- +être**	1	12
imperméabiliser **T**	1	12
impétrer **T**	1	20
implanter **T / Pr**	1	12
impliquer **T / Pr**	1	16
implorer **T**	1	12
imploser **I / p.p.inv.**	1	12
importer **I / Ti** (à) **/ p.p.inv. / Déf:** usité seulement aux 3es personnes et à l'infinitif	1	12
importer **T**	1	12
importuner **T**	1	12
imposer **T / Ti** (à), p.p.inv. **/ Pr**	1	12
imprégner **T**	1	20
impressionner **T**	1	12
imprimer **T**	1	12
improviser **T**	1	12
impulser **T**	1	12
imputer **T**	1	12
inactiver **T**	1	12
inalper **-s'- +être**	1	12
inaugurer **T**	1	12
incarcérer **T**	1	20
incarner **T / Pr**	1	12
incendier **T**	1	15
incinérer **T**	1	20
inciser **T**	1	12
inciter **T**	1	12
incliner **T / Ti** (à), p.p.inv. **/ Pr**	1	12
inclure **T**	3	94
incomber **Ti** (à) **/ p.p.inv. / Déf:** usité à l'inf. et aux 3es pers.	1	12
incommoder **T**	1	12
incorporer **T**	1	12
incrémenter **T**	1	12
incriminer **T**	1	12
incruster **T / Pr**	1	12
incuber **T**	1	12
inculper **T**	1	12
inculquer **T**	1	16
incurver **T / Pr**	1	12
indaguer **I / p.p.inv.** / Belgique / -gu- partout	1	16
indemniser **T**	1	12
indexer **T**	1	12
indifférer **T**	1	20
indigner **T / Pr** (de)	1	12
indiquer **T**	1	16
indisposer **T**	1	12
individualiser **T / Pr**	1	12
induire **T**	3	85
indulgencier **T**	1	15
indurer **T**	1	12
industrialiser **T / Pr**	1	12
infantiliser **T**	1	12
infatuer **-s'- +être**	1	13
infecter **T / Pr**	1	12
inféoder **T / Pr**	1	12
inférer **T**	1	20
inférioriser **T**	1	12
infester **T**	1	12
infiltrer **T / Pr**	1	12
infirmer **T**	1	12
infléchir **T / Pr**	2	35
infliger **T**	1	17
influencer **T**	1	18
influer **Ti** (sur) **/ p.p.inv.**	1	13
informatiser **T**	1	12
informer **T / I,** p.p.inv. **/ Pr** (de)	1	12
infuser **T / I,** p.p.inv.	1	12
ingénier **-s'-** (à) **+être**	1	15
ingérer **T / Pr** (dans)	1	20
ingurgiter **T**	1	12
inhaler **T**	1	12
inhiber **T**	1	12
inhumer **T**	1	12
initialiser **T**	1	12
initier **T / Pr** (à)	1	15
injecter **T / Pr**	1	12
injurier **T**	1	15
innerver **T**	1	12
innocenter **T**	1	12
innover **I / p.p.inv.**	1	12
inoculer **T**	1	12
inonder **T**	1	12
inquiéter **T / Pr** (de)	1	20
inscrire **T / Pr**	3	81
insculper **T**	1	12
inséminer **T**	1	12
insensibiliser **T**	1	12
insérer **T / Pr** (dans)	1	20
insinuer **T / Pr** (dans)	1	13
insister **I / p.p.inv.**	1	12
insoler **T**	1	12
insolubiliser **T**	1	12
insonoriser **T**	1	12
inspecter **T**	1	12
inspirer **T / Pr** (de)	1	12
installer **T / Pr**	1	12
instaurer **T**	1	12
instiguer **T** / Belgique / -gu- partout	1	16
instiller **T**	1	12
instituer **T**	1	13
institutionnaliser **T**	1	12
instruire **T / Pr**	3	85
instrumenter **T / I,** p.p.inv.	1	12
insuffler **T**	1	12
insulter **T**	1	12
insupporter **T**	1	12

insurger **-s'-** (contre) **+être** 1 17
intailler **T** 1 12
intégrer **T / Pr** 1 20
intellectualiser **T** 1 12
intensifier **T / Pr** 1 15
intenter **T** 1 12
interagir **I / p.p.inv.** 2 35
intercaler **T** 1 12
intercéder **I / p.p.inv.** 1 20
intercepter **T** 1 12
interclasser **T** 1 12
interconnecter **T** 1 12
interdire **T** 3 78
intéresser **T / Pr** (à) 1 12
interférer **I / p.p.inv.** 1 20
interfolier **T** 1 15
intérioriser **T** 1 12
interjeter **T** 1 27
interligner **T** 1 12
interloquer **T** 1 16
internationaliser **T** 1 12
interner **T** 1 12
interpeller T 1 **24**
interpénétrer **-s'- +être** 1 20
interpoler **T** 1 12
interposer **T / Pr** 1 12
interpréter **T / Pr** 1 20
interroger **T** 1 17
interrompre **T / Pr** 3 72
intervenir **I / + être** 3 4
intervertir **T** 2 35
interviewer **T** 1 12
intimer **T** 1 12
intimider **T** 1 12
intituler **T / Pr** 1 12
intoxiquer **T** 1 16
intriguer **T / I**, p.p.inv. / -gu- partout 1 16
intriquer **T / Pr** 1 16
introduire **T / Pr** 3 85
introniser **T** 1 12
intuber **T** 1 12
invaginer **-s'- +être** 1 12
invalider **T** 1 12
invectiver **I**, p.p.inv. / **T** 1 12
inventer **T** 1 12
inventorier **T** 1 15
inverser **T** 1 12
invertir **T** 2 35
investiguer **I / p.p.inv.** / -gu- partout 1 16
investir **T** 2 35
invétérer **-s'- +être** 1 20
inviter **T** 1 12
invoquer **T** 1 16
ioder **T** 1 12
iodler **I / p.p.inv.** 1 12
ioniser **T** 1 12
iouler **I / p.p.inv.** 1 12
iriser **T** 1 12
ironiser **I / p.p.inv.** 1 12
irradier **I**, p.p.inv. / **T / Pr** 2 35
irriguer **T** / -gu- partout 1 16
irriter **T** 1 12
islamiser **T / Pr** 1 12
isoler **T / Pr** 1 12
italianiser **T** 1 12

J, K — 1er, 2^e^, 3^e^ groupe

jabler **T** 1 12
jaboter **I / p.p.inv.** 1 12
jacasser **I / p.p.inv.** 1 12
jacter **I / p.p.inv.** 1 12
jaillir **I / p.p.inv.** 2 35
jalonner **T** 1 12
jalouser **T** 1 12
japper **I / p.p.inv.** 1 12
jardiner **I**, p.p.inv. / **T** 1 12
jargonner **I / p.p.inv.** 1 12
jarreter **I / p.p.inv.** 1 27
jaser **I / p.p.inv.** 1 12
jasper **T** 1 12
jaspiner **I / p.p.inv.** 1 12
jauger **T / I**, p.p.inv. 1 17
jaunir **T / I**, p.p.inv. 2 35
javeler T 1 23
javelliser T 1 12
jerker **I / p.p.inv.** 1 12
jeter T / Pr 1 **27**
jeûner **I / p.p.inv.** 1 12
jobarder **T** 1 12
jodler **I / p.p.inv.** 1 12
joindre T / I, p.p.inv. / **Pr** (à) 3 **71**
jointoyer **T** 1 31
joncer **T** 1 18
joncher **T** 1 12
jongler **I / p.p.inv.** 1 12
jouailler **I / p.p.inv.** 1 12
jouer I, p.p.inv. / **T** / **Ti** (à, de, sur, avec), p.p.inv. / **Pr** (de) 1 **13**
jouir **Ti** (de) / **I / p.p.inv.** 2 35
jouter **I / p.p.inv.** 1 12
jouxter **T** 1 12
jubiler **I / p.p.inv.** 1 12
jucher **T / I**, p.p.inv. / **Pr** 1 12
judaïser **T / Pr** 1 12
juger **T / Ti** (de), p.p.inv. / **Pr** 1 17
juguler **T** 1 12
jumeler **T** 1 23
juponner **T** 1 12
jurer **T / I**, p.p.inv. / **Ti** (avec), p.p.inv. / **Pr** 1 12
justifier **T / Ti** (de), p.p.inv. / **Pr** 1 15
juter **I / p.p.inv.** 1 12
juxtaposer **T** 1 12
kidnapper **T** 1 12
kilométrer **T** 1 20
klaxonner **I / p.p.inv.** 1 12

L — 1er, 2e, 3e groupe

labéliser **T** 1 12
labelliser **T** 1 12
labialiser **T** 1 12
labourer **T** 1 12
lacer **T** 1 18
lacérer **T** 1 20
lâcher **T / I**, p.p.inv. 1 12
laïciser **T** 1 12
lainer **T** 1 12
laisser **T / Pr** 1 12
laitonner **T** 1 12
laïusser **I / p.p.inv.** 1 12
lambiner **I / p.p.inv.** 1 12
lambrisser **T** 1 12
lamenter **-se- +être** 1 12
lamer **T** 1 12
laminer **T** 1 12
lamper **T** 1 12
lancer **T / I**, p.p.inv. / **Pr** 1 18
lanciner **T / I**, p.p.inv. 1 12
langer **T** 1 17
langueyer **T** / -y- partout 1 30
languir **I**, p.p.inv. / **Ti** (après), p.p.inv. / **Pr** (de) 2 35
lanterner **I / p.p.inv.** 1 12

Verbe	Groupe	Tableau
laper **I,** p.p.inv. / **T**	1	12
lapider **T**	1	12
lapiner **I / p.p.inv.**	1	12
laquer **T**	1	16
larder **T**	1	12
lardonner **T**	1	12
larguer **T** / -gu- partout	1	16
larmoyer **I / p.p.inv.**	1	31
lasser **T / Pr** (de)	1	12
latiniser **T**	1	12
latter **T**	1	12
laver **T / Pr**	1	12
layer **T**	1	29 ou 30
lécher **T**	1	20
légaliser **T**	1	12
légender **T**	1	12
légiférer **I / p.p.inv.**	1	20
légitimer **T**	1	12
léguer **T** / -gu- partout	1	20
lénifier **T**	1	15
léser **T**	1	20
lésiner **I / p.p.inv.**	1	12
lessiver **T**	1	12
lester **T**	1	12
leurrer **T / Pr**	1	12
lever **T / I,** p.p.inv. / **Pr**	1	25
léviger **T**	1	17
levretter **I / p.p.inv.**	1	12
lézarder **I,** p.p.inv. / **T / Pr**	1	12
liaisonner **T**	1	12
liarder **I / p.p.inv.**	1	12
libeller **T**	1	12
libéraliser **T**	1	12
libérer **T / Pr**	1	20
licencier **T**	1	15
licher **T**	1	12
liciter **T**	1	12
lier **T / Pr**	1	15
lifter **T / I,** p.p.inv.	1	12
ligaturer **T**	1	12
ligner **T**	1	12
lignifier **-se- +être**	1	15
ligoter **T**	1	12
liguer **T / Pr** (contre) / -gu- partout	1	16
limer **T / Pr**	1	12
limiter **T / Pr** (à, dans)	1	12
limoger **T**	1	17
liquéfier **T / Pr**	1	15
liquider **T**	1	12
lire T	3	**82**
liserer **T**	1	25
lisérer **T**	1	20
lisser **T**	1	12
lister **T**	1	12
liter **T**	1	12
lithographier **T**	1	15
livrer **T / Pr** (à)	1	12
lixivier **T**	1	15
lober **T / I,** p.p.inv.	1	12
localiser **T**	1	12
locher **T**	1	12
lock-outer **T**	1	12
lofer **I / p.p.inv.**	1	12
loger **I,** p.p.inv. / **T**	1	17
longer **T**	1	17
lorgner **T**	1	12
lotionner **T**	1	12
lotir **T**	2	35
louanger **T**	1	17
loucher **I / Ti** (sur) / **p.p.inv.**	1	12
louer **T / Pr** (de)	1	13
louper **T / I,** p.p.inv. / **U,** p.p.inv. dans l'expression familière *ça n'a pas loupé*	1	12
lourder **T**	1	12
lourer **T**	1	12
louver **T**	1	12
louveter **I / p.p.inv.**	1	27
louvoyer **I / p.p.inv.**	1	31
lover **T / Pr**	1	12
lubrifier **T**	1	15
luger **I / p.p.inv.**	1	17
luire **I / p.p.inv.**	3	85
luncher **I / p.p.inv.**	1	12
lustrer **T**	1	12
luter **T**	1	12
lutiner **T**	1	12
lutter **I / p.p.inv.**	1	12
luxer **T / Pr**	1	12
lyncher **T**	1	12
lyophiliser **T**	1	12
lyser **T**	1	12
M	1er, 2e, 3e groupe	
macadamiser **T**	1	12
macérer **T / I,** p.p.inv.	1	20
mâcher **T**	1	12
machiner **T**	1	12
mâchonner **T**	1	12
mâchouiller **T**	1	12
mâchurer **T**	1	12
macler **T**	1	12
maçonner **T**	1	12
maculer **T**	1	12
madériser **-se- +être**	1	12
maganer **T** / Québec	1	12
magasiner **I / p.p.inv.** / Québec	1	12
magner **-se- +être**	1	12
magnétiser **T**	1	12
magnétoscoper **T**	1	12
magnifier **T**	1	15
magouiller **T / I,** p.p.inv.	1	12
maigrir **I,** p.p.inv. / **T**	2	35
mailler **T / I,** p.p.inv.	1	12
maintenir **T / Pr**	3	4
maîtriser **T / Pr**	1	12
majorer **T**	1	12
malaxer **T**	1	12
malléabiliser **T**	1	12
malmener **T**	1	25
malter **T**	1	12
maltraiter **T**	1	12
manager **T**	1	17
mandater **T**	1	12
mander **T**	1	12
mandriner **T**	1	12
mangeotter **T / I,** p.p.inv.	1	12
manger T / I, p.p.inv.	1	**17**
manier **T / Pr**	1	15
manifester **T / I,** p.p.inv. / **Pr**	1	12
manigancer **T**	1	18
manipuler **T**	1	12
manœuvrer **T / I,** p.p.inv.	1	12
manquer **I,** p.p.inv. / **T** / **Ti** (à, de), p.p.inv.	1	16
manucurer **T**	1	12
manufacturer **T**	1	12
manutentionner **T**	1	12
maquer **T**	1	16
maquignonner **T**	1	12
maquiller **T / Pr**	1	12
marabouter **T** / Afrique	1	12
marauder **I / p.p.inv.**	1	12
marbrer **T**	1	12
marchander **T / I,** p.p.inv.	1	12
marcher **I / p.p.inv.**	1	12
marcotter **T**	1	12
margauder **I / p.p.inv.**	1	12

Verbe	Groupe	Modèle
marger **T**	1	17
marginaliser **T**	1	12
marginer **T**	1	12
margoter **I / p.p.inv.**	1	12
margotter **I / p.p.inv.**	1	12
marier **T / Pr**	1	15
mariner **T / I,** p.p.inv.	1	12
marivauder **I / p.p.inv.**	1	12
marmiter **T**	1	12
marmonner **I,** p.p.inv. / **T**	1	12
marmotter **T / I,** p.p.inv.	1	12
marner **T / I,** p.p.inv.	1	12
maronner **I / p.p.inv.**	1	12
maroquiner **T**	1	12
maroufler **T**	1	12
marquer **T / I,** p.p.inv.	1	16
marqueter **T**	1	27
marrer **-se- +être**	1	12
marteler **T**	1	25
martyriser **T**	1	12
marxiser **T**	1	12
masculiniser **T**	1	12
masquer **T / I,** p.p.inv.	1	16
massacrer **T**	1	12
masser **T / I,** p.p.inv. / **Pr**	1	12
massicoter **T**	1	12
massifier **T**	1	15
mastiquer **T**	1	16
masturber **T / Pr**	1	12
matcher **I,** p.p.inv. / **T**	1	12
matelasser **T**	1	12
mater **T**	1	12
mâter **T**	1	12
matérialiser **T / Pr**	1	12
materner **T**	1	12
materniser **T**	1	12
mathématiser **T**	1	12
mâtiner **T**	1	12
matir **T**	2	35
matraquer **T**	1	16
matricer **T**	1	18
maudire T	3	**79**
maugréer **I,** p.p.inv. / **T** / -é- partout	1	14
maximaliser **T**	1	12
maximiser **T**	1	12
mazer **T**	1	12
mazouter **T / I,** p.p.inv.	1	12
mécaniser **T**	1	12
mécher **T**	1	20
méconduire **-se- +être** / Belgique ; Zaïre	3	85
méconnaître **T**	3	75
mécontenter **T**	1	12
médailler **T**	1	12
médiatiser **T**	1	12
médicaliser **T**	1	12
médire Ti (de) / **p.p.inv.**	3	**78**
méditer **T / Ti** (sur), **p.p.inv.** / **I,** p.p.inv.	1	12
méduser **T**	1	12
méfier **-se-** (de) **+être**	1	15
mégir **T**	2	35
mégisser **T**	1	12
mégoter **I / p.p.inv.**	1	12
méjuger **T / Ti** (de), p.p.inv. / **Pr**	1	17
mélanger **T**	1	17
mêler **T / Pr**	1	12
mémérer **I / p.p.inv.** / Québec	1	12
mémoriser **T**	1	12
menacer **T**	1	18
ménager **T / Pr**	1	17
mendier **I,** p.p.inv. / **T**	1	15
mendigoter **T / I,** p.p.inv.	1	12
mener **T / I,** p.p.inv.	1	25
mensualiser **T**	1	12
mentaliser **T**	1	12
mentionner **T**	1	12
mentir **I / p.p.inv.**	3	38
menuiser **T / I,** p.p.inv.	1	12
méprendre **-se-** (sur) **+être**	3	68
mépriser **T**	1	12
merceriser **T**	1	12
merder **I,** p.p.inv. / **T**	1	12
merdoyer **I / p.p.inv.**	1	31
meringuer **T** / -gu- partout	1	16
mériter **T / Ti** (de), p.p.inv.	1	12
mésallier **-se- +être**	1	15
mésestimer **T**	1	12
messeoir **Ti** (à) / **p.p.inv.** / **Déf**	3	61
mesurer **T / Pr** (à, avec)	1	12
mésuser **Ti** (de) / **p.p.inv.**	1	12
métaboliser **T**	1	12
métalliser **T**	1	12
métamorphiser **T**	1	12
métamorphoser **T / Pr**	1	12
métastaser **T / I,** p.p.inv.	1	12
météoriser **I / p.p.inv.**	1	12
méthaniser **T**	1	12
métisser **T**	1	12
métrer **T**	1	20
mettre T / Pr (à, en)	3	**6**
meubler **T / I,** p.p.inv.	1	12
meugler **I / p.p.inv.**	1	12
meuler **T**	1	12
meurtrir **T**	2	35
miauler **I / p.p.inv.**	1	12
microfilmer **T**	1	12
mignoter **T**	1	12
migrer **I / p.p.inv.**	1	12
mijoter **T / I,** p.p.inv.	1	12
militariser **T**	1	12
militer **I / p.p.inv.**	1	12
millésimer **T**	1	12
mimer **T / I,** p.p.inv.	1	12
minauder **I / p.p.inv.**	1	12
mincir **I,** p.p.inv. / **T**	2	35
miner **T**	1	12
minéraliser **T**	1	12
miniaturiser **T**	1	12
minimaliser **T**	1	12
minimiser **T**	1	12
minorer **T**	1	12
minuter **T**	1	12
mirer **T / Pr** (dans)	1	12
miroiter **I / p.p.inv.**	1	12
miser **T / Ti** (sur), p.p.inv. / **I,** p.p.inv., Suisse	1	12
miter **-se- +être**	1	12
mithridatiser **T**	1	12
mitiger **T**	1	17
mitonner **I,** p.p.inv. / **T**	1	12
mitrailler **T**	1	12
mixer **T**	1	12
mixtionner **T**	1	12
mobiliser **T / Pr**	1	12
modeler **T / Pr** (sur)	1	25
modéliser **T**	1	12
modérer **T / Pr**	1	20
moderniser **T / Pr**	1	12
modifier **T**	1	15
moduler **T / I,** p.p.inv.	1	12
moffler **T** / Belgique	1	12
moirer **T**	1	12
moiser **T**	1	12
moisir **I,** p.p.inv. / **T**	2	35
moissonner **T**	1	12

Verbe	Groupe	Modèle
moitir **T**	2	35
molester **T**	1	12
moleter **T**	1	27
molletonner **T**	1	12
mollir **I**, p.p.inv. / **T**	2	35
momifier **T / Pr**	1	15
monder **T**	1	12
mondialiser **T**	1	12
monétiser **T**	1	12
monnayer **T**	1	29 ou 30
monologuer **I / p.p.inv.** / -gu- partout	1	16
monopoliser **T**	1	12
monter **I +être / T +avoir / Pr**	1	12
montrer **T / Pr**	1	12
moquer **T / Pr** (de)	1	16
moquetter **T**	1	12
moraliser **T / I**, p.p.inv.	1	12
morceler **T**	1	23
mordancer **T**	1	18
mordiller **T**	1	12
mordorer **T**	1	12
mordre **T / Ti** (à), p.p.inv. / **Pr**	3	66
morfler **I / p.p.inv.**	1	12
morfondre **-se- +être**	3	66
morguer **T** / -gu- partout	1	16
morigéner **T**	1	20
mortaiser **T**	1	12
mortifier **T**	1	15
motionner **I / p.p.inv.**	1	12
motiver **T**	1	12
motoriser **T**	1	12
motter **-se- +être**	1	12
moucharder **T / I**, p.p.inv.	1	12
moucher **T / Pr**	1	12
moucheronner **I / p.p.inv.**	1	12
moucheter **T**	1	27
moudre T	3	**96**
moufeter **I / p.p.inv.**	1	12
moufter **I / p.p.inv.**	1	12
mouiller **T / I**, p.p.inv. / **Pr**	1	12
mouler **T**	1	12
mouliner **T**	1	12
moulurer **T**	1	12
mourir I / Pr / + être	3	**43**
mousser **! / p.p.inv.**	1	12
moutonner **I / p.p.inv.**	1	12
mouvementer **T**	1	12
mouvoir **T / Pr**	3	55
moyenner **T**	1	12
muer **I**, p.p.inv. / **T / Pr** (en)	1	13
mugir **I / p.p.inv.**	2	35
multiplier **T / I**, p.p.inv. / **Pr**	1	15
municipaliser **T**	1	12
munir **T / Pr** (de)	2	35
murer **T / Pr**	1	12
mûrir **I**, p.p.inv. / **T**	2	35
murmurer **I**, p.p.inv. / **T**	1	12
musarder **I / p.p.inv.**	1	12
muscler **T**	1	12
museler **T**	1	23
muser **I / p.p.inv.**	1	12
musiquer **T**	1	16
musser **T**	1	12
muter **T / I**, p.p.inv.	1	12
mutiler **T**	1	12
mutiner **-se- +être**	1	12
mutualiser **T**	1	12
mystifier **T**	1	15
mythifier **T**	1	15

N — 1er, 2e, 3e groupe

Verbe	Groupe	Modèle
nacrer **T**	1	12
nager **I**, p.p.inv. / **T**	1	17
naître I / + être	3	**76**
nanifier **T**	1	15
naniser **T**	1	12
nantir **T / Pr** (de)	2	35
napper **T**	1	12
narguer **T** / -gu- partout	1	16
narrer **T**	1	12
nasaliser **T**	1	12
nasiller **T / p.p.inv.**	1	12
nationaliser **T**	1	12
natter **T**	1	12
naturaliser **T**	1	12
naufrager **I / p.p.inv.**	1	17
naviguer **I / p.p.inv.** / -gu- partout	1	16
navrer **T**	1	12
néantiser **T**	1	12
nébuliser **T**	1	12
nécessiter **T**	1	12
nécroser **T / Pr**	1	12
négliger **T / Pr**	1	17
négocier **T / I**, p.p.inv.	1	15
neiger **U / p.p.inv.**	1	17
nervurer **T**	1	12
nettoyer **T**	1	31
neutraliser **T / Pr**	1	12
niaiser **I / p.p.inv.** / Québec	1	12
nicher **I**, p.p.inv. / **Pr**	1	12
nickeler **T**	1	23
nidifier **I / p.p.inv.**	1	15
nieller **T**	1	12
nier **T**	1	15
nimber **T**	1	12
nipper **T / Pr**	1	12
nitrater **T**	1	12
nitrer **T**	1	12
nitrifier **T**	1	15
nitrurer **T**	1	12
niveler **T**	1	23
noircir **T / I**, p.p.inv. / **Pr**	2	35
noliser **T**	1	12
nomadiser **I / p.p.inv.**	1	12
nombrer **T**	1	12
nominaliser **T**	1	12
nominer **T**	1	12
nommer **T / Pr**	1	12
nonupler . **T**	1	12
nordir **I / p.p.inv.**	2	35
normaliser **T / Pr**	1	12
noter **T**	1	12
notifier **T**	1	15
nouer **T**	1	13
nourrir **T / Pr** (de)	2	35
nover **T**	1	12
noyauter **T**	1	12
noyer **T / Pr**	1	31
nuancer **T**	1	18
nucléariser **T**	1	12
nuer **T**	1	13
nuire **Ti** (à) / **p.p.inv.**	3	85
numériser **T**	1	12
numéroter **T / I**, p.p.inv.	1	12

O — 1er, 2e, 3e groupe

Verbe	Groupe	Modèle
obéir **Ti** (à) / **p.p.inv.** sauf à la voix passive : *elles ont été obéies*	2	35
obérer **T**	1	20
objecter **T**	1	12
objectiver **T**	1	12
obliger **T**	1	17
obliquer **I / p.p.inv.**	1	16
oblitérer **T**	1	20
obnubiler **T**	1	12

Verbe	Groupe	Tableau
obombrer **T**	1	12
obscurcir **T / Pr**	2	35
obséder **T**	1	20
observer **T / Pr**	1	12
obstiner **-s'- +être**	1	12
obstruer **T**	1	13
obtempérer **Ti** (à) **/ p.p.inv.**	1	20
obtenir **T**	3	4
obturer **T**	1	12
obvenir **I / + être**	3	4
obvier **Ti** (à) / **p.p.inv.**	1	15
occasionner **T**	1	12
occidentaliser **T**	1	12
occire **T / Déf:** usité seulement à l'inf., au part. passé et aux temps composés		–
occlure **T**	3	94
occulter **T**	1	12
occuper **T / Pr** (de)	1	12
ocrer **T**	1	12
octavier **I / p.p.inv.**	1	15
octroyer **T / Pr**	1	31
octupler **T**	1	12
œilletonner **T**	1	12
œuvrer **I / p.p.inv.**	1	12
offenser **T / Pr** (de)	1	12
officialiser **T**	1	12
officier **I / p.p.inv.**	1	15
offrir **T / Pr**	3	45
offusquer **T / Pr** (de)	1	16
oindre **T /** Usité surtout à l'inf. et au part. passé	3	71
oiseler **I / p.p.inv.**	1	23
ombrager **T**	1	17
ombrer **T**	1	12
omettre **T**	3	6
ondoyer **I,** p.p.inv. / **T**	1	31
onduler **I,** p.p.inv. / **T**	1	12
opacifier **T**	1	15
opaliser **T**	1	12
opérer **T / I,** p.p.inv. / **Pr**	1	20
opiacer **T**	1	18
opiner **Ti / p.p.inv.**	1	12
opposer **T / Pr** (à)	1	12
oppresser **T**	1	12
opprimer **T**	1	12
opter **I** (pour, en faveur de) / **p.p.inv.**	1	12
optimaliser **T**	1	12
optimiser **T**	1	12
oraliser **T**	1	12
orbiter **I / p.p.inv.**	1	12
orchestrer **T**	1	12
ordonnancer **T**	1	18
ordonner **T**	1	12
organiser **T / Pr**	1	12
organsiner **T**	1	12
orienter **T / Pr**	1	12
ornementer **T**	1	12
orner **T**	1	12
orthographier **T**	1	15
osciller **I / p.p.inv.**	1	12
oser **T**	1	12
ossifier **-s'- +être**	1	15
ôter **T / Pr**	1	12
ouater **T**	1	12
ouatiner **T**	1	12
oublier **T / Pr**	1	15
ouiller **T**	1	12
ouïr T	3	**48**
ourdir **T**	2	35
ourler **T**	1	12
outiller **T**	1	12
outrager **T**	1	17
outrepasser **T**	1	12
outrer **T**	1	12
ouvrager **T**	1	17
ouvrer **T**	1	12
ouvrir T / I, p.p.inv. / **Pr**	3	**45**
ovaliser **T**	1	12
ovationner **T**	1	12
ovuler **I / p.p.inv.**	1	12
oxyder **T / Pr**	1	12
oxygéner **T / Pr**	1	20
ozoner **T**	1	12
ozoniser **T**	1	12

P — 1er, 2e, 3e groupe

Verbe	Groupe	Tableau
pacager **T / I,** p.p.inv.	1	17
pacifier **T**	1	15
pacquer **T /** -cqu- partout	1	16
pactiser **I / p.p.inv.**	1	12
paganiser **T**	1	12
pagayer **I / p.p.inv.**	1	29 ou 30
paginer **T**	1	12
pagnoter **-se- +être**	1	12
paillassonner **T**	1	12
pailler **T**	1	12
pailleter **T**	1	27
paître **T / I,** p.p.inv. / **Déf:** passé simple, subj. imparf. et temps composés inusités	3	99
palabrer **I / p.p.inv.**	1	12
palanquer **I,** p.p.inv. / **T**	1	16
palataliser **T**	1	12
palettiser **T**	1	12
pâlir **I,** p.p.inv. / **T**	2	35
palissader **T**	1	12
palisser **T**	1	12
palissonner **T**	1	12
pallier **T**	1	15
palmer **T**	1	12
palper **T**	1	12
palpiter **I / p.p.inv.**	1	12
pâmer **-se- +être**	1	12
panacher **T / Pr**	1	12
paner **T**	1	12
panifier **T**	1	15
paniquer **I,** p.p.inv. / **T / Pr**	1	16
panneauter **I / p.p.inv.**	1	12
panosser **T /** Suisse; Savoie	1	12
panser **T**	1	12
panteler **I / p.p.inv.**	1	23
pantoufler **I / p.p.inv.**	1	12
papillonner **I / p.p.inv.**	1	12
papilloter **I / p.p.inv.**	1	12
papoter **I / p.p.inv.**	1	12
parachever **T**	1	25
parachuter **T**	1	12
parader **I / p.p.inv.**	1	12
parafer **T**	1	12
paraffiner **T**	1	12
paraître **I / + être ou avoir**	3	75
paralyser **T**	1	12
paramétrer **T**	1	20
parangonner **T**	1	12
parapher **T**	1	12
paraphraser **T**	1	12
parasiter **T**	1	12
parcellariser **T**	1	12
parcelliser **T**	1	12
parcourir **T**	3	42
pardonner **T / Ti** (à), p.p. inv., sauf à la voix passive: *elle a été pardonnée*	1	12
parementer **T**	1	12
parer **T / Ti** (à), p.p.inv. / **Pr** (de)	1	12
paresser **I / p.p.inv.**	1	12

Verbe	Groupe	Tableau
parfaire **T / Déf :** usité à l'inf., au part. passé, au sing. de l'ind. prés. et aux temps composés	3	5
parfiler **T**	1	12
parfondre **T**	3	66
parfumer **T / Pr**	1	12
parier **T**	1	15
parjurer **-se- + être**	1	12
parlementer **I / p.p.inv.**	1	12
parler **I,** p.p. inv. / **Ti** (de), p.p.inv. / **T / Pr,** p.p.inv.	1	12
parodier **T**	1	15
parquer **T / I,** p.p.inv.	1	16
parqueter **T**	1	27
parrainer **T**	1	12
parsemer **T**	1	25
partager **T**	1	17
participer **Ti** (à) / **p.p.inv.**	1	12
particulariser **T**	1	12
partir I / + être	3	**38**
parvenir **I / + être**	3	4
passementer **T**	1	12
passer **I / T / Pr** (de) / **+ être ou avoir** sauf à la voix pronominale : toujours *être*	1	12
passionner **T / Pr** (pour)	1	12
passiver **T**	1	12
pasteuriser **T**	1	12
pasticher **T**	1	12
patauger **I / p.p.inv.**	1	17
pateliner **I / p.p.inv.**	1	12
patenter **T**	1	12
patienter **I / p.p.inv.**	1	12
patiner **I,** p.p.inv. / **T / Pr**	1	12
pâtir **I / p.p.inv.**	2	35
pâtisser **I / p.p.inv.**	1	12
patoiser **I / p.p.inv.**	1	12
patouiller **I,** p.p.inv. / **T**	1	12
patronner **T**	1	12
patrouiller **I / p.p.inv.**	1	12
pâturer **T / I,** p.p.inv.	1	12
paumer **T / Pr**	1	12
paumoyer **T**	1	31
paupériser **T**	1	12
pauser **I / p.p.inv.**	1	12
pavaner **-se- + être**	1	12
paver **T**	1	12
pavoiser **T / I,** p.p.inv.	1	12
payer T / I, p.p.inv. / **Pr**	1	**29** ou **30**
peaufiner **T**	1	12
pécher **I / p.p.inv.**	1	20
pêcher **T**	1	12
pécloter **I / p.p.inv.** / Suisse	1	12
pédaler **I / p.p.inv.**	1	12
peigner **T / Pr**	1	12
peindre T / Pr	3	**70**
peiner **T / I,** p.p.inv.	1	12
peinturer **T**	1	12
peinturlurer **T**	1	12
peler **T / I,** p.p.inv.	1	25
peller **T** / Suisse	1	12
pelleter **T**	1	27
pelliculer **T**	1	12
peloter **T**	1	12
pelotonner **T / Pr**	1	12
pelucher **I / p.p.inv.**	1	12
pénaliser **T**	1	12
pencher **T / I,** p.p.inv. / **Pr**	1	12
pendiller **I / p.p.inv.**	1	12
pendouiller **I / p.p.inv.**	1	12
pendre **T / I,** p.p.inv. / **Pr**	3	66
penduler **I / p.p.inv.**	1	12
pénétrer **T / I,** p.p.inv. / **Pr** (de)	1	20
penser **I,** p.p.inv. / **Ti** (à), p.p.inv. / **T**	1	12
pensionner **T**	1	12
pépier **I / p.p.inv.**	1	15
percer **T / I,** p.p.inv.	1	18
percevoir **T**	3	51
percher **I,** p.p.inv. / **T / Pr**	1	12
percuter **T / I,** p.p.inv.	1	12
perdre **T / I,** p.p.inv. / **Pr**	3	66
perdurer **I / p.p.inv.**	1	12
pérenniser **T**	1	12
perfectionner **T / Pr**	1	12
perforer **T**	1	12
perfuser **T**	1	12
péricliter **I / p.p.inv.**	1	12
périmer **-se- + être**	1	12
périr **I / p.p.inv.**	2	35
perler **T / I,** p.p.inv.	1	12
permettre **T / Pr**	3	6
permuter **T / I,** p.p.inv.	1	12
pérorer **I / p.p.inv.**	1	12
peroxyder **T**	1	12
perpétrer **T**	1	20
perpétuer **T / Pr**	1	13
perquisitionner **I,** p.p.inv. / **T**	1	12
persécuter **T**	1	12
persévérer **I / p.p.inv.**	1	20
persifler **T**	1	12
persister **I** (dans, à + inf.) / **p.p.inv.**	1	12
personnaliser **T**	1	12
personnifier **T**	1	15
persuader **T / Pr** (de)	1	12
perturber **T**	1	12
pervertir **T / Pr**	2	35
pervibrer **T**	1	12
peser **T / I,** p.p.inv.	1	25
pester **I / p.p.inv.**	1	12
pétarader **I / p.p.inv.**	1	12
péter **I,** p.p.inv. / **T**	1	20
pétiller **I / p.p.inv.**	1	12
petit-déjeuner **I / p.p.inv.**	1	12
pétitionner **I / p.p.inv.**	1	12
pétouiller **I / p.p.inv.** / Suisse	1	12
pétrifier **T**	1	15
pétrir **T**	2	35
pétuner **I / p.p.inv.**	1	12
peupler **T / Pr**	1	12
phagocyter **T**	1	12
philosopher **I / p.p.inv.**	1	12
phosphater **T**	1	12
phosphorer **I / p.p.inv.**	1	12
photocomposer **T**	1	12
photocopier **T**	1	15
photographier **T**	1	15
phraser **T**	1	12
piaffer **I / p.p.inv.**	1	12
piailler **I / p.p.inv.**	1	12
pianoter **I / p.p.inv.**	1	12
piauler **I / p.p.inv.**	1	12
picoler **T**	1	12
picorer **T**	1	12
picoter **T**	1	12
piéger **T**	1	21
piéter **I / p.p.inv.**	1	20
piétiner **I,** p.p.inv. / **T**	1	12
pieuter **-se- + être**	1	12
pifer **T**	1	12
piffer **T**	1	12
pigeonner **T**	1	12
piger **T**	1	17
pigmenter **T**	1	12
pignocher **I / p.p.inv.**	1	12

Verbe	Groupe	Tableau
piler **T / I**, p.p.inv.	1	12
piller **T**	1	12
pilonner **T**	1	12
piloter **T**	1	12
pimenter **T**	1	12
pinailler **I / p.p.inv.**	1	12
pincer **T**	1	18
pinter **I**, p.p.inv. / **T / Pr**	1	12
piocher **T**	1	12
pioncer **I / p.p.inv.**	1	18
piorner **I / p.p.inv.** / Suisse	1	12
piper **T**	1	12
pique-niquer **I / p.p.inv.**	1	16
piquer **T / I**, p.p.inv. / **Pr**	1	16
piqueter **T / I**, p.p.inv., Québec	1	27
pirater **T / I**, p.p.inv.	1	12
pirouetter **I / p.p.inv.**	1	12
pisser **T / I**, p.p.inv.	1	12
pister **T**	1	12
pistonner **T**	1	12
pitonner **T / I**, p.p.inv.	1	12
pivoter **I / p.p.inv.**	1	12
placarder **T**	1	12
placer T / Pr	1	**18**
placoter **I / p.p.inv.** / Québec	1	12
plafonner **I**, p.p.inv. / **T**	1	12
plagier **T**	1	15
plaider **T / I**, p.p.inv.	1	12
plaindre **T / Pr**	3	69
plaire I (à) / **U** dans des expressions figées: *s'il vous/te plaît; plaît-il,* etc. / **Pr / p.p.inv.** même à la voix pronominale	3	**91**
plaisanter **I**, p.p.inv. / **T**	1	12
planchéier **T** / -é- partout	1	15
plancher **I / Ti** (sur) / **p.p.inv.**	1	12
planer **T / I**, p.p.inv.	1	12
planifier **T**	1	15
planquer **T / Pr**	1	16
planter **T / Pr**	1	12
plaquer **T**	1	16
plasmifier **T**	1	15
plastifier **T**	1	15
plastiquer **T**	1	16
plastronner **I / p.p.inv.**	1	12
platiner **T**	1	12
plâtrer **T**	1	12
plébisciter **T**	1	12
pleurer **I**, p.p.inv. / **T**	1	12
pleurnicher **I / p.p.inv.**	1	12
pleuvasser **U / p.p.inv.**	1	12
pleuviner **U / p.p.inv.**	1	12
pleuvoir U / I / p.p.inv.	3	**62**
pleuvoter **U / p.p.inv.**	1	12
plier **T / I**, p.p.inv. / **Pr** (à)	1	15
plisser **T / I**, p.p.inv.	1	12
plomber **T**	1	12
plonger **T / I**, p.p.inv. / **Pr**	1	17
ployer **T / I**, p.p.inv.	1	31
plucher **I / p.p.inv.**	1	12
plumer **T**	1	12
pluviner **U / p.p.inv.**	1	12
pocharder **-se- +être**	1	12
pocher **T**	1	12
poêler **T**	1	12
poétiser **T**	1	12
poignarder **T**	1	12
poiler **-se- +être**	1	12
poinçonner **T**	1	12
poindre **I / Déf:** usité seulement à l'ind. prés., au part. prés. et à la 3e pers. du sing. des temps simples	3	71
pointer **T / I**, p.p.inv. / **Pr**	1	12
pointiller **I**, p.p.inv. / **T**	1	12
poireauter **I / p.p.inv.**	1	12
poiroter **I / p.p.inv.**	1	12
poisser **T**	1	12
poivrer **T / Pr**	1	12
polariser **T / Pr** (sur)	1	12
polémiquer **I / p.p.inv.**	1	16
policer **T**	1	18
polir **T**	2	35
polissonner **I / p.p.inv.**	1	12
politiser **T**	1	12
polluer **T**	1	13
polycopier **T**	1	15
polymériser **T**	1	12
pommader **T**	1	12
pommeler **-se- +être**	1	23
pommer **I / p.p.inv.**	1	12
pomper **T**	1	12
pomponner **T / Pr**	1	12
poncer **T**	1	18
ponctionner **T**	1	12
ponctuer **T**	1	13
pondérer **T**	1	20
pondre **T**	3	66
ponter **I**, p.p.inv. / **T**	1	12
pontifier **I / p.p.inv.**	1	15
populariser **T**	1	12
poquer **I / p.p.inv.**	1	16
porter **T / I**, p.p.inv. / **Pr**	1	12
portraiturer **T**	1	12
poser **T / I**, p.p.inv. / **Pr**	1	12
positionner **T / Pr**	1	12
posséder **T / Pr**	1	20
postdater **T**	1	12
poster **T / Pr**	1	12
postillonner **I / p.p.inv.**	1	12
postposer **T**	1	12
postsynchroniser **T**	1	12
postuler **T / I**, p.p.inv.	1	12
potasser **T**	1	12
potentialiser **T**	1	12
potiner **I / p.p.inv.**	1	12
poudrer **T**	1	12
poudroyer **I / p.p.inv.**	1	31
pouffer **I / p.p.inv.**	1	12
pouliner **I / p.p.inv.**	1	12
pouponner **I / p.p.inv.**	1	12
pourchasser **T**	1	12
pourfendre **T**	3	66
pourlécher **-se- +être**	1	20
pourrir **I**, p.p.inv. / **T**	2	35
poursuivre **T**	3	86
pourvoir Ti (à), p.p.inv. / **T / Pr** (de, en)	3	**54**
pousser **T / I**, p.p.inv. / **Pr**	1	12
poutser **T** / Suisse	1	12
pouvoir T / U +être au pronominal: *il se peut que* (+subj.)/ **p.p.inv.** / **Déf:** pas d'impér.	3	**7**
praliner **T**	1	12
pratiquer **T / Pr**	1	16
préaviser **T**	1	12
précariser **T**	1	12
précautionner **-se- +être**	1	12
précéder **T**	1	20
préchauffer **T**	1	12
prêcher **T / I**, p.p.inv.	1	12
précipiter **T / I**, p.p.inv. / **Pr**	1	12
préciser **T / Pr**	1	12
précompter **T**	1	12
préconiser **T**	1	12
prédestiner **T**	1	12
prédéterminer **T**	1	12

Verbe	Groupe	Tableau
prédiquer **T**	1	16
prédire **T**	3	78
prédisposer **T**	1	12
prédominer **I / p.p.inv.**	1	12
préétablir **T**	2	35
préexister **I / p.p.inv.**	1	12
préfacer **T**	1	18
préférer **T**	1	20
préfigurer **T**	1	12
préfixer **T**	1	12
préformer **T**	1	12
préjuger **T / Ti** (de), p.p.inv.	1	17
prélasser **-se- + être**	1	12
prélever **T**	1	25
préluder **I / Ti** (à) / **p.p.inv.**	1	12
préméditer **T**	1	12
prémunir **T / Pr** (contre)	2	35
prendre **T / I,** p.p.inv. / **Pr** (à, de, pour)	3	**68**
prénommer **T**	1	12
préoccuper **T / Pr** (de)	1	12
préparer **T / Pr**	1	12
prépayer **T**	1	29 ou 30
préposer **T**	1	12
prérégler **T**	1	20
présager **T**	1	17
prescrire **T / Pr**	3	81
présélectionner **T**	1	12
présenter **T / I,** p.p.inv. / **Pr**	1	12
préserver **T**	1	12
présider **T / Ti** (à), p.p.inv.	1	12
pressentir **T**	3	38
presser **T / I,** p.p.inv. / **Pr**	1	12
pressurer **T / Pr**	1	12
pressuriser **T**	1	12
prester **T** / Belgique ; Zaïre	1	12
présumer **T / Ti** (de), p.p.inv.	1	12
présupposer **T**	1	12
présurer **T**	1	12
prétendre **T / Ti** (à), p.p.inv.	3	66
prêter **T / Ti** (à), p.p.inv. / **Pr** (à)	1	12
prétériter **T** / Suisse	1	12
prétexter **T**	1	12
prévaloir **I,** p.p.inv. / **Pr** (de)	3	**57**
prévariquer **I / p.p.inv.**	1	16
prévenir **T**	3	4
prévoir **T**	3	**53**
prier **T / I,** p.p.inv.	1	15
primer **T / Ti** (sur), p.p.inv.	1	12
priser **T**	1	12
privatiser **T**	1	12
priver **T / Pr** (de)	1	12
privilégier **T**	1	15
procéder **I / Ti** (à) / **p.p.inv.**	1	20
proclamer **T**	1	12
procréer **T** / -é- partout	1	14
procurer **T**	1	12
prodiguer **T** / -gu- partout	1	16
produire **T / Pr**	3	85
profaner **T**	1	12
proférer **T**	1	20
professer **T**	1	12
professionnaliser **T / Pr**	1	12
profiler **T / Pr**	1	12
profiter **Ti** (de, à) / **I** / **p.p.inv.**	1	12
programmer **T**	1	12
progresser **I / p.p.inv.**	1	12
prohiber **T**	1	12
projeter **T**	1	27
prolétariser **T / Pr**	1	12
proliférer **I / p.p.inv.**	1	20
prolonger **T**	1	17
promener **T / I,** p.p.inv. / **Pr**	1	25
promettre **T / I,** p.p.inv. / **Pr**	3	6
promouvoir **T** / Usité surtout à l'inf., au part. passé *(promu/ue/us/ues)*, aux temps composés et à la voix passive	3	55
promulguer **T** / -gu- partout	1	16
prôner **T**	1	12
prononcer **T / I,** p.p.inv. / **Pr**	1	18
pronostiquer **T**	1	16
propager **T / Pr**	1	17
prophétiser **T**	1	12
proportionner **T**	1	12
proposer **T / Pr**	1	12
propulser **T / Pr**	1	12
proroger **T**	1	17
proscrire **T**	3	81
prospecter **T**	1	12
prospérer **I / p.p.inv.**	1	20
prosterner **-se- + être**	1	12
prostituer **T / Pr**	1	13
protéger **T**	1	**21**
protester **I,** p.p. inv. / **Ti** (de), p.p.inv. / **T** (langage juridique)	1	12
prouver **T**	1	12
provenir **I / + être**	3	4
provigner **T / I,** p.p.inv.	1	12
provisionner **T**	1	12
provoquer **T**	1	16
psalmodier **T / I,** p.p.inv.	1	15
psychanalyser **T**	1	12
psychiatriser **T**	1	12
publier **T**	1	15
puddler **T**	1	12
puer **I / T / p.p.inv.**	1	13
puiser **T / I,** p.p.inv.	1	12
pulluler **I / p.p.inv.**	1	12
pulser **T**	1	12
pulvériser **T**	1	12
punaiser **T**	1	12
punir **T**	2	35
purger **T / Pr**	1	17
purifier **T**	1	15
putréfier **T / Pr**	1	15
putter **I / p.p.inv.**	1	12
pyrograver **T**	1	12

Q — 1er, 2e, 3e groupe

Verbe	Groupe	Tableau
quadriller **T**	1	12
quadrupler **T / I,** p.p.inv.	1	12
qualifier **T / Pr**	1	15
quantifier **T**	1	15
quartager **T**	1	17
quarter **T**	1	12
quémander **T / I,** p.p.inv.	1	12
quereller **T / Pr**	1	12
quérir **T / Déf :** usité seulement à l'inf. prés. après *aller, envoyer, faire* et *venir*		–
questionner **T**	1	12
quêter **T / I,** p.p.inv.	1	12
queuter **I / p.p.inv.**	1	12
quintupler **T / I,** p.p.inv.	1	12
quittancer **T**	1	18
quitter **T / I,** p.p.inv., Afrique	1	12

R — 1er, 2e, 3e groupe

Verbe	Groupe	Tableau
rabâcher **T / I,** p.p.inv.	1	12
rabaisser **T / Pr**	1	12
rabattre **T / I,** p.p.inv. / **Pr** (sur)	3	74
rabibocher **T / Pr** (avec)	1	12
rabioter **T**	1	12
râbler **T**	1	12

Verbe	Groupe	Modèle
réajuster **T**	1	12
réaléser **T**	1	20
réaligner **T**	1	12
réaliser **T / Pr**	1	12
réaménager **T**	1	17
réamorcer **T**	1	18
réanimer **T**	1	12
réapparaître **I / + être ou avoir**	3	75
réapprendre **T**	3	68
réapprovisionner **T**	1	12
réargenter **T**	1	12
réarmer **T / I**, p.p.inv.	1	12
réarranger **T**	1	17
réassigner **T**	1	12
réassortir **T**	2	35
réassurer **T**	1	12
rebaisser **I**, p.p.inv. / **T**	1	12
rebaptiser **T**	1	12
rebâtir **T**	2	35
rebattre **T**	3	74
rebeller **-se- + être**	1	12
rebiffer **-se- + être**	1	12
rebiquer **I / p.p.inv.**	1	16
reblanchir **T**	2	35
reboire **T / I**, p.p.inv.	3	89
reboiser **T**	1	12
rebondir **I / p.p.inv.**	2	35
reborder **T**	1	12
reboucher **T**	1	12
reboutonner **T**	1	12
rebroder **T**	1	12
rebrousser **T**	1	12
rebrûler **T**	1	12
rebuter **T**	1	12
recacheter **T**	1	27
recadrer **T**	1	12
recalcifier **T**	1	15
recalculer **T**	1	12
recaler **T**	1	12
recapitaliser **T**	1	12
récapituler **T**	1	12
recarder **T**	1	12
recarreler **T**	1	23
recaser **T**	1	12
recauser **Ti** (de) / **p.p.inv.**	1	12
recéder **T**	1	20
receler **T**	1	25
recenser **T**	1	12
recentrer **T**	1	12
receper **T**	1	25
recéper **T**	1	20
réceptionner **T**	1	12
recercler **T**	1	12
recevoir T / Pr	3	**51**
rechampir **T**	2	35
réchampir **T**	2	35
rechanger **T**	1	17
rechanter **T**	1	12
rechaper **T**	1	12
réchapper **I / Ti** (à, de) / **+ être ou avoir**	1	12
recharger **T**	1	17
rechasser **T**	1	12
réchauffer **T / Pr**	1	12
rechausser **T / Pr**	1	12
rechercher **T**	1	12
rechigner **I / Ti** (à) / **p.p.inv.**	1	12
rechristianiser **T**	1	12
rechuter **I / p.p.inv.**	1	12
récidiver **I / p.p.inv.**	1	12
réciproquer **I**, p.p.inv. / **T** / Belgique ; Zaïre	1	16
réciter **T**	1	12
réclamer **T / I**, p.p.inv. / **Pr** (de)	1	12
reclasser **T**	1	12
reclouer **T**	1	13
recoiffer **T / Pr**	1	12
récoler **T**	1	12
recoller **T / Ti** (à), p.p.inv.	1	12
récolter **T**	1	12
recommander **T / Pr** (de)	1	12
recommencer **T / I**, p.p.inv.	1	18
recomparaître **I / p.p.inv.**	3	75
récompenser **T**	1	12
recomposer **T**	1	12
recompter **T**	1	12
réconcilier **T / Pr** (avec)	1	15
recondamner **T**	1	12
reconduire **T**	3	85
réconforter **T**	1	12
reconnaître **T / Pr**	3	75
reconquérir **T**	3	44
reconsidérer **T**	1	20
reconstituer **T**	1	13
reconstruire **T**	3	85
reconvertir **T / Pr**	2	35
recopier **T**	1	15
recorder **T**	1	12
recorriger **T**	1	17
recoucher **T**	1	12
recoudre **T**	3	97
recouper **T / I**, p.p.inv.	1	12
recourber **T**	1	12
recourir **T / I**, p.p.inv. / **Ti** (à), p.p.inv.	3	42
recouvrer **T**	1	12
recouvrir **T**	3	45
recracher **T / I**, p.p.inv.	1	12
recréer **T** / -é- partout	1	14
récréer **T** / -é- partout	1	14
recrépir **T**	2	35
recreuser **T**	1	12
récrier **-se- + être**	1	15
récriminer **I / p.p.inv.**	1	12
récrire **T**	3	81
recristalliser **T / I**, p.p.inv.	1	12
recroître **I / p.p.inv.**	3	93
recroqueviller **-se- + être**	1	12
recruter **T / Pr**	1	12
rectifier **T**	1	15
recueillir **T / Pr**	3	46
recuire **T / I**, p.p.inv.	3	85
reculer **T / I**, p.p.inv.	1	12
reculotter **T**	1	12
récupérer **T / I**, p.p.inv.	1	20
récurer **T**	1	12
récuser **T / Pr**	1	12
recycler **T / Pr**	1	12
redécouvrir **T**	3	45
redéfaire **T**	3	5
redéfinir **T**	2	35
redemander **T**	1	12
redémarrer **I / p.p.inv.**	1	12
redéployer **T**	1	31
redescendre **I + être / T + avoir**	3	66
redevenir **I / + être**	3	4
redevoir **T**	3	10
rediffuser **T**	1	12
rédiger **T**	1	17
redimensionner **T** / Suisse	1	12
rédimer **T**	1	12
redire **T**	3	77
rediscuter **T**	1	12
redistribuer **T**	1	13
redonner **T**	1	12
redorer **T**	1	12

Verbe	Groupe	Modèle
redoubler **T / Ti** (de), p.p.inv. / **I**, p.p.inv.	1	12
redouter **T**	1	12
redresser **T / I**, p.p.inv. / **Pr**	1	12
réduire **T / I**, p.p.inv. / **Pr** (à)	3	85
réécouter **T**	1	12
réécrire **T**	3	81
réédifier **T**	1	15
rééditer **T**	1	12
rééduquer **T**	1	16
réélire **T**	3	82
réembaucher **T**	1	12
réemployer **T**	1	31
réemprunter **T**	1	12
réengager **T / I**, p.p.inv. / **Pr**	1	17
réenregistrer **T**	1	12
réensemencer **T**	1	18
rééquilibrer **T**	1	12
réer **I / p.p.inv.** / -é- partout	1	14
réescompter **T**	1	12
réessayer **T**	1	29 ou 30
réétudier **T**	1	15
réévaluer **T**	1	13
réexaminer **T**	1	12
réexpédier **T**	1	15
réexporter **T**	1	12
refaçonner **T**	1	12
refaire **T / Pr**	3	5
refendre **T**	3	66
référencer **T**	1	18
référer **Ti** (à), p.p.inv. dans l'expression *en référer à* / **Pr** (à)	1	20
refermer **T**	1	12
refiler **T**	1	12
réfléchir **T / I**, p.p.inv. / **Ti** (à, sur), p.p.inv. / **Pr** (dans, sur)	2	35
refléter **T / Pr** (dans)	1	20
refleurir **I**, p.p.inv. / **T**	2	35
refluer **I / p.p.inv.**	1	13
refonder **T**	1	12
refondre **T**	3	66
reformer **T / Pr**	1	12
réformer **T**	1	12
reformuler **T**	1	12
refouiller **T**	1	12
refouler **T**	1	12
réfracter **T**	1	12
refréner **T**	1	20
réfréner **T**	1	20
réfrigérer **T**	1	20
refroidir **T / I**, p.p.inv.	2	35
réfugier **-se- +être**	1	15
refuser **T / I**, p.p.inv. / **Pr**	1	12
réfuter **T**	1	12
regagner **T**	1	12
régaler **T / Pr**	1	12
regarder **T / Ti** (à), p.p.inv. / **I**, p.p.inv. / **Pr**	1	12
regarnir **T**	2	35
régater **I / p.p.inv.**	1	12
regeler **T / U**, p.p.inv.	1	25
régénérer **T**	1	20
régenter **T**	1	12
regimber **I**, p.p.inv. / **Pr**	1	12
régionaliser **T**	1	12
régir **T**	2	35
registrer **T**	1	12
réglementer **T**	1	12
régler **T**	1	20
régner **I / p.p.inv.**	1	20
regonfler **T / I**, p.p.inv.	1	12
regorger **I / p.p.inv.**	1	17
regratter **T**	1	12
regréer **T** / -é- partout	1	14
regreffer **T**	1	12
régresser **I / p.p.inv.**	1	12
regretter **T** / -tt- partout	1	12
regrimper **I**, p.p.inv. / **T**	1	12
regrossir **I / p.p.inv.**	2	35
regrouper **T / Pr**	1	12
régulariser **T**	1	12
réguler **T**	1	12
régurgiter **T**	1	12
réhabiliter **T**	1	12
réhabituer **T**	1	13
rehausser **T**	1	12
réhydrater **T**	1	12
réifier **T**	1	15
réimperméabiliser **T**	1	12
réimplanter **T**	1	12
réimporter **T**	1	12
réimposer **T**	1	12
réimprimer **T**	1	12
réincarcérer **T**	1	20
réincarner **-se-** (dans) **+être**	1	12
réincorporer **T**	1	12
réinscrire **T**	3	81
réinsérer **T**	1	20
réinstaller **T**	1	12
réintégrer **T**	1	20
réintroduire **T**	3	85
réinventer **T**	1	12
réinvestir **T / I**, p.p.inv.	2	35
réinviter **T**	1	12
réitérer **T / I**, p.p.inv.	1	20
rejaillir **I / p.p.inv.**	2	35
rejeter **T / I**, p.p.inv. / **Pr**	1	27
rejoindre **T / Pr**	3	71
rejointoyer **T**	1	31
rejouer **T / I**, p.p.inv.	1	13
réjouir **T / Pr** (de)	2	35
rejuger **T**	1	17
relâcher **T / I**, p.p.inv. / **Pr**	1	12
relaisser **-se- +être**	1	12
relancer **T / I**, p.p.inv.	1	18
rélargir **T**	2	35
relater **T**	1	12
relativiser **T**	1	12
relaver **T**	1	12
relaxer **T / Pr**	1	12
relayer **T / Pr**	1	29 ou 30
reléguer **T** / -gu- partout	1	20
relever **T / Ti** (de), p.p.inv. / **Pr**	1	25
relier **T**	1	15
relire **T / Pr**	3	82
reloger **T**	1	17
relouer **T**	1	13
reluire **I / p.p.inv.**	3	85
reluquer **T**	1	16
remâcher **T**	1	12
remailler **T**	1	12
remanger **T / I**, p.p.inv.	1	17
remanier **T**	1	15
remaquiller **T**	1	12
remarcher **I / p.p.inv.**	1	12
remarier **-se- +être**	1	15
remarquer **T**	1	16
remastiquer **T**	1	16
remballer **T**	1	12
rembarquer **T / I / Pr** (dans)	1	16
rembarrer **T**	1	12
rembaucher **T**	1	12
remblaver **T**	1	12
remblayer **T**	1	29 ou 30
rembobiner **T**	1	12
remboîter **T**	1	12
rembouger **T**	1	17

rembourrer **T**	1	12
rembourser **T**	1	12
rembrunir **-se- +être**	2	35
rembucher **T**	1	12
remédier **Ti** (à) / **p.p.inv.**	1	15
remembrer **T**	1	12
remémorer **T / Pr**	1	12
remercier **T**	1	15
remettre **T / Ti** (sur), p.p.inv., Belgique / **Pr** (à)	3	6
remeubler **T**	1	12
remilitariser **T**	1	12
remiser **T / Pr**	1	12
remmailler **T**	1	12
remmailloter **T**	1	12
remmancher **T**	1	12
remmener **T**	1	25
remmouler **T**	1	12
remodeler **T**	1	25
remonter **I +être / T +avoir / Pr**	1	12
remontrer **T**	1	12
remordre **T**	3	66
remorquer **T**	1	16
remoudre **T**	3	96
remouiller **T**	1	12
remouler **T**	1	12
rempailler **T**	1	12
rempaqueter **T**	1	27
rempiéter **T**	1	20
rempiler **T / I,** p.p.inv.	1	12
remplacer **T**	1	18
remplier **T**	1	15
remplir **T / Pr**	2	35
remployer **T / Pr**	1	31
remplumer **-se- +être**	1	12
rempocher **T**	1	12
rempoissonner **T**	1	12
remporter **T**	1	12
rempoter **T**	1	12
remprunter **T**	1	12
remuer **T / I,** p.p.inv. / **Pr**	1	13
rémunérer **T**	1	20
renâcler **I / p.p.inv.**	1	12
renaître **I / Ti** (à) / **Déf:** pas de part. passé, donc pas de temps composés	3	76
renauder **I / p.p.inv.**	1	12
rencaisser **T**	1	12
rencarder **T / Pr** (sur)	1	12
renchérir **I / p.p.inv.**	2	35
rencogner **T / Pr** (dans)	1	12
rencontrer **T / Pr**	1	12
rendormir **T / Pr**	3	37
rendosser **T**	1	12
rendre T / I / Pr (attention: p.p.inv. seulement dans l'expression *se rendre compte de...*)	3	**66**
renégocier **T**	1	15
reneiger **U / p.p.inv.**	1	17
renfaîter **T**	1	12
renfermer **T / Pr**	1	12
renfiler **T**	1	12
renfler **T**	1	12
renflouer **T**	1	13
renfoncer **T**	1	18
renforcer **T**	1	18
renformir **T**	2	35
renfrogner **-se- +être**	1	12
rengager **T / I,** p.p.inv. / **Pr**	1	17
rengainer **T**	1	12
rengorger **-se- +être**	1	17
rengraisser **I / p.p.inv.**	1	12
rengrener **T**	1	25
rengréner **T**	1	20
renier **T / Pr**	1	15
renifler **I,** p.p.inv. / **T**	1	12
renommer **T**	1	12
renoncer **Ti** (à), p.p.inv. / **I,** p.p.inv. / **T,** Belgique	1	18
renouer **T / I,** p.p.inv.	1	13
renouveler **T / Pr**	1	23
rénover **T**	1	12
renseigner **T / Pr**	1	12
rentabiliser **T**	1	12
rentamer **T**	1	12
renter **T**	1	12
rentoiler **T**	1	12
rentraire **T**	3	90
rentrayer **T**	1	29 ou 30
rentrer **I +être / T +avoir**	1	12
renverser **T / I,** p.p.inv. / **Pr**	1	12
renvider **T**	1	12
renvoyer **T**	1	33
réoccuper **T**	1	12
réopérer **T**	1	20
réorchestrer **T**	1	12
réorganiser **T**	1	12
réorienter **T**	1	12
repairer **I / p.p.inv.**	1	12
repaître T / Pr (de)	3	**99**
répandre T / Pr	3	**67**
reparaître **I / + être ou avoir**	3	75
réparer **T**	1	12
reparler **I / Ti** (de) / **p.p.inv.**	1	12
repartager **T**	1	17
repartir **I +être / T** au sens de *répliquer*	3	38
répartir **T**	2	35
repasser **I,** p.p.inv. / **T**	1	12
repaver **T**	1	12
repayer **T**	1	29 ou 30
repêcher **T**	1	12
repeindre **T**	3	70
rependre **T**	3	66
repenser **Ti** (à), p.p.inv. / **T**	1	12
repentir **-se-** (de) **+être**	3	38
repercer **T**	1	18
répercuter **T / Pr** (sur)	1	12
reperdre **T**	3	66
repérer **T**	1	20
répertorier **T**	1	15
répéter **T / Pr**	1	20
repeupler **T**	1	12
repiquer **T / Ti** (à), p.p.inv. / **Pr**	1	16
replacer **T**	1	18
replanter **T**	1	12
replâtrer **T**	1	12
repleuvoir **U / p.p.inv.**	3	62
replier **T / Pr**	1	15
répliquer **T / I,** p.p.inv. / **Pr**	1	16
replisser **T**	1	12
replonger **T / I,** p.p.inv. / **Pr**	1	17
reployer **T**	1	31
repolir **T**	2	35
répondre **T / I,** p.p.inv. / **Ti** (à, de), p.p.inv.	3	66
reporter **T / Pr** (à)	1	12
reposer **T / Ti** (sur), p.p.inv. / **I,** p.p.inv. / **Pr**	1	12
repositionner **T**	1	12
repourvoir **T** / Suisse	3	54
repousser **T / I,** p.p.inv.	1	12
reprendre **T / I,** p.p.inv. / **Pr**	3	68
représenter **T / I,** p.p.inv. / **Pr**	1	12
réprimander **T**	1	12
réprimer **T**	1	12

repriser **T**	1	12
reprocher **T / Pr**	1	12
reproduire **T / Pr**	3	85
reprogrammer **T**	1	12
reprographier **T**	1	15
réprouver **T**	1	12
répudier **T**	1	15
répugner **Ti** (à) / **p.p.inv.**	1	12
réputer **T**	1	12
requérir **T**	3	44
requêter **T**	1	12
requinquer **T / Pr**	1	16
réquisitionner **T**	1	12
requitter **T**	1	12
resaler **T**	1	12
resalir **T / Pr**	2	35
rescinder **T**	1	12
réséquer **T**	1	20
réserver **T / Pr**	1	12
résider **I / p.p.inv.**	1	12
résigner **T / Pr** (à)	1	12
résilier **T**	1	15
résiner **T**	1	12
résister **Ti** (à) / **p.p.inv.**	1	12
resocialiser **T**	1	12
résonner **I / p.p.inv.**	1	12
résorber **T / Pr**	1	12
résoudre T / Pr (à)	3	**95**
respectabiliser **T**	1	12
respecter **T / Pr**	1	12
respirer **I**, p.p.inv. / **T**	1	12
resplendir **I / p.p.inv.**	2	35
responsabiliser **T**	1	12
resquiller **T / I**, p.p.inv.	1	12
ressaigner **I / p.p.inv.**	1	12
ressaisir **T / Pr**	2	35
ressasser **T**	1	12
ressauter **T / I**, p.p.inv.	1	12
ressayer **T**	1	29 ou 30
ressembler **Ti** (à) / **Pr** / **p.p.inv.**	1	12
ressemeler **T**	1	23
ressemer **T**	1	25
ressentir **T / Pr** (de)	3	38
resserrer **T / Pr**	1	12
resservir **T / I**, p.p.inv.	3	37
ressortir **I +être / T +avoir / Ti** (à) **+être / U +être**	3	38
ressortir (= être du ressort de) **Ti** (à), **+être**	2	35
ressouder **T**	1	12
ressourcer **-se- +être**	1	18
ressouvenir **-se-** (de) **+être**	3	4
ressuer **I / p.p.inv.**	1	13
ressurgir **I / p.p.inv.**	2	35
ressusciter **I +être / T +avoir**	1	12
ressuyer **T**	1	32
restaurer **T / Pr**	1	12
rester **I / + être**	1	12
restituer **T**	1	12
restreindre **T / Pr**	3	70
restructurer **T**	1	12
résulter **Ti** (de) / **U +être ou avoir / p.p.inv. / Déf:** usité seulement à l'inf., aux 3es pers., aux part. présent et passé	1	12
résumer **T / Pr** (à)	1	12
resurchauffer **T**	1	12
resurgir **I / p.p.inv.**	2	35
rétablir **T / Pr**	2	35
retailler **T**	1	12
rétamer **T**	1	12
retaper **T / Pr**	1	12
retarder **T / I**, p.p.inv.	1	12
retâter **T / Ti** (de), p.p.inv.	1	12
reteindre **T**	3	70
retendre **T**	3	66
retenir **T / Pr**	3	4
retenter **T**	1	12
retentir **I / p.p.inv.**	2	35
retercer **T**	1	18
reterser **T**	1	12
réticuler **T**	1	12
retirer **T / Pr**	1	12
retisser **T**	1	12
retomber **I / + être**	1	12
retondre **T**	3	66
retordre **T**	3	66
rétorquer **T**	1	16
retoucher **T / Ti** (à), p.p.inv.	1	12
retourner **T +avoir / I +être / Pr / U**, p.p.inv. dans l'expression *de quoi il retourne*	1	12
retracer **T**	1	18
rétracter **T / Pr**	1	12
retraduire **T**	3	85
retraiter **T**	1	12
retrancher **T / Pr**	1	12
retranscrire **T**	3	81
retransmettre **T**	3	6
retravailler **T / I**, p.p.inv.	1	12
retraverser **T**	1	12
rétrécir **T / I**, p.p.inv. / **Pr**	2	35
rétreindre **T**	3	70
retremper **T / Pr**	1	12
rétribuer **T**	1	13
rétroagir **Ti** (sur) / **p.p.inv.**	2	35
rétrocéder **T**	1	20
rétrograder **I**, p.p.inv. / **T**	1	12
retrousser **T**	1	12
retrouver **T / Pr**	1	12
retuber **T**	1	12
réunifier **T**	1	15
réunir **T / Pr**	2	35
réussir **I**, p.p.inv. / **Ti** (à), p.p.inv. / **T**	2	35
réutiliser **T**	1	12
revacciner **T**	1	12
revaloir **T / Déf:** usité surtout à l'inf. prés., au futur simple et au conditionnel présent	3	56
revaloriser **T**	1	12
revancher **-se- +être**	1	12
revasculariser **T**	1	12
rêvasser **I / p.p.inv.**	1	12
réveiller **T / Pr**	1	12
réveillonner **I / p.p.inv.**	1	12
révéler **T / Pr**	1	20
revendiquer **T**	1	16
revendre **T**	3	66
revenir **I / + être**	3	4
rêver **I**, p.p.inv. / **T / Ti** (à, de), p.p.inv.	1	12
réverbérer **T**	1	20
revercher **T**	1	12
reverdir **T / I**, p.p.inv.	2	35
révérer **T**	1	20
revernir **T**	2	35
reverser **T**	1	12
revêtir **T**	3	41
revigorer **T**	1	12
réviser **T**	1	12
revisiter **T**	1	12
revisser **T**	1	12
revitaliser **T**	1	12
revivifier **T**	1	15
revivre **I**, p.p.inv. / **T**	3	87
revoir **T / Pr**	3	52

Verbe	Groupe	Modèle
revoler **I / p.p.inv.**	1	12
révolter **T / Pr**	1	12
révolutionner **T**	1	12
révoquer **T**	1	16
revoter **T / I**, p.p.inv.	1	12
revouloir **T**	3	8
révulser **T**	1	12
rewriter **T**	1	12
rhabiller **T / Pr**	1	12
rhumer **T**	1	12
ribler **T**	1	12
ribouler **I / p.p.inv.**	1	12
ricaner **I / p.p.inv.**	1	12
ricocher **I / p.p.inv.**	1	12
rider **T / Pr**	1	12
ridiculiser **T**	1	12
rifler **T**	1	12
rigidifier **T**	1	15
rigoler **I / p.p.inv.**	1	12
rimailler **T / I**, p.p.inv.	1	12
rimer **I**, p.p.inv. / **T**	1	12
rincer **T / Pr**	1	18
ringarder **T**	1	12
ringardiser **T**	1	12
rioter **I / p.p.inv.**	1	12
ripailler **I / p.p.inv.**	1	12
riper **T / I**, p.p.inv.	1	12
ripoliner **T**	1	12
riposter **Ti** (à), p.p.inv. / **I**, p.p.inv. / **T**	1	12
rire I / Ti (de) / **Pr** (de) / **p.p.inv.** même à la voix pronominale	3	**83**
risquer **T / Ti** (de), p.p.inv. / **Pr**	1	16
rissoler **T / I**, p.p.inv.	1	12
ristourner **T**	1	12
ritualiser **T**	1	12
rivaliser **I / p.p.inv.**	1	12
river **T**	1	12
riveter **T**	1	27
rober **T**	1	12
robotiser **T**	1	12
rocher **I / p.p.inv.**	1	12
rocouer **T**	1	13
rôdailler **I / p.p.inv.**	1	12
roder **T**	1	12
rôder **I / p.p.inv.**	1	12
rogner **T / Ti**, p.p.inv. / **I**, p.p.inv.	1	12
rognonner **I / p.p.inv.**	1	12
roidir **T**	2	35
roiller **U / p.p.inv.** / Suisse	1	12
romancer **T**	1	18
romaniser **T / I**, p.p.inv.	1	12
rompre T / Ti (avec), p.p.inv. / **I**, p.p.inv. / **Pr**	3	**72**
ronchonner **I / p.p.inv.**	1	12
ronéoter **T**	1	12
ronéotyper **T**	1	12
ronfler **I / p.p.inv.**	1	12
ronger **T**	1	17
ronronner **I / p.p.inv.**	1	12
roquer **I / p.p.inv.**	1	16
roser **T**	1	12
rosir **T / I**, p.p.inv.	2	35
rosser **T**	1	12
roter **I / p.p.inv.**	1	12
rôtir **T / I**, p.p.inv. / **Pr**	2	35
roucouler **I**, p.p.inv. / **T**	1	12
rouer **T**	1	13
rougeoyer **I / p.p.inv.**	1	31
rougir **T / I**, p.p.inv.	2	35
rouiller **T / I**, p.p.inv. / **Pr**	1	12
rouir **T**	2	35
rouler **T / I**, p.p.inv. / **Pr**	1	12
roulotter **T**	1	12
roupiller **I / p.p.inv.**	1	12
rouscailler **I / p.p.inv.**	1	12
rouspéter **I / p.p.inv.**	1	20
roussir **T / I**, p.p.inv.	2	35
roustir **T**	2	35
router **T**	1	12
rouvrir **T / I**, p.p.inv.	3	45
rubaner **T**	1	12
rubéfier **T**	1	15
rubriquer **T**	1	16
rucher **T**	1	12
rudoyer **T**	1	31
ruer **I**, p.p.inv. / **Pr** (sur)	1	13
rugir **I / p.p.inv.**	2	35
ruiler **T**	1	12
ruiner **T / Pr**	1	12
ruisseler **I / p.p.inv.**	1	23
ruminer **T**	1	12
rupiner **I / p.p.inv.**	1	12
ruser **I / p.p.inv.**	1	12
russifier **T**	1	15
russiser **T**	1	12
rustiquer **T**	1	16
rutiler **I / p.p.inv.**	1	12
rythmer **T**	1	12

S — 1er, 2e, 3e groupe

Verbe	Groupe	Modèle
sabler **T**	1	12
sablonner **T**	1	12
saborder **T**	1	12
saboter **T**	1	12
sabouler **T**	1	12
sabrer **T**	1	12
saccader **T**	1	12
saccager **T**	1	17
saccharifier **T**	1	15
sacquer **T** / -cqu- partout	1	16
sacraliser **T**	1	12
sacrer **T / I**, p.p.inv.	1	12
sacrifier **T / Ti** (à), p.p.inv. / **Pr**	1	15
safraner **T**	1	12
saietter **T**	1	12
saigner **T / I**, p.p.inv. / **Pr**	1	12
saillir (= faire saillie) **I / p.p.inv. / Déf:** usité seulement aux 3es pers. et aux temps impersonnels	3	**50**
saillir (= s'accoupler) **T / Déf:** usité seulement à l'inf., aux 3es personnes des temps simples et au part. présent	2	35
saisir **T / Pr** (de)	2	35
salarier **T**	1	15
saler **T**	1	12
salifier **T**	1	15
salir **T / Pr**	2	35
saliver **I / p.p.inv.**	1	12
saloper **T**	1	12
salpêtrer **T**	1	12
saluer **T**	1	13
sanctifier **T**	1	15
sanctionner **T**	1	12
sanctuariser **T**	1	12
sangler **T**	1	12
sangloter **I / p.p.inv.**	1	12
saouler **T / Pr**	1	12
saper **T / Pr**	1	12
saponifier **T**	1	15
saquer **T**	1	16
sarcler **T**	1	12
sarmenter **T**	1	12
sasser **T**	1	12

Verbe	Groupe	Tableau
satelliser **T**	1	12
satiner **T**	1	12
satiriser **T**	1	12
satisfaire **T / Ti** (à), p.p.inv. / **Pr** (de)	3	5
saturer **T**	1	12
saucer **T**	1	18
saucissonner **I**, p.p.inv. / **T**	1	12
saumurer **T**	1	12
sauner **I / p.p.inv.**	1	12
saupoudrer **T**	1	12
saurer **T**	1	12
sauter **I**, p.p.inv. / **T**	1	12
sautiller **I / p.p.inv.**	1	12
sauvegarder **T**	1	12
sauver **T / Pr**	1	12
savoir T / Pr	3	**9**
savonner **T**	1	12
savourer **T**	1	12
scalper **T**	1	12
scandaliser **T / Pr** (de)	1	12
scander **T**	1	12
scanner **T**	1	12
scarifier **T**	1	15
sceller **T**	1	12
scénariser **T**	1	12
scheider **T**	1	12
schématiser **T**	1	12
schlinguer **I / p.p.inv.** / -gu- partout	1	16
schlitter **T**	1	12
scier **T**	1	15
scinder **T / Pr**	1	12
scintiller **I / p.p.inv.**	1	12
scléroser **T / Pr**	1	12
scolariser **T**	1	12
scotcher **T**	1	12
scotomiser **T**	1	12
scrabbler **I / p.p.inv.**	1	12
scratcher **T**	1	12
scruter **T**	1	12
sculpter **T / I**, p.p.inv.	1	12
sécher **T / I**, p.p.inv.	1	20
seconder **T**	1	12
secouer **T / Pr**	1	13
secourir **T**	3	42
secréter **T**	1	20
sécréter **T**	1	20
sectionner **T**	1	12
sectoriser **T**	1	12
séculariser **T**	1	12
sécuriser **T**	1	12
sédentariser **T**	1	12
sédimenter **I**, p.p.inv. / **Pr**	1	12
séduire **T**	3	85
segmenter **T**	1	12
séjourner **I / p.p.inv.**	1	12
sélecter **T**	1	12
sélectionner **T**	1	12
seller **T**	1	12
sembler **I / U / p.p.inv.**	1	12
semer **T**	1	25
semoncer **T**	1	18
sensibiliser **T**	1	12
sentir **T / I**, p.p.inv. / **Pr**	3	38
seoir Ti (à) / **U:** *il sied de* / **Déf**	3	**61**
séparer **T / Pr** (de)	1	12
septupler **T / I**, p.p.inv.	1	12
séquestrer **T**	1	12
sérancer **T**	1	18
serfouir **T**	2	35
sérier **T**	1	15
seriner **T**	1	12
seringuer **T** / -gu- partout	1	16
sermonner **T**	1	12
serpenter **I / p.p.inv.**	1	12
serrer **T**	1	12
sertir **T**	2	35
servir **T / I**, p.p.inv. / **Ti** (à, de), p.p.inv. / **Pr** (de)	3	37
sévir **I / p.p.inv.**	2	35
sevrer **T**	1	25
sextupler **T / I**, p.p.inv.	1	12
sexualiser **T**	1	12
shampouiner **T**	1	12
shooter **I**, p.p.inv. / **Pr**	1	12
shunter **T**	1	12
sidérer **T**	1	20
siéger **I / p.p.inv.**	1	21
siffler **I**, p.p.inv. / **T**	1	12
siffloter **I**, p.p.inv. / **T**	1	12
signaler **T / Pr**	1	12
signaliser **T**	1	12
signer **T / Pr**	1	12
signifier **T**	1	15
silhouetter **T / Pr**	1	12
sillonner **T**	1	12
similiser **T**	1	12
simplifier **T**	1	15
simuler **T**	1	12
singer **T**	1	17
singulariser **T / Pr**	1	12
siniser **T**	1	12
sintériser **T**	1	12
sinuer **I / p.p.inv.**	1	13
siphonner **T**	1	12
siroter **T / I**, p.p.inv.	1	12
situer **T / Pr**	1	13
skier **I / p.p.inv.**	1	15
slalomer **I / p.p.inv.**	1	12
slaviser **T**	1	12
slicer **T**	1	18
smasher **I**, p.p.inv. / **T**	1	12
smiller **T**	1	12
sniffer **T**	1	12
snober **T**	1	12
sociabiliser **T**	1	12
socialiser **T**	1	12
sodomiser **T**	1	12
soigner **T**	1	12
solder **T / Pr** (par)	1	12
solenniser **T**	1	12
solfier **T**	1	15
solidariser **T / Pr** (avec)	1	12
solidifier **T / Pr**	1	15
soliloquer **I / p.p.inv.**	1	16
solliciter **T**	1	12
solubiliser **T**	1	12
solutionner **T**	1	12
somatiser **T**	1	12
sombrer **I / p.p.inv.**	1	12
sommeiller **I / p.p.inv.**	1	12
sommer **T**	1	12
somnoler **I / p.p.inv.**	1	12
sonder **T**	1	12
songer **Ti** (à) / **I / p.p.inv.**	1	17
sonnailler **I / p.p.inv.**	1	12
sonner **I**, p.p.inv. / **T**	1	12
sonoriser **T**	1	12
sophistiquer **T**	1	16
sortir **I + être / T + avoir**	3	38
sortir **T** / langage juridique	2	35
soucier **-se-** (de) **+ être**	1	15
souder **T / Pr**	1	12
soudoyer **T**	1	31
souffler **I**, p.p.inv. / **T**	1	12
souffleter **T**	1	27
souffrir **T / I**, p.p.inv. / **Ti** (de), p.p.inv. / **Pr**	3	45

Verbe	Groupe	Modèle
soufrer **T**	1	12
souhaiter **T**	1	12
souiller **T**	1	12
soulager **T / Pr**	1	17
soûler **T / Pr**	1	12
soulever **T / Pr**	1	25
souligner **T**	1	12
soumettre **T / Pr** (à)	3	6
soumissionner **T**	1	12
soupçonner **T**	1	12
souper **I / p.p.inv.**	1	12
soupeser **T**	1	25
soupirer **I,** p.p.inv. / **T** / **Ti** (après), p.p.inv.	1	12
souquer **T / I,** p.p.inv.	1	16
sourciller **I / p.p.inv.**	1	12
sourdre **I / Déf:** usité seulement à l'inf. prés. et aux 3es pers. de l'ind. prés. *(il/s sourd/ent)* et de l'imparf. *(elle/s sourdait/aient)*	3	66
sourire **I / Ti** (à) / **Pr / p.p.inv.** même à la voix pronominale	3	83
sous-alimenter **T**	1	12
sous-assurer **T**	1	12
souscrire **T / I,** p.p.inv. / **Ti** (à), p.p.inv.	3	81
sous-déclarer **T**	1	12
sous-employer **T**	1	31
sous-entendre **T**	3	66
sous-estimer **T**	1	12
sous-évaluer **T**	1	13
sous-exploiter **T**	1	12
sous-exposer **T**	1	12
sous-louer **T**	1	13
sous-payer **T**	1	29 ou 30
sous-tendre **T**	3	66
sous-titrer **T**	1	12
soustraire **T / Déf:** pas de passé simple, pas de subj. imparf.	3	90
sous-traiter **T**	1	12
sous-utiliser **T**	1	12
sous-virer **I / p.p.inv.**	1	12
soutacher **T**	1	12
soutenir **T / Pr**	3	4
soutirer **T**	1	12
souvenir **-se-** (de) / **U,** p.p.inv. dans des expressions comme *il me souvient que...*	3	4
soviétiser **T**	1	12
spatialiser **T**	1	12
spécialiser **T / Pr**	1	12
spécifier **T**	1	15
spéculer **I / p.p.inv.**	1	12
speeder **I / p.p.inv.**	1	12
spiritualiser **T**	1	12
spolier **T**	1	15
sponsoriser **T**	1	12
sporuler **I / p.p.inv.**	1	12
sprinter **I / p.p.inv.**	1	12
squatter **T**	1	12
squattériser **T**	1	12
squeezer **T**	1	12
stabiliser **T**	1	12
staffer **T**	1	12
stagner **I / p.p.inv.**	1	12
standardiser **T**	1	12
starifier **T**	1	15
stariser **T**	1	12
stationner **I / p.p.inv.**	1	12
statuer **I / p.p.inv.**	1	13
statufier **T**	1	15
sténographier **T**	1	15
stérer **T**	1	20
stériliser **T**	1	12
stigmatiser **T**	1	12
stimuler **T**	1	12
stipendier **T**	1	15
stipuler **T**	1	12
stocker **T**	1	12
stopper **T / I,** p.p.inv.	1	12
stratifier **T**	1	15
stresser **T**	1	12
striduler **I / p.p.inv.**	1	12
strier **T**	1	15
structurer **T**	1	12
stupéfaire **T / Déf:** usité seulement à la 3e pers. du sing. de l'ind. prés. et des temps composés; remplacé par *stupéfier* aux autres temps	3	5
stupéfier **T**	1	15
stuquer **T**	1	16
styler **T**	1	12
styliser **T**	1	12
subdéléguer **T** / -gu- partout	1	20
subdiviser **T**	1	12
subir **T**	2	35
subjuguer **T** / -gu- partout	1	16
sublimer **T / I,** p.p.inv.	1	12
submerger **T**	1	17
subodorer **T**	1	12
subordonner **T**	1	12
suborner **T**	1	12
subroger **T**	1	17
subsidier **T** / Belgique	1	15
subsister **I / p.p.inv.**	1	12
substantiver **T**	1	12
substituer **T / Pr** (à)	1	13
subsumer **T**	1	12
subtiliser **T / I,** p.p.inv.	1	12
subvenir **Ti** (à) / **p.p.inv.**	3	4
subventionner **T**	1	12
subvertir **T**	2	35
succéder **Ti** (à) / **Pr / p.p.inv.** même à la voix pronominale	1	20
succomber **I / Ti** (à) / **p.p.inv.**	1	12
sucer **T**	1	18
suçoter **T**	1	12
sucrer **T / Pr**	1	12
suer **I,** p.p.inv. / **T**	1	13
suffire Ti (à) / **Pr / p.p.inv.** même à la voix pronominale	3	**84**
suffixer **T**	1	12
suffoquer **T / I,** p.p.inv.	1	16
suggérer **T**	1	20
suggestionner **T**	1	12
suicider **-se- +être**	1	12
suiffer **T**	1	12
suinter **I / p.p.inv.**	1	12
suivre T / I, p.p.inv. / **U,** p.p.inv. / **Pr**	3	**86**
sulfater **T**	1	12
sulfurer **T**	1	12
superposer **T / Pr** (à)	1	12
superviser **T**	1	12
supplanter **T**	1	12
suppléer **T / Ti** (à), p.p.inv. / -é- partout	1	14
supplicier **T**	1	15
supplier **T**	1	15
supporter **T / Pr**	1	12
supposer **T**	1	12
supprimer **T / Pr**	1	12
suppurer **I / p.p.inv.**	1	12
supputer **T**	1	12
surabonder **I / p.p.inv.**	1	12
surajouter **T**	1	12
suralimenter **T**	1	12

Verbe	Groupe	Tableau
surbaisser **T**	1	12
surcharger **T**	1	17
surchauffer **T**	1	12
surclasser **T**	1	12
surcomprimer **T**	1	12
surcontrer **T**	1	12
surcouper **T**	1	12
surdéterminer **T**	1	12
surdorer **T**	1	12
surélever **T**	1	25
surenchérir **I / p.p.inv.**	2	35
surentraîner **T**	1	12
suréquiper **T**	1	12
surestimer **T**	1	12
surévaluer **T**	1	13
surexciter **T**	1	12
surexploiter **T**	1	12
surexposer **T**	1	12
surfacer **T / I,** p.p.inv.	1	18
surfaire **T /** Usité surtout à l'inf. prés., à l'ind. prés. et au part. passé	3	5
surfer **I / p.p.inv.**	1	12
surfiler **T**	1	12
surgeler **T**	1	25
surgir **I / p.p.inv.**	2	35
surhausser **T**	1	12
surimposer **T**	1	12
suriner **T**	1	12
surinformer **T**	1	12
surir **I / p.p.inv.**	2	35
surjaler **I / p.p.inv.**	1	12
surjeter **T**	1	27
surligner **T**	1	12
surlouer **T**	1	13
surmédicaliser **T**	1	12
surmener **T**	1	25
surmonter **T**	1	12
surmouler **T**	1	12
surnager **I / p.p.inv.**	1	17
surnommer **T**	1	12
suroxyder **T**	1	12
surpasser **T / Pr**	1	12
surpayer **T**	1	29 ou 30
surpiquer **T**	1	16
surplomber **T / I,** p.p.inv.	1	12
surprendre **T**	3	68
surproduire **T**	3	85
surprotéger **T**	1	21
sursaturer **T**	1	12
sursauter **I / p.p.inv.**	1	12
sursemer **T**	1	25
surseoir Ti (à) / **p.p.inv.**	3	**60**
surtaxer **T**	1	12
surtitrer **T**	1	12
surveiller **T**	1	12
survendre **T**	3	66
survenir **I / + être**	3	4
survirer **I / p.p.inv.**	1	12
survivre **I / Ti** (à) / **p.p.inv.**	3	87
survoler **T**	1	12
survolter **T**	1	12
susciter **T**	1	12
suspecter **T**	1	12
suspendre **T**	3	66
sustenter **T / Pr**	1	12
susurrer **I,** p.p.inv. / **T**	1	12
suturer **T**	1	12
swinguer **I / p.p.inv.** / -gu- partout	1	16
symboliser **T**	1	12
sympathiser **I** (avec) / **p.p.inv.**	1	12
synchroniser **T**	1	12
syncoper **T / I,** p.p.inv.	1	12
syndicaliser **T**	1	12
syndiquer **T / Pr**	1	16
synthétiser **T**	1	12
systématiser **T**	1	12

T

1er, 2e, 3e groupe

Verbe	Groupe	Tableau
tabasser **T**	1	12
tabler **Ti** (sur) / **p.p.inv.**	1	12
tabouer **T**	1	13
tabouiser **T**	1	12
tacher **T**	1	12
tâcher **Ti** (de + inf.), p.p.inv. / **T**	1	12
tacheter **T**	1	27
tacler **I,** p.p.inv. / **T**	1	12
taillader **T**	1	12
tailler **T / Pr**	1	12
taire **T / Pr**	3	91
taler **T**	1	12
taller **I / p.p.inv.**	1	12
talocher **T**	1	12
talonner **T / I,** p.p.inv.	1	12
talquer **T**	1	16
tambouriner **I,** p.p.inv. / **T**	1	12
tamiser **T**	1	12
tamponner **T / Pr**	1	12
tancer **T**	1	18
tanguer **I / p.p.inv.** / -gu- partout	1	16
taniser **T**	1	12
tanner **T**	1	12
tanniser **T**	1	12
tapager **I / p.p.inv.**	1	17
taper **Ti** (sur), p.p.inv. / **T / I / Pr**	1	12
tapiner **I / p.p.inv.**	1	12
tapir **-se- + être**	2	35
tapisser **T**	1	12
tapoter **T**	1	12
taquer **T**	1	16
taquiner **T**	1	12
tarabuster **T**	1	12
tarauder **T**	1	12
tarder **I / Ti** (à) / **p.p.inv.**	1	12
tarer **T**	1	12
targuer **-se-** (de) **+ être** / -gu- partout	1	16
tarifer **T**	1	12
tarir **T / I,** p.p.inv. / **Pr**	2	35
tartiner **T**	1	12
tartir **I / p.p.inv.**	2	35
tasser **T / Pr**	1	12
tâter **T / Ti** (de, à), p.p.inv. / **Pr**	1	12
tâtonner **I / p.p.inv.**	1	12
tatouer **T**	1	13
taveler **T**	1	23
taxer **T**	1	12
tayloriser **T**	1	12
tchatcher **I / p.p.inv.**	1	12
techniciser **T**	1	12
techniser **T**	1	12
technocratiser **T**	1	12
teiller **T**	1	12
teindre **T / Pr**	3	70
teinter **T**	1	12
télécharger **T**	1	12
télécommander **T**	1	12
télédiffuser **T**	1	12
télégraphier **T / I,** p.p.inv.	1	15
téléguider **T**	1	12
télématiser **T**	1	12
téléphoner **I,** p.p.inv. / **T**	1	12
télescoper **T / Pr**	1	12
téléviser **T**	1	12
télexer **T**	1	12

Verbe	Groupe	Modèle
témoigner **T / I**, p.p.inv. / **Ti** (de), p.p.inv.	1	12
tempérer **T**	1	20
tempêter **I / p.p.inv.**	1	12
temporiser **I / p.p.inv.**	1	12
tenailler **T**	1	12
tendre **T / Ti** (à, vers) p.p.inv.	3	66
tenir **T / I**, p.p.inv. / **Ti** (à, de), p.p.inv. / **Pr / U**, p.p.inv. dans des expressions comme *qu'à cela ne tienne* ou *il ne tient qu'à toi de...*	3	4
tenonner **T**	1	12
ténoriser **I / p.p.inv.**	1	12
tenter **T**	1	12
tercer **T**	1	18
tergiverser **I / p.p.inv.**	1	12
terminer **T / Pr**	1	12
ternir **T**	2	35
terrasser **T**	1	12
terreauter **T**	1	12
terrer **T / Pr**	1	12
terrifier **T**	1	15
terrir **I / p.p.inv.**	2	35
terroriser **T**	1	12
terser **T**	1	12
tester **I**, p.p.inv. / **T**	1	12
tétaniser **T**	1	12
téter **T / I**, p.p.inv.	1	20
texturer **T**	1	12
théâtraliser **T**	1	12
théoriser **T / I**, p.p.inv.	1	12
thésauriser **T**	1	12
tiédir **I**, p.p.inv. / **T**	2	35
tiercer **T**	1	18
tiller **T**	1	12
timbrer **T**	1	12
tinter **T / I**, p.p.inv.	1	12
tintinnabuler **I / p.p.inv.**	1	12
tiper **T** / Suisse	1	12
tipper **T** / Suisse	1	12
tiquer **I / p.p.inv.**	1	16
tirailler **T / I**, p.p.inv.	1	12
tire-bouchonner **T**	1	12
tirer **T / I**, p.p.inv. / **Pr**	1	12
tisonner **T**	1	12
tisser **T**	1	12
titiller **T**	1	12
titrer **T**	1	12
tituber **I / p.p.inv.**	1	12
titulariser **T**	1	12
toiletter **T**	1	12
toiser **T**	1	12
tolérer **T**	1	20
tomber **I + être / T + avoir**	1	12
tomer **T**	1	12
tondre **T**	3	66
tonifier **T**	1	15
tonitruer **I / p.p.inv.**	1	13
tonner **I / U / p.p.inv.**	1	12
tonsurer **T**	1	12
tontiner **T**	1	12
toper **I / p.p.inv.**	1	12
toquer **-se-** (de) **+ être**	1	16
torcher **T / Pr**	1	12
torchonner **T**	1	12
tordre **T / Pr**	3	66
toréer **I / p.p.inv.** / -é- partout	1	14
torpiller **T**	1	12
torréfier **T**	1	15
torsader **T**	1	12
tortiller **T / I**, p.p.inv. / **Pr**	1	12
tortorer **T**	1	12
torturer **T / Pr**	1	12
tosser **I / p.p.inv.**	1	12
totaliser **T**	1	12
toucher **T / Ti** (à), p.p.inv. / **Pr**	1	12
touer **T**	1	13
touiller **T**	1	12
toupiller **T**	1	12
toupiner **I / p.p.inv.**	1	12
tourber **I / p.p.inv.**	1	12
tourbillonner **I / p.p.inv.**	1	12
tourillonner **T / I**, p.p.inv.	1	12
tourmenter **T / Pr**	1	12
tournailler **I / p.p.inv.**	1	12
tournebouler **T**	1	12
tourner **T / I**, p.p.inv. / **Pr**	1	12
tournicoter **I / p.p.inv.**	1	12
tourniquer **I / p.p.inv.**	1	16
tournoyer **I / p.p.inv.**	1	31
tousser **I / p.p.inv.**	1	12
toussoter **I / p.p.inv.**	1	12
trabouler **I / p.p.inv.**	1	12
tracasser **T**	1	12
tracer **T / I**, p.p.inv.	1	18
tracter **T**	1	12
traduire **T / Pr**	3	85
traficoter **I**, p.p.inv. / **T**	1	12
trafiquer **I**, p.p.inv. / **T** / **Ti** (de), p.p.inv.	1	16
trahir **T / Pr**	2	35
trainailler **I / p.p.inv.**	1	12
traînasser **I / p.p.inv.**	1	12
traîner **T / I**, p.p.inv. / **Pr**	1	12
traire **T / Déf:** pas de passé simple, pas de subj. imparf.	3	90
traiter **T / I**, p.p.inv. / **Ti** (de), p.p.inv.	1	12
tramer **T / Pr**	1	12
trancher **T / I**, p.p.inv.	1	12
tranquilliser **T / Pr**	1	12
transbahuter **T**	1	12
transborder **T**	1	12
transcender **T**	1	12
transcoder **T**	1	12
transcrire **T**	3	81
transférer **T**	1	20
transfigurer **T**	1	12
transfiler **T**	1	12
transformer **T / Pr**	1	12
transfuser **T**	1	12
transgresser **T**	1	12
transhumer **I**, p.p.inv. / **T**	1	12
transiger **I / p.p.inv.**	1	17
transir **T** / Usité surtout à l'inf., à l'ind. et au part. passé	2	35
transistoriser **T**	1	12
transiter **T / I**, p.p.inv.	1	12
transmettre **T / Pr**	3	6
transmigrer **I / p.p.inv.**	1	12
transmuer **T**	1	13
transmuter **T**	1	12
transparaître **I / p.p.inv.**	3	75
transpercer **T**	1	18
transpirer **I / p.p.inv.**	1	12
transplanter **T**	1	12
transporter **T / Pr**	1	12
transposer **T**	1	12
transsuder **I / p.p.inv.**	1	12
transvaser **T**	1	12
transvider **T**	1	12
trapper **T** / Québec	1	12
traquer **T**	1	16
traumatiser **T**	1	12
travailler **I**, p.p.inv. / **T**	1	12
travailloter **I / p.p.inv.**	1	12
traverser **T**	1	12

U
1er, 2e, 3e groupe

V
1er, 2e, 3e groupe

vernisser **T**	1	12
verrouiller **T / Pr**	1	12
verser **T / I,** p.p.inv.	1	12
versifier **I,** p.p.inv. / **T**	1	15
vesser **I / p.p.inv.**	1	12
vétiller **I / p.p.inv.**	1	12
vêtir T / Pr	3	**41**
vexer **T / Pr**	1	12
viabiliser **T**	1	12
viander **I,** p.p.inv. / **Pr**	1	12
vibrer **I,** p.p.inv. / **T**	1	12
vibrionner **I / p.p.inv.**	1	12
vicier **T**	1	15
vidanger **T**	1	17
vider **T**	1	12
vidimer **T**	1	12
vieillir **I,** p.p.inv. / **T / Pr**	2	35
vieller **I / p.p.inv.**	1	12
vigneter **I / p.p.inv.**	1	27
vilipender **T**	1	12
villégiaturer **I / p.p.inv.**	1	12
vinaigrer **T**	1	12
viner **T**	1	12
vinifier **T**	1	15
violacer **-se- +être**	1	18
violenter **T**	1	12
violer **T**	1	12
violeter **T**	1	27
violoner **I / p.p.inv.**	1	12
virer **I,** p.p.inv. / **Ti** (à), p.p.inv. / **T**	1	12
virevolter **I / p.p.inv.**	1	12
virguler **T**	1	12
viriliser **T**	1	12
viroler **T**	1	12
viser **T / I,** p.p.inv. / **Ti** (à), p.p.inv.	1	12
visionner **T**	1	12
visiter **T**	1	12
visser **T**	1	12
visualiser **T**	1	12
vitrer **T**	1	12
vitrifier **T**	1	15
vitrioler **T**	1	12
vitupérer **T / Ti** (contre), p.p.inv.	1	20
vivifier **T**	1	15
vivoter **I / p.p.inv.**	1	12
vivre I, p.p.inv. / **T**	3	**87**
vocaliser **I,** p.p.inv. / **T**	1	12
vociférer **I,** p.p.inv. / **Ti** (contre), p.p.inv. / **T**	1	20
voguer **I / p.p.inv.** / -gu- partout	1	16
voiler **T / Pr**	1	12
voir T / Ti (à), p.p.inv. / **Pr**	3	**52**
voisiner **Ti** (avec) / **p.p.inv.**	1	12
voiturer **T**	1	12
volatiliser **T / Pr**	1	12
volcaniser **T**	1	12
voler **I,** p.p.inv. / **T**	1	12
voleter **I / p.p.inv.**	1	27
voliger **T**	1	17
volleyer **I,** p.p.inv. / **T** / -y- partout	1	30
volter **I / p.p.inv.**	1	12
voltiger **I / p.p.inv.**	1	17
vomir **T**	2	35
voter **T,** p.p.inv. / **T**	1	12
vouer **T / Pr** (à)	1	13
vouloir T / Ti (de), p.p.inv. / **Pr** (p.p.inv. uniquement dans l'expression *s'en vouloir de...*)	3	**8**
vousoyer **T**	1	31
voussoyer **T**	1	31
voûter **T / Pr**	1	12
vouvoyer **T**	1	31
voyager **I / p.p.inv.**	1	17
vriller **T / I,** p.p.inv.	1	12
vrombir **I / p.p.inv.**	2	35
vulcaniser **T**	1	12
vulgariser **T**	1	12
vulnérabiliser **T**	1	12

W, Y, Z — 1er, 2e, 3e groupe

warranter **T**	1	12
yodler **I / p.p.inv.**	1	12
zapper **I / p.p.inv.**	1	12
zébrer **T**	1	20
zester **T**	1	12
zézayer **I / p.p.inv.**	1	29 ou 30
zieuter **T**	1	12
zigouiller **T**	1	12
zigzaguer **I / p.p.inv.** / -gu- partout	1	16
zinguer **T** / -gu- partout	1	16
zipper **T**	1	12
zoner **T / I,** p.p.inv.	1	12
zoomer **I / p.p.inv.**	1	12
zozoter **I / p.p.inv.**	1	12
zwanzer **I / p.p.inv.** / Belgique	1	12
zyeuter **T**	1	12

Imprimé en Espagne par Mateu Cromo
Dépôt légal : avril 2006
N° de projet : 1103201